"여행이란?"
일상생활에서 벗어나 낯선 지역으로 목적지를 정하고, 내 자신의 값진 시간을 위해, 떠나는 그 순간부터 여행이라고 생각합니다. SNS에서 떠도는 글에서는 여행이란 내가 싫증 날 정도로 살아온 이곳에서, 다른 사람이 지겹게 살아온 곳으로 이동하는 것이라고도 하는 분들도 있습니다. 아무튼 새로운 곳으로 이동, 새로운 경험과 체험을 하는 것이라 생각합니다.

여행은 일반적으로 크게 국내여행과 해외여행으로 구분할 수 있으며, "우주여행?"은 아직 현실에 맞지 않는 것 같습니다. 국내외 여행에서 이동 수단에 따라 항공 여행, 크루즈 여행, 열차 여행, 차량(버스 등) 여행, 자전거 여행, 걷기(슬로우) 여행 등이 있습니다. 그리고 단체 모임을 통해 공동의 취미에 따라 등산 여행, 골프 여행, 낚시 여행, 쇼핑 여행 등이 있습니다. 또한 테마에 따라 역사 여행, 힐링 여행, 녹색 여행, 문화 여행, 웰빙 여행, 의료 여행, 트레킹 여행, 웰니스(Wellness) 여행 등이 있습니다.

국내 여행은 언제든지 쉽고 편하게 갈 수 있는 여행이라면, 해외 여행은 많은 준비과정이 필요한 여행입니다. 해외 여행은 국내 여행에서는 느끼지 못했던 새로운 경험을 할 수 있는 여행이라고 볼 수 있습니다. 해외에 가면 언어의 소통과 익숙하지 않은 환경에서의 어려움은 있지만, 그만큼 새로운 경험과 색다른 환경을 느끼고 얻을 수 있는 것도 많이 있다고 생각합니다. 해외 여행을 떠나기 전 보통 데이터베이스(DB) 찾아보거나, 여행사를 찾습니다. 여행사에는 해외 여행에 필요한 거의 모든 예약 시스템을 갖추고 있다 보니 도움을 받을 수 있는 곳이기도 합니다.
(교통편, 숙소, 식사, 관광 정보, 인솔자, 현지 가이드 등등…)

여행사에서 도움을 받는 범위에 따라 크게 2가지로 나눠 볼 수 있습니다.

이에 패키지 여행과 자유(배낭) 여행으로 구분됩니다.
: 패키지 여행은 여행 과정에서의 모든 여행 일정을 여행사에 맡기는 여행입니다.

여행을 어디로, 언제, 기간은 어느 정도 있을지 등을 정하면, 이에 맞는 여행 상품을 입맛에 맞게 고르면 됩니다. 여행객들은 여행사에서 준비한 여행사의 일정에 맞추어 여행을 하게 됩니다. 한국에서 출발하는 곳(공항, 여객 터미널 등)에서부터 현지 도착지, 여행지에서 다시 한국에 도착할 때까지 모든 여행의 서비스를 받을 수 있는 장점이 있으나, 여행사 일정대로 움직여야 하기 때문에 일정에서 벗어나서 다른 지역을 여행하는 데는 제약이 따르게 됩니다.
보통의 패키지 여행은 이를 고려해서 일정상에 여유가 있으면, 하루 정도는 스케줄에 따르지 않고 자유롭게 돌아다닐 수 있도록 해 주는 여행 일정도 있습니다.

그 이상의 자유로운 일정을 원하는 여행자들에게는 어려움이 있습니다. 자유로운 여행을 원하시는 여행객들을 위한 자유(배낭) 여행도 있습니다.
: 자유(배낭) 여행은 여행사를 통하지 않는 여행입니다. 물론 교통편이나 숙소 등 일부는 여행사의 도움을 받는 경우도 있지만, 현지 도착하여 차량, 식사, 관광지 등 모든 예약은 여행자 스스로 해결하여야 합니다. 자유 여행은 여행지로 떠나기 전에 그만큼 많은 여행 준비가 필요합니다. 준비 없이 간다면 어디든 찾아가기도 쉽지 않고, 상황에 대처하기도 어렵습니다. 그래서 더욱더 준비를 잘하고 떠나야만, 후회 없는 좋은 여행의 추억과 시간을 간직할 수 있을 것입니다.
자유 여행은 흔히 배낭여행이라고도 합니다. 배낭 하나 메고 돌아다니면서 나만의 여행을 간직하고 느낄 수 있는 여행입니다. 여행자가 여유롭게 여행을 하다 보니 많은 시간이 필요로 하며, 여러 곳을 장기간 돌아다닐 수 있는 체력을 갖춘 분들이 가시는 것을 권장할 수 있는 여행입니다.
해외 여행을 처음 가시는 분들이나, 중 ~ 노년층은 패키지 여행을 권장해 드립니다.

공공기관 및 관공서, 중대형 기업체, 학생들의 해외 선지문화 탐방, 연수, 교류, 방문 등 목적으로 해외를 가시는 분들이 많이 늘어 나는 추세입니다.
현시대는 넘치는 데이터베이스(DB)와 해외여행객 목적, 기호에 따라 패키지성 여행보다 인센티브 성 여행이 늘어나는 추세입니다. 여행의 필요한 부분 (항공, 선박, 열차, 차량 등 이동 수단, 숙박, 식당, 관광지, 업체 방문, 인솔자, 현지 가이드, 통역 가이드 등) 중 일부만 예약하여 진행하는 여행자가 늘어나다 보니, 해외여행 출발 전부터 여행자가 각자 준비물을 체크하시어야 할 부분이 많이 발생하게 됩니다.
이에 많은 도움이 될 수 있는 책이 되었으면 합니다.

지금 현시대는 "SNS는 대중화 시대"가 더욱더 활성화되고 있습니다. 거의 모든 대한민국 국민은 한 손에 스마트폰을 들고 다니고 있습니다. 해외 여행을 준비하고, 여행 전에, 여행 중에, 여행을 다녀와서 여행 후에, 스마트폰을 이용하여 여행에 필요한 좋은 정보와 좋은 추억을 남기고 공유하는 것도 여행의 일부가 아닌가 합니다.
해외 여행에 필요한 정보와 스마트폰을 활용한 여행을 전달해 드리고자 합니다.

스마트폰과 함께 떠나는 해외여행 교과서

SNS소통연구소

머 리 말 *Prepare*

備 준 비 중 *Prepare*

前 여 행 전 *Before*

附錄

해외 여행 준비물 및 안전 여행 지침

- 해외 여행은 다른 나라로 이동을 하다 보니 많은 준비가 필요합니다. -

: 해외 여행 준비물 중 꼭 준비가 필요한 필수 준비물과 선택 준비물을 구분하여 알려 드리기는 하지만 전체가 해외 여행 시 꼭 필요한 준비물입니다.
: 안전한 해외 여행을 위하여 "안전 여행 십계명"은 꼭 읽고, 숙지하시어 해외 여행 시 참고하시기를 바랍니다.
: 현시기에 해외를 가시기 전에 필요한 좋은 글이 있어서 그 내용의 일부를 소개해 드립니다.
"International SOS, 해외 여행, 출장 위한 5가지 안전 수칙"

해외 여행 준비물 안내 및 체크리스트

구분	항목	체크
여행준비필수	- 여권(여권 만료일 확인 - 출발일 기준 6개월이 남아 있어야 합니다.)	
	- 비자(지역별 비자 유무 체크 - 비자 사본)	
	- 항공권(여권 영문 이름 체크 요망 - 사본 보관 및 핸드폰 촬영 - 보관)	
	- 여행 일정표(여행사, 항공사, 현지 공관 연락처)	
	- 예약 바우처(호텔, 각종 여행 서비스 관련)	
	- 현지 사용 화폐(환전), 신용, 체크 카드 등	
	- 의약품(여분의 복용 약 및 영문 처방전)	
	- 여행자 보험 가입(사본 보관 및 핸드폰 촬영 보관)	

구분	항목	체크
여행준비선택	- 전자 제품 : 스마트폰, 멀티 어댑터, 이어폰, 셀카봉, 노트북, 카메라, 각종 충전기 등	
	- 의약품 : 진통제, 지사제, 소화제, 감기약, 해열제, 멀미약, 반창고, 밴드, 소독약 등	
	- 세면도구 : 치약, 칫솔, 면도기, 손수건, 화장품, 선크림, 면봉, 화장 솜, 손톱 깎기 등	
	- 옷가지 : 바람막이, 남방, 점퍼, 상의, 하의, 잠옷, 추리닝, 속옷, 양말 등	
	- 음식물 : 모든 음식물은 진공포장만 가능, 반드시 신고(견과류, 유제품 등은 안됨)	
	- 손가방, 비닐봉투나 지퍼백, 운동화, 슬리퍼, 선글라스, 모자, 우산, 볼펜, 타월 등	

안전 여행 십계명	
1. 체크하세요?	여권과 비자 확인 및 사본(촬영), 여권용 사진 2장
2. 확인하세요?	여행 정보 단계 1, 2, 3, 4
3. 클릭하세요?	해외 안전여행 홈페이지(www.0404.go.kr)
4. 준비하세요?	여행자 보험, 신분증 및 사본(촬영), 사진, 각종 사본
5. 기억하세요?	해외공관 연락처와 영사콜센터 연락처
6. 활용하세요?	모바일 동행 서비스
7. 알려주세요?	나의 여행 일정을 가족들에게
8. 경계하세요?	모르는 사람의 지나친 친절
9. 거절하세요?	다른 사람의 수하물 운반 부탁
10. 준수하세요?	방문국의 법령과 제도

International SOS, 해외 여행, 출장위한 5가지 안전 수칙

자료 제공 - International SOS 일부 참고

2년 넘게 이어진 엄격한 코로나19 여행 제한 조치가 완화되면서, 해외 여행과 출장이 활발히 재개되고 있다. 휴가, 출장, 유학, 귀국 등으로 많은 글로벌 이동이 예상됨에 따라 안전한 해외 여행 및 출장을 위해 5가지 안전 수칙을 공개하고 낯선 해외에서의 개인 신변안전에 각별히 유의하기를 권고했다.

1. 코로나19 여행 제한 사항 숙지 및 모니터링 : 일부 국가의 경우 ▷PCR 음성 결과 ▷승객 위치 확인서(passenger locator form) ▷기내 마스크 착용 의무 등을 포함해 여전히 여행제한 사항들을 유지하고 있다. 여행·출장 목적지의 제한 사항을 확인하고, 변경된 부분이 없는지 지속적으로 확인해야 한다.

2. 여행객 대상 위험 파악 : 일반적으로 해외 방문자는 소매치기 및 사기 범죄의 대상이 될 수 있기 때문에 유의해야 한다. 귀중품을 조심하고, 다중이 밀집하는 곳에서는 항상 경계를 유지해야 한다. 행사 및 레저 등의 기타 활동 예약은 검증된 공식 업체를 통해 진행하도록 한다.

3. 교통수단 숙지 : 현지에서 차량을 렌트 할 경우 렌트 규정과 도로 상황, 법규 등을 사전에 숙지하고, 대중교통 이용 시 안전 수칙을 숙지하도록 한다.

4. 개인 건강 상태 및 현지 의료 상태 파악 : 사전에 본인의 건강 및 의료 컨디션을 고려해 백신 접종과 처방전을 최신 상태로 유지한다. 또 국가별 의료 수준 및 체계가 다르므로 방문 예정인 국가의 의료 시설 파악 및 서비스 사용 방법을 숙지한다.

5. 현지 위험 요소 파악 및 최신 진행 상황 모니터링 : 안전한 여행 및 출장을 위해 방문 예정 국가의 위험 요소와 사건 사고 그리고 이에 대한 진행 상황을 미리 파악해 위험을 최소화해야 한다. 정치, 환경 및 사회 이슈와 관련된 최신 정보를 항상 확인한다.

준비 중 해외 안전 여행 앱 활용하기

외교부는 2019년 6월부터 신규 해외안전여행·국민외교 모바일 애플리케이션 서비스를 제공하고 있습니다. 안전한 해외여행을 위한 각종 정보를 제공받으실 수 있습니다.

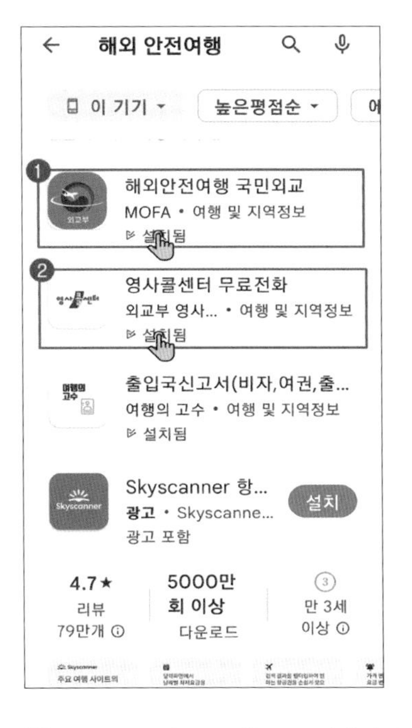

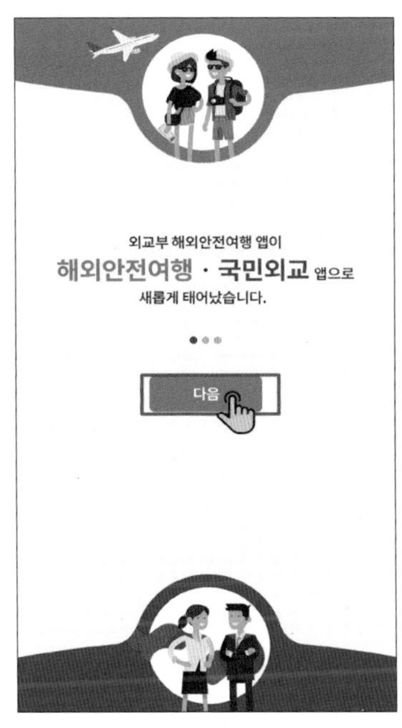

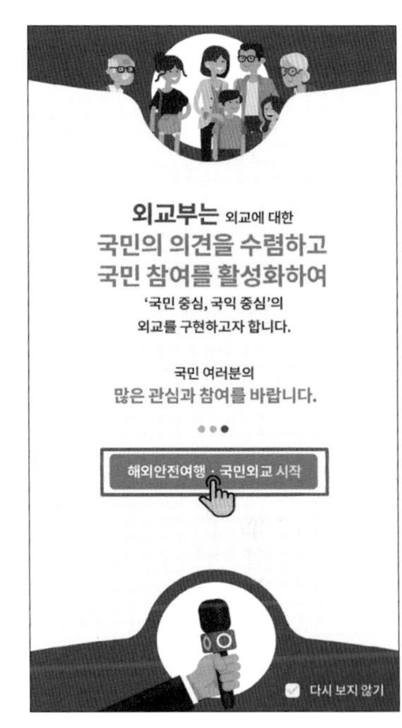

❶ Play 스토어 또는 앱 스토어에서 ① [해외 안전 여행 국민외교]를 [선택] 후 [설치]하세요.
② [영사콜센터 무료전화]도 [선택] 후 [설치]하세요. ❷ [해외 안전 여행 국민외교] 앱에서 다음을 계속 [터치]하세요.
❸ [해외 안전 여행 국민외교 시작]을 [터치]하세요.

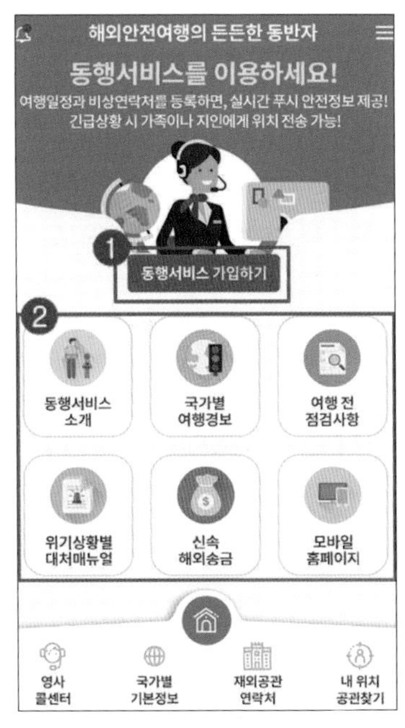

[동행 서비스 소개]
[국가/지역별 여행경보]
[여행 전 점검 사항]
[위기 상황별 대처 매뉴얼]
[신속 해외 송금]
[모바일 홈페이지]

[영사콜센터]
[국가/ 지역별 기본정보]
[재외공관 연락처]
- 본 책 부록 참고

[내 위치 공관 찾기]

❶ [해외 안전 여행]에서 [시작하기]를 [터치]하세요. ❷ ① [동행 서비스 가입하기]에서 [회원 가입] 또는 가입하신 분은 [로그인]을 하세요. ② [원하시는 서비스]를 [선택]하시고 [터치]하시면 됩니다.

플레이스토어 또는 앱스토어에 "해외안전여행" 또는 "알고 챙기고 떠나고"를 검색하여 설치하세요. (외교부에서 제공하는 해외안전여행 어플입니다.)

해외안전여행 애플리케이션은?
실시간 안전정보 푸시 알림, 재외공관 연락처 목록, 여행경보 현황, 위기상황별 대처매뉴얼 등 안전한 해외여행을 위한 각종 정보를 제공받으실 수 있습니다.

해외안전여행 앱을 사용해야 하는 이유!

첫째, '모바일 동행 서비스'가 내 손에!
- 사전에 여행 일정을 등록해 두면, 국가별 최신 안전정보가 실시간 푸시 알림으로 제공됩니다.
- 위급상황 발생 등 필요 시, 등록된 비상연락처를 통해 국내 가족 또는 지인에게 위치정보 (위도 · 경도 및 주소)를 문자메시지로 즉각 전송할 수 있어요.
😊 혼자 떠나는 여행이라도 옆에 누군가 항상 동행하는 것처럼 든든하겠죠?
(※ 노후 기종 등 휴대전화 단말기 상태 및 현지통신 사정 등에 따라 모바일 동행서비스의 문자메시지 전송이 제한되거나 위치정보에 오차가 발생할 수 있습니다.)

둘째, 국가정보와 재외공관 연락처가 한눈에!
- 국가/지역별 기본정보 및 여행정보 (날씨, 교통정보, 현지문화 등), 여행경보 발령현황 최신 안전소식 등을 쉽게 확인할 수 있습니다.
- 각 재외공관의 대표번호(근무 시간 중)와 긴급연락처(24시간)를 바로 찾아볼 수 있어요.
(GPS 기능을 활용한 '내 위치 공관 찾기'도 가능합니다.)
😊 이곳저곳 찾아볼 필요 없이, 앱 하나로 한 번에 해결하세요!

셋째, 예기치 못한 사태에 대한 만반의 대비!
- 사증(비자), 입국 수속 등 여행 전 점검사항을 미리 확인하고 준비할 수 있어요.
- 인질/납치, 대규모 시위, 테러 등 위기상황별 대처매뉴얼을 간편하게 숙지할 수 있어요.
- 터치 한 번이면 바로 영사콜센터에 전화해서 도움 (3자 통역서비스 긴급여권발급, 신속해외송금 등)을 얻을 수 있어요.

해외안전, 영사콜센터, 재외동포영사국, 여권발급, 해외여행자 인터넷 등록제, 여행정보 제공.
www.0404.go.kr/

memo

안전 여행 - 항공보안 365 앱 활용하기

해외 여행의 첫 여행은 항공 여행입니다. 안전한 해외 여행을 위하여, 즐거운 해외 여행이 되시기 위해, 기내 반입 금지 물품을 미리 알고 준비를 하세요.

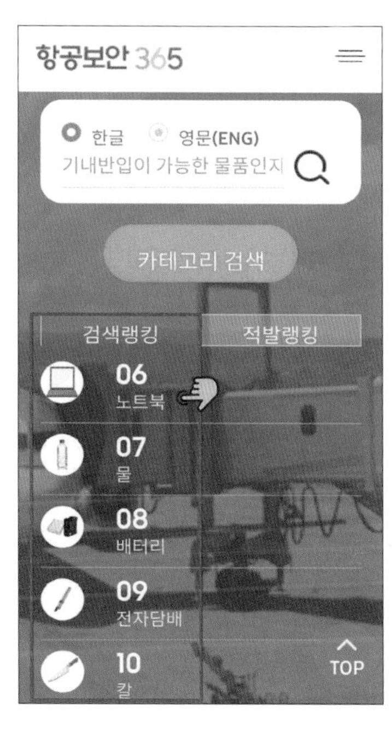

❶ Play 스토어 또는 앱 스토어에서 [항공보안 365]를 [입력] 후 [검색]을 하신 후 [설치]된 앱을 [터치]하세요.
❷ [항공보안 365] 에서 [검색 랭킹], [01~05]까지 나오면 [선택]을 하시고 [터치]를 하세요.
❸ 화면을 왼쪽으로 이동하면서 [검색 랭킹], [06~10]까지 나오면 [선택]을 하시고 [터치]를 하세요.

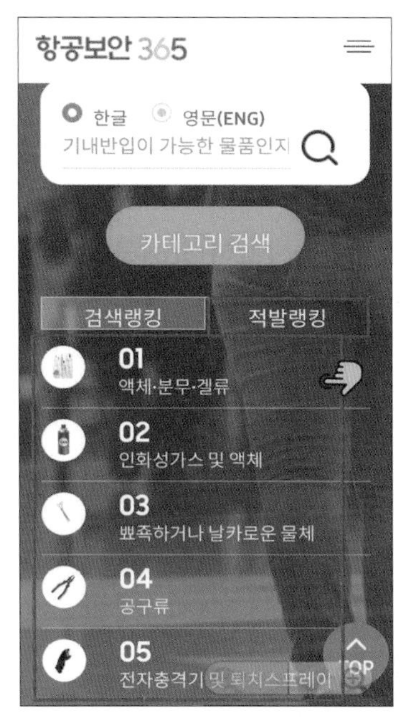

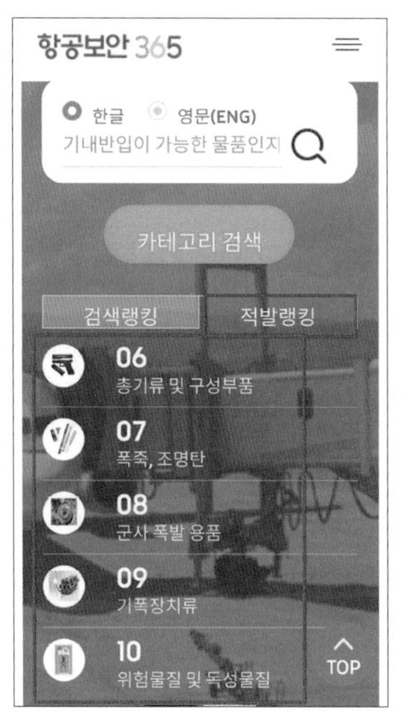

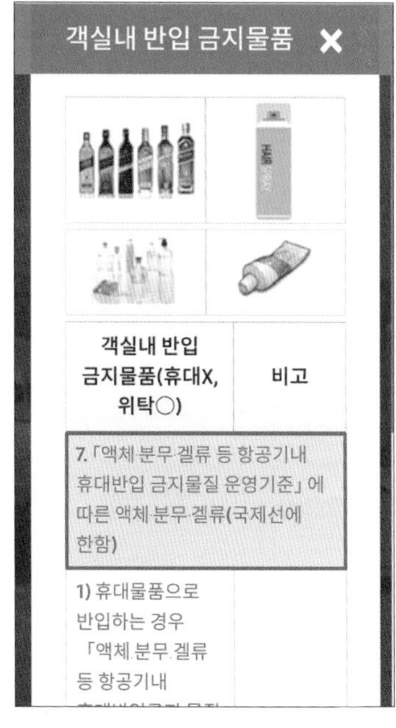

❶ [적발 랭킹]을 [터치]하시면, [01~05]까지 나오면 [선택]을 하시고 [터치]하세요. ❷ 화면을 왼쪽으로 이동하면서 [적발 랭킹], [06~10]까지 나오면 [선택]을 하시고 [터치]를 하세요. ❸ [객실내 반입 금지 물품]에서 [적발 랭킹], [01 액체, 분무, 겔류]를 [터치]하시면 자세한 내용을 보실 수 있습니다.

* 위탁 금지 품목 : ▶ 수하물 위탁 금지 품목 안내 (위탁X, 휴대O)
- 파손 또는 손상되기 쉬운 물품 (도자기, 액자, 유리제품 등), 고가품 및 귀중품 일체, 휴대용 전자기기의 보조, 여분 배터리 (배터리 용량이 160Wh 이하) ※ 100Wh 이하 배터리 배터리 용량이 100Wh 이하인 전자담배 (배터리 용량이 초과하거나, 확인이 불가할 경우 거절될 수 있습니다. ※ 기내에서 충전 및 사용은 엄격히 금지됩니다.
※ 각 국가/지역의 보안검색 절차 및 기준에 따라 차이가 있을 수 있으니 참고 바랍니다.

* 제한적 기내 반입 가능 물품 : ▶ 기내 소량 반입 가능 품목(휴대△, 위탁O)
- 액체류(국제선 출발, 환승에 한함) : 물, 음료, 식품, 화장품 등 액체류(스프레이) 및 젤 또는 크림 물품 (개별 용기당 100ml 이하로 1인당 총 1L 용량의 비닐 지퍼백 1개 보관), 여행 중 필요한 개인용 의약품 (의사 소견서 또는 처방전 제시), 유아식, MacBook 배터리 리콜 대상, 1인당 1개 이하의 라이터 및 안전 성냥 (중국 출발 편 불가), 2.5 kg 이하의 드라이아이스, 12oz(350ml) 이하의 파우더류 물품(미국 출, 도착 편 및 호주 출발 편), 항공사의 승인을 받은 의료용품
※ 각 국가/ 지역의 보안검색 절차 및 기준에 따라 차이가 있을 수 있습니다.

* 기타 수하물 총정리
휴대용 라이터는 각 1개에 한해 반입 가능 (중국 출발 편 제외), 안전, 일반 휴대용, 전기면도기 등은 반입 가능, 액체류: 위탁 수하물인 경우 개별 용기 500ml 이하로 1인당 2kg (2L)까지 반입 가능 (단, 국제선 기내 반입 시 100ml 이하만 가능), 일본은 고데기 반입 불가, 휴대용 보조배터리(160wh 이하만 휴대 가능 (위탁 수하물 불가), 노트북 (배터리 용량 160wh 이하인 경우 (기내, 위탁 수하물 가능) ※ 제품 상세페이지나 설명서에서 몇 Wh인지 꼭 확인하세요!

기내 반입 금지물품은 휴대할 수 없고, 위탁할 수 있습니다.
- 총기류 및 구성부품 / 전자충격기 및 퇴치 스프레이 / 뾰족하거나 날카로운 물체, 공구류 / 둔기 및 스포츠용품 / 인화성 물질 / 액체 분무 겔류 등

휴대 및 위탁 반입 금지물품 다음을 포함한 항공기의 안전을 위협하거나 심각한 상해를 입히는데 사용될 수 있는 물질 및 장치
- 뇌관 / 기폭장치류 / 군사 폭발 용품 / 폭죽, 조명탄 / 연막탄류 / 화약 및 플라스틱 폭발물 / 토치 / 토치 라이터 / 인화성 가스 및 액체 / 위험물질 및 독성물질 등

memo

항공 위험물(금지 물품)

항공 위험물 종류 및 운반이 가능한 위험물 목록을 미리 확인하시기 바랍니다.
국제민간항공기구 부속서18 및 "항공 안전법"에 따라 폭발성, 독성, 부식성, 인화성 가스 혹은 증기를 방출할 가능성이 있어 사람이나 항공기에 해를 입힐 수 있는 물질 또는 물품을 의미합니다.
또한 위험물은 항공법에서 정한 대로 위험물임을 신고하고 포장, 표기 및 그 밖에 엄격한 절차에 따라 운송이 되어야 하며, 위반 시 2천만 원 이하의 벌금 또는 과태료에 처할 수 있습니다.

폭발물(Explosives)

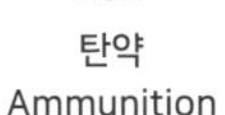
탄약 Ammunition

폭죽 Fireworks

연막탄 Smoke Bomb

가스류(Gases)

가스 라이터 Lighter(휴대만 가능)

에어로졸 Aerosols

캠핑가스 Camping Gas

부탄가스 Butane Gas

가스류(Gases)

소화기 Fire Extinguisher

LPG Camping Gas

인화성 액체(Flammable Liquids)

페인트 Paint

알코올 Alcohol

신나 Thinner

라이터 기름 Lighter Fuel

휘발유 Gasoline

인화성 고체(Flammable Solids)

성냥 Match (휴대만 가능)

고체연료 Solid Fuel

번개탄 Ignition Coal

바비큐 숯 Charcoal

산화성 물질(Oxidizing Material)

표백제 Bleaching Power

락스 Crorox

파마약 Permanent Agents

독성 및 전염성 물질(Toxic And Infectious Items)

제초제 Herbcide

살충제 Pesticide

전염성 물질 Contagious Matter

부식성 물질(Corrosive Materials)

빙초산 Glacial Acetic Acid

습식 배터리 Wet Battery

수은 온도계 Mercury Thermometer

방사성 물질(Radioactive Materials)

방사성 동위원소 Radioisotope

방사선 투과검사 장비 Radiographic Test Equipment

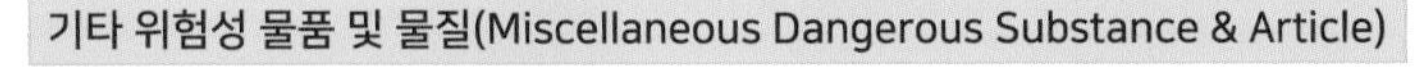

기타 위험성 물품 및 물질(Miscellaneous Dangerous Substance & Article)

일회용 리튬전지 Non-Rechargable Lithium Batteries (휴대만 가능)

전자기기용 여분의 충전식 리튬이온전지 Spare Li-ion Batteries for Electronic Devices (휴대만가능)

드라이 아이스 Dry Ice

전자담배 Elcetronic Cigarette (휴대만 가능)

연료전지 Fuel Cell

리튬 이온배터리를 사용하는 전동보드의 화재 사례발생에 따라 국적항공사도 기내반입(휴대, 부치는 짐)을 금지('15.12~) 하였습니다.

호버 보드(hover board)

전동 휠

세그웨이(Segway)

: 여권은 대한민국 국민이 해외여행을 하는 동안, 외국에서 신분과 국적을 증명하여 상대국에 그 보호를 의뢰하는 여행 승인 증명서입니다. 대한민국 국민이 외국에 여행하고자 하는 국민은 여권을 소지해야 하며, 외국인이 대한민국에 입국하여 여행을 할 때도 여권을 소지해야 합니다. 해외 여행 시 가장 중요한 준비물입니다.

- 대한민국 여권은 외교부장관이 발급을 하며, 발급업무는 외국에서는 영사가, 국내에서는 시·군·구에서 대행을 합니다. 여권은 본인이 직접 신청을 원칙으로 합니다. 단 의전상의 필요한 경우나 본인이 직접 신청할 수 없을 정도의 신체적·정신적 질병, 장애나 사고 등으로 인하여 신청이 특별히 필요하다고 인정하는 경우, 18세 미만인 경우에는 대리인으로 하여금 발급할 수 있습니다. 여권의 종류는 일반여권·관용여권·외교관여권이 있으며, 이는 다시 각각 1회에 한하여 외국여행을 할 수 있는 단수 여권과 유효기간 만료일까지 횟수에 제한 없이 외국여행을 할 수 있는 복수 여권으로 구분됩니다.

<u>여권 발급 구비서류</u>

* 여권발급신청서
* 여권용 사진 1매(6개월 이내에 촬영한 사진)
* 신분증
* 병역관련서류(해당자)

- 병역 미필자(18세~37세) : 제출 서류 없음, 5년 복수 여권 발급
  (단, 여권발급과 별도로 출국 시에는 국외여행허가서 필요)
- 37세까지 국외여행허가를 받은 자 : 10년 복수 여권 발급
- 전역 6개월 미만의 대체의무 복무 중인 자 : 전역예정증명서 및 복무 확인서 제출 시 10년 복수 여권 발급

>>> 여권 신청 시 유효기간이 남아있는 여권은 반드시 지참하시고 방문하시기 바랍니다.(천공 처리 후 돌려드립니다.)

*** 온라인 여권 재발급 신청 안내

- 기존에 전자여권(일반여권)을 한 번이라도 발급받은 적이 있는 만 18세 이상 대한민국 국민은 온라인을 통하여 재발급 신청을 하실 수 있습니다.

온라인 신청 [국내] : 정부24(http://www.gov.kr) 검색창에 '여권 재발급' 입력

온라인 신청 [국외] : 영사민원24(http://consul.mofa.go.kr)

여권 발급하기 - 외교부 사이트 검색 (스마트폰에서)

1 스마트폰 바탕 화면에서 [포털 사이트] 중 하나를 [선택]하세요.
2 [검색]에 ① [외교부]를 [입력]하시고, [터치]하세요. ② [외교부 사이트]가 나옵니다. [외교부 사이트]를 [터치]하세요. 3 [대한민국 외교부]에서 [외교부]를 [터치]하세요.

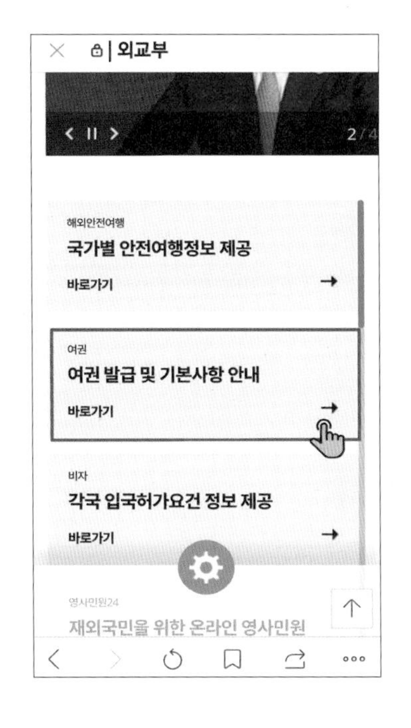

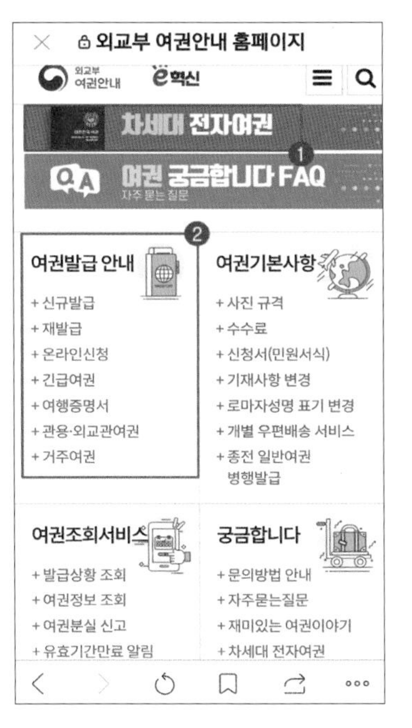

"외교부 여권안내 홈페이지"
* 여권에 관한 모든 내용을 안내해 드리고 있습니다.

- 여권 신청에 필요한 서류
- 여권의 신규 및 재발급 등
- 여권 국내외 접수 기관 찾기
- 차세대 전자 여권 발급
- 여권 온라인 신청 방법
- 여권 분실 신고
- 긴급 여권, 여행 증명서 발급
- 본인 여권 정보 조회
- 해외 안전 여행 정보
- 국가별 입국 허가 요건

1 [외교부] 화면을 [터치] 후 화면을 아래로 내리시면, [여권 발급 및 기본사항 안내]를 [터치]하세요.
2 ① [차세대 전자여권]에서 ② [여권 발급 안내] 내용 중 필요하신 내용을 [터치]하시면 됩니다.

여권 발급하기 - 외교부 사이트 검색(PC에서)

PC [포털 사이트]에서 [검색]에 [외교부]를 [입력]하신 후 [클릭]을 하세요.
[외교부 홈페이지 : www.mofa.go.kr]에서 [외교부]를 [클릭]하세요.

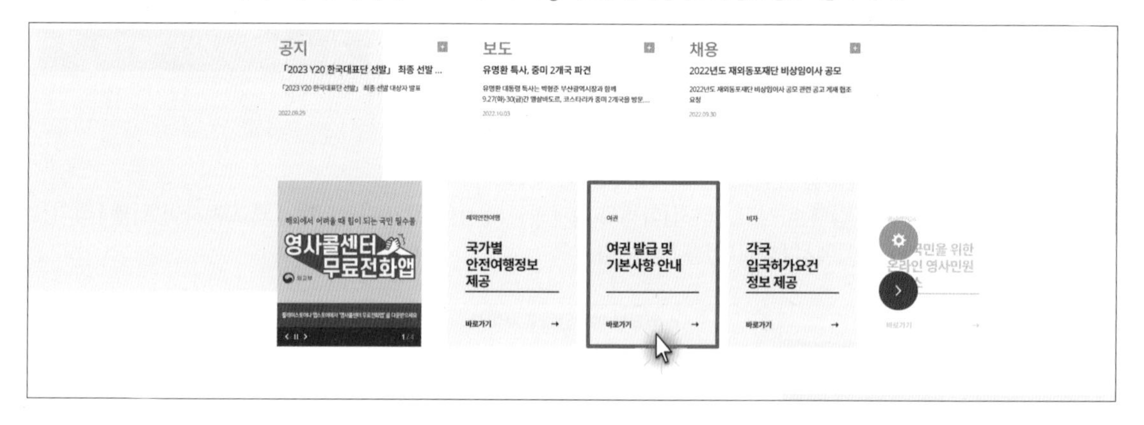

[외교부]를 [클릭]하신 후 마우스로 화면을 아래로 내리시면
[여권 발급 및 기본사항 안내]가 나오면 [클릭]하세요.

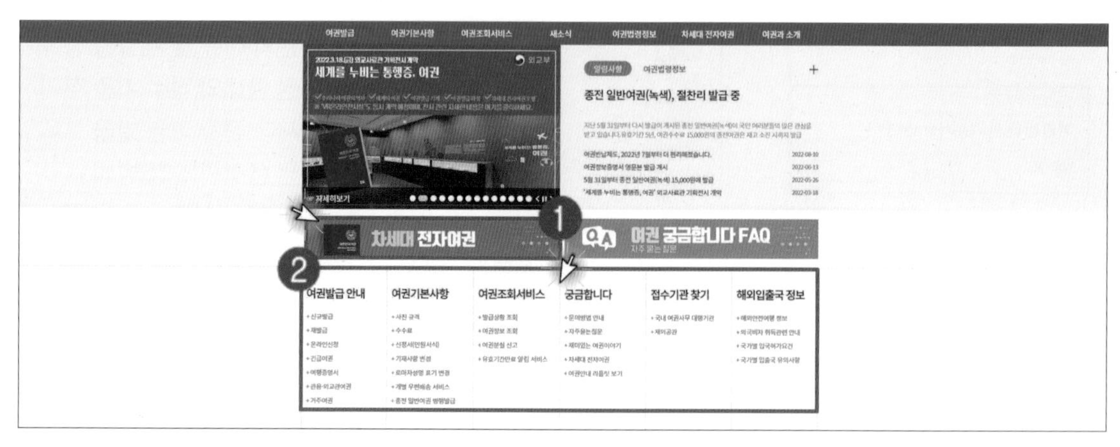

① [차세대 전자여권]에서 ② [여권 발급 안내, 여권 기본 사항, 여권 조회 서비스, 궁금합니다, 접수기관 찾기, 해외출입국 정보 등]에서 필요하신 내용을 [클릭]하시면 됩니다.

- 기존에 전자여권(일반여권)을 한 번이라도 발급받은 적이 있는 만 18세 이상 대한민국 국민은 온라인을 통하여 재발급 신청을 하실 수 있습니다.

❶ Play 스토어 또는 앱 스토어를 [터치]하세요. ❷ ① [정부24]를 입력하시고 [터치]하시면, ② 정부24 앱 설치가 나오면, [터치]하세요. ❸ 또는 [포털 사이트]에서 ① [정부 24]를 입력하시면, ② 정부24 사이트가 나옵니다. [정부24]를 [터치]하세요.

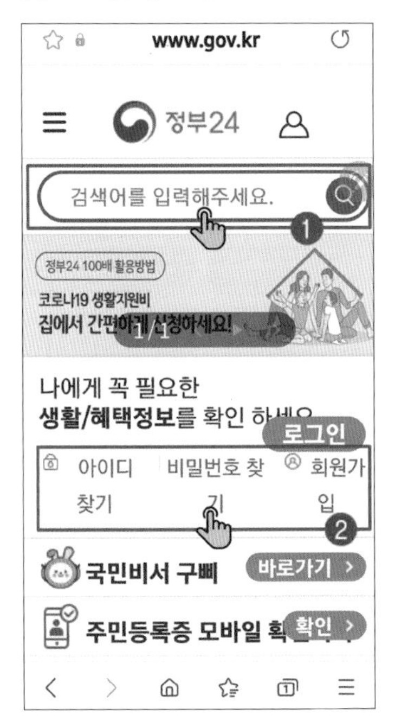

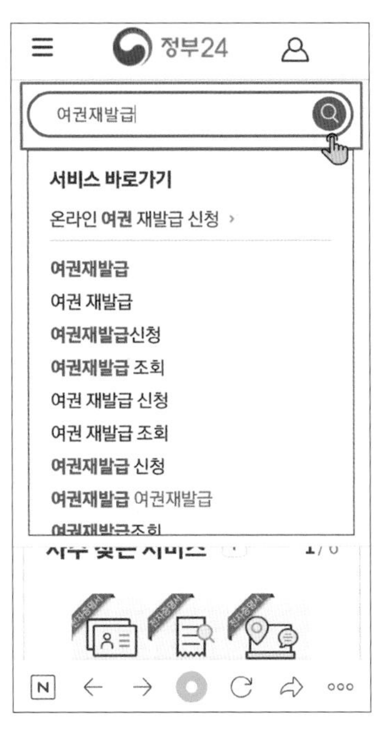

: 여권 재발급 신청만 가능하며 여권 수령은 본인 직접 창구를 방문하시어야 합니다.
-18세 미만인자, 생애 최초 전자여권 신청자, 로마자 성명 변경 희망자, 복수 국적자, 상습 분실자, 행정제재자 등은 온라인 신청이 불가합니다.

정부24(국내)
(http://www.gov.kr)
영사민원 24(국외)
(http://consul.mofa.go.kr)

❶ [정부24]에서 ① [검색]에 [여권 재발급]을 [입력]하시고 [터치]하세요.
그 전에 ② [회원 가입 / 가입하신 분은 로그인]을 합니다. ❷ [여권 재발급]을 [선택]하세요.

보다 편리해진 **영사민원24** : 해외 여행 중 여권을 분실 하신 경우 대처 방법

- 여권분실 시, 제일 먼저 가까운 경찰서를 찾아서, 경찰서를 방문하세요. 여권 분실이 증명될 수 있는 경찰 보고서 (Police Report)를 신청하시고, 받으세요.

- 한국 대사관 (한국 재외 공관)을 방문을 하세요. 경찰서에서 받은 서류와 여권 사진 2매, 분실하신 여권의 여권번호, 발급일, 만기일 등을 작성하시면 됩니다. (만약을 위해 여권은 복사 사본을 보관하시거나, 스마트폰에 촬영하시기 바랍니다.)
여권 재발급 신청 시 기간이 국가에 따라 다르나, 급히 귀국을 해야 할 경우, 단기 체류자에게 발급되는 여행자 증명서를 발급 받으시면 됩니다. 대사관을 찾아갔는데 만일 휴일이라면 한국 외교 통상부는 24시간 연중무휴로 운영 중입니다. (단, 상담이 필요합니다.)
- 국내에서 (02) 3210-0404
  해외에서 국가별 접속번호 +822-3210-0404 (유료)
  국가별 접속번호 +800-2100-0404 (무료)

[검색]에서 ① [영사민원24]를 [입력]하시고, ② [영사민원24]를 [터치]하세요.

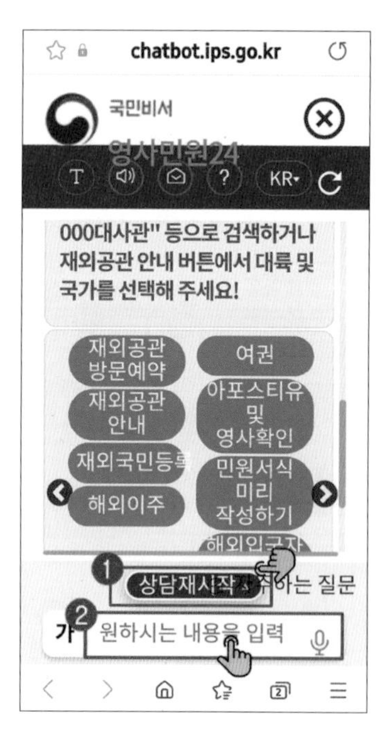

1 [영상민원 24]에서 [시작하기]를 [터치]하세요. 2 [영사민원 24] 챗봇을 [터치] 또는 아래 내용에서 필요하신 서비스를 [터치]하세요. 3 ① [상담 재시작]을 [터치]하신 후 원하시는 서비스를 [선택]을 하시고, [터치]하세요. ② [검색]에 [원하시는 내용을 입력] 후 [터치]하세요.

수속 - 여권 분실 대처법과 재발급

* 여권 분실 시의 주의 사항 :
여권은 분실 횟수에 따라서 제재가 가해질 수 있습니다.
- 1년 이내에 2회 이상 분실 시 : 유효 기간 2년으로 제한
- 5년 이내에 3회 이상 분실 시 : 유효 기간 2년으로 제한
- 5년 이내에 2회 이하 분실 시 : 유효 기간 5년으로 제한
: 항공권 예약 후 여권을 재발급받으면, 필히 항공권 예약도 다시 신청하세요.
(이전 여권 번호의 번호로 예약된 항공편으로는 탑승이 불가하십니다.)

* 여권 재발급 방법
: 여권의 발급은 대략 1주일 정도 소요됩니다. 여행 일정에 맞추어 빠르게 하시는 편이 좋습니다.
우선 재발급을 위한 준비물에 대해서 알려드리겠습니다.
- 최근 6개월 이내에 촬영한 사진 (눈썹과 귀가 보이도록 촬영이 필수)
- 여권 발급 신청서 (또는 간이 서식)
- 신분증 (주민등록증 또는 운전면허증)
- 수수료 등은 필수 준비 항목입니다. 상황에 따른 준비물도 있습니다.

* 미성년자의 법정 대리인 (부모) 방문 시
- 법정 대리인 (부모) 신분증

* 미성년자 본인 방문 시
- 미성년자 신분증
- 법정 대리인의 인감증명서
- 인감도장 날인 법정 대리인동의서
- 법정 대리인 신분증

* 2촌 이내 친족 방문 시 (조부모, 성인 형제, 자매)
- 방문자 신분증
- 법정 대리인의 인감증명서
- 인감도장 날인 법정 대리인동의서
- 친족 확인 서류

* 상기의 준비물을 가지고 구청 등을 방문하여 여권 발급 신청을 진행하시면 됩니다.
- 영업 일수로 약 4~5일 정도면 발급이 완료되는 것 같습니다.
- 수수료는 기존 여권의 남은 기간과 신청 장수에 따라 바뀝니다.
- 신규여권 (10년)을 재발급받는 경우 : 신규 발급 수수료 부과
  (48면 53,000원, 24면 50,000원)
- 잔여유효기간 부여 여권을 재발급받는 경우 : 25,000원 (수수료)

수속 - 비자(사증) 외교부 앱에서 보기

비자(visa) 또는 사증(査證)은 외국인에 대한 입국 허가 증명입니다.
개인이 다른 나라에 가기 위해서는 여권과 함께 사증이 필요합니다.

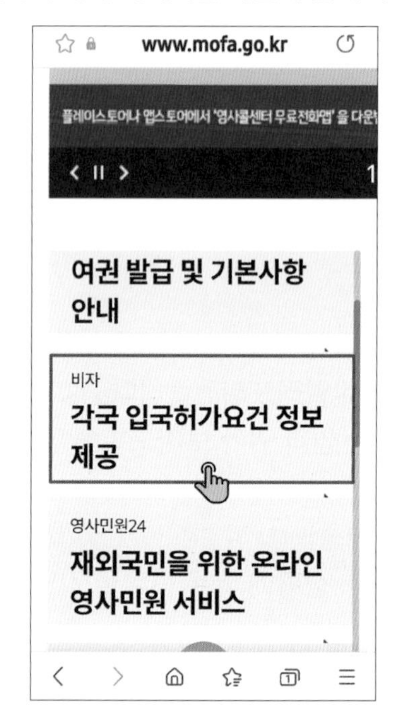

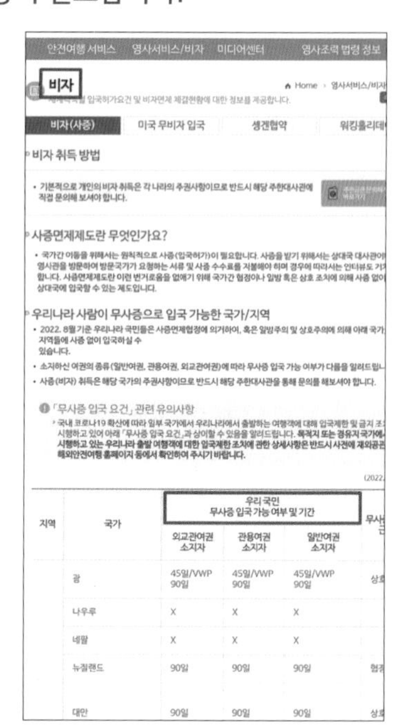

1 스마트폰 바탕 화면에서 [포털 사이트] 중 하나를 [선택]하시어 [외교부]를 [입력]하신 후 [터치]하세요.
[외교부 사이트] - [대한민국 외교부]에서 [외교부]를 [터치]하세요.
2 화면에서 아래로 내리시면, [각국 입국허가요건 정보 제공]을 [선택]하시고, [터치]하세요.
3 [비자]에서 위로 올리기를 하시면, [비자]에 관한 자세한 [설명]과 [자료]를 알아 보실 수 있습니다.

: 대한민국 여권은 2022년도 기준 190개국을 비자 없이 여권으로만 입국이 가능한 국가입니다. 이는 세계 2위에 해당하며, 일본 싱가포르가 192개국으로 1위, 다음으로 독일과 함께 2위에 해당합니다. 대한민국 여권 파워가 높은 이유는 불법 체류할 가능성이 낮고, 관광 사업에 도움이 된다는 이유입니다. 여권 파워가 높다는 것은 좋은 일이지만 위조의 표적이 될 수 있습니다. 해외 여행 시 항상 잘 보관하시어야 합니다.

- 비자 발급은 일반적으로 출발국에서 대상국의 영사관으로부터 받으며, 다른 나라에서 받을 수도 있습니다. 하지만 사증은 입국을 위한 전제 조건이고, 다른 나라에 입국하기 위해서는 그 나라에서 입국 심사를 통해 최종 입국 허가를 받아야 합니다.
별책 부록에 "대한민국 주한 공관 자료"와 "사증(비자)", "대한민국 국민 / 무사증 입국 가능 여부 및 기간"을 참고하시기 바랍니다. (단 코로나 -19로 인해 입국의 변수가 있습니다. 가시는 국가 입국 시 허가 여부를 다시 한번 더 [확인]하여 주시기 바랍니다.

수속 - 출입국신고서 앱 활용하기

해외 80개 이상의 지역 및 국가의 출입국신고서를 쉽게 작성할 수 있도록 해주는 앱입니다.

1 [Play 스토어]에서 ① [출입국신고서]를 [검색]하세요. ② [출입국신고서]를 [터치]하세요. 2 [출입국신고서] - [열기]를 [터치]하세요. 3 ① [나의 여권 정보]를 [입력]하세요. ② [나라 목록], 나라 목록을 ③ [가나다 순], [ABC 순], [대륙 순]으로 [선택] 사용하실 수 있습니다. ④ [검색]에 [나라 및 국가]를 [입력]하세요. ⑤ [스크롤] 해서 [국가]를 [검색]하시고, [선택]하세요. ⑥ [괌]을 [선택]하겠습니다.

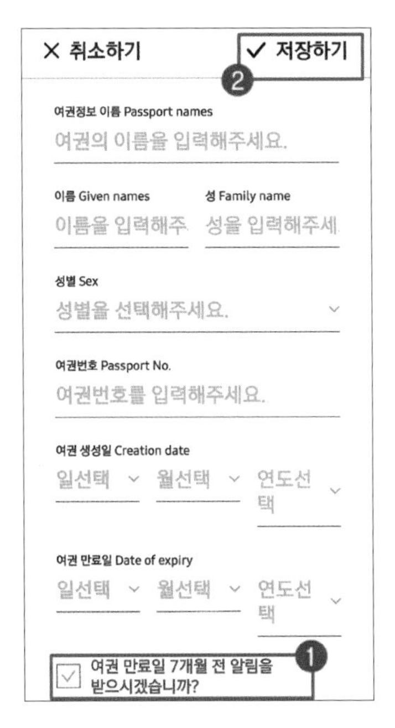

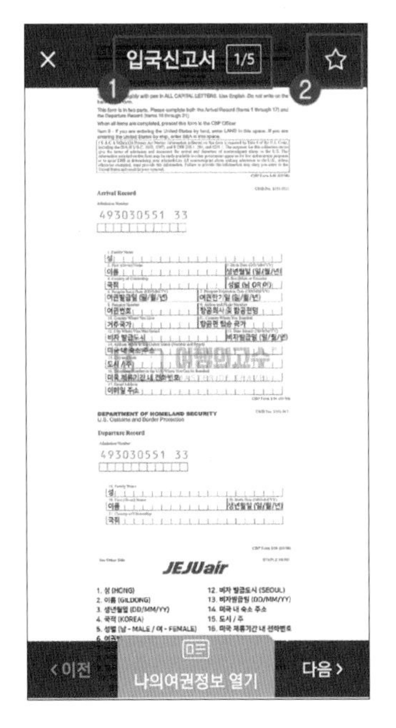

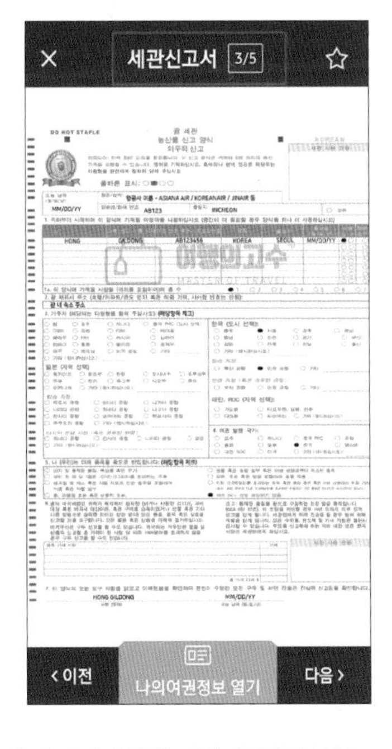

1 ① [여권 만료일 7개월 전에 알림]을 [체크]하시고, [나의 여권 정보]를 [입력]하신 후 ② [저장하기]를 [터치]하세요. 2 ① [입국신고서]에서 [번역된 한글]을 보시면서 새 양식에 작성합니다. ② [즐겨찾기]를 [터치]하시면, [즐겨찾기]에 추가됩니다. 3 [세관신고서] 양식입니다. (같은 방식으로 사용합니다.)

<u>대한항공 수하물 규정 (일반석 기준)</u>

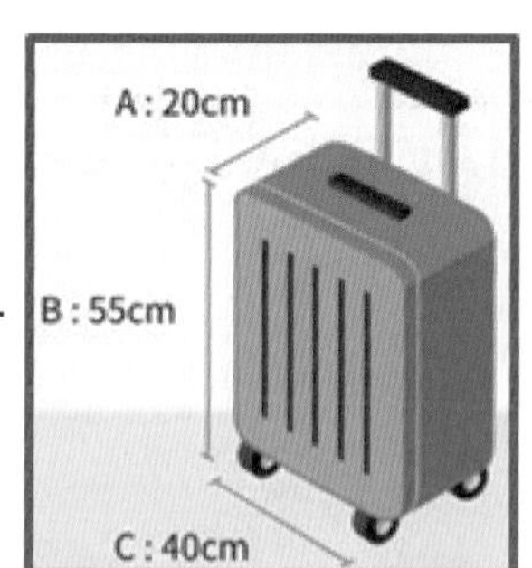

1. 기내 수하물
가방 규격은 A 20cm, B 55cm, C 40cm (세 변의 합이 115cm/45in. 이내)를 초과해서는 안 됩니다.
※ 노트북 컴퓨터, 서류 가방, 핸드백 중 1개를 추가로 휴대할 수 있습니다. (가방 1개 포함, 총무게 10kg/22lb 이하)

▶ 기내로 악기를 반입하는 경우
바이올린 등 세 변의 합이 115cm(45in.) 이내인 소형 악기는 무료로 기내에 반입할 수 있으며, 규정보다 큰 대형 악기는 따로 좌석을 구입하시어야 합니다.

▶ 유의 사항 : 기내에 반입된 모든 수하물은 반드시 기내 선반 또는 좌석 밑에 보관하며, 수하물을 올리고 내릴 때, 떨어지지 않도록 주의하시고, 내리기 전 두고 내리는 물건이 없는지 확인하시기 바랍니다. ※ 휴대 수하물 허용량은 운항사에 따라 다를 수 있습니다.

2. 위탁 수하물
위탁 수하물의 가방 하나의 규격은 세 변의 합이 158cm/62in 이내여야 합니다.
※ 일부 국가에서는 수하물 1개의 무게가 32kg/70lb 이상, 크기가 158cm/62in. (세 변의 합) 이상인 경우에는 초과 수하물 요금 지불과 관계없이 운송이 제한될 수 있습니다.
(※ 공동운항편 탑승 시 공동운항 협정에 따라 다른 항공사의 수하물 규정이 적용될 수 있으므로 미리 확인해 주세요.)

3. 수하물 준비, 수속, 수취 방법
수하물 준비 방법 및 유의 사항
▶ 수하물 준비할 때
1. 이름, 주소지, 목적지가 잘 보이도록 영문으로 작성한 이름표를 붙입니다.
2. 자전거, 서핑보드 등과 같은 스포츠 용품이나 반려동물 등 특수 수하물은 미리 항공사에 문의하시기 바랍니다. 또한 일부 품목은 위탁하거나 휴대할 수 없습니다.

▶ 수하물 수속할 때
1. 가방의 무게와 규격을 잘 확인하시고, 일부 국가에서는 32kg/70lb를 초과하는 가방은 위탁 할 수 없습니다. 또한 다른 사람의 수하물을 대리 수속할 수 없습니다.
2. 기내 반입 제한 물품이 휴대 수하물에 포함되지 않도록 확인하시어야 합니다.
3. 도착 공항에서 원활한 수하물 수취를 위해 도착할 때까지 수하물 표를 잘 보관하세요.

▶ 수하물 수취할 때
1. 수하물 수취대에서 수하물을 찾은 후 본인 것이 맞는지 수하물 표를 확인합니다.
2. 세관신고 물품이 있는 경우에는 기내에서 배부하는 '여행자 휴대품 신고서'에 해당 사항을 작성하여 세관 직원에게 여권과 함께 제출합니다.

※ 액체류가 담긴 용기인 경우 파손이 되지 않도록 완충재를 이용하여 잘 포장하시어야 합니다.
※ 다른 항공사와 연결 시, 항공사별로 수하물 규정과 처리 절차가 다르므로, 미리 해당 항공사로 문의해 주세요.

4. 수하물 지연, 파손 시 유의 사항

▶ 수하물 지연이 발생한 즉시 대한항공 직원에게 알리고, 지연 신고를 진행합니다.

▶ 수하물 지연 신고 전 유의할 사항
: 21일 이내에 신고해야 하며, 수하물 표를 꼭 지참해야 합니다.
※ 대한항공은 도착지에 연고가 없으신 분에게 1회에 한해 필요한 일용품을 구입하실 수 있도록 USD 50 상당의 금액을 지급하고 있습니다.

▶ 수하물 파손 신고 전 유의 사항
1. 수하물 파손 시, 수취일로부터 7일 이내에 항공사에 신고하셔야 합니다.
2. 경미한 마모 & 손상 규정 (Wear & Tear Policy) - 정상적인 수하물 취급과정에서 발생하는 부속품의 분실 및 손상에 대해 항공사는 책임을 지지 않습니다.

▶ 유실물 안내
1. 대한항공 유실물 센터에서 유실물을 보관하고 있습니다. 유실물은 대한항공 탑승수속 카운터, 직영 라운지, 기내에서 습득된 물품에 한합니다.
2. 일반 습득물은 30일간 보관 후 폐기됩니다.
3. 여권, 신분증 등 개인 신상과 관련된 물품이나 현금, 귀금속 등 귀중품 및 노트북/태블릿 등 전자제품은 각 공항 경찰대로 인계됩니다.

※ 대한항공 유실물 센터 홈페이지에서 유실물을 조회하실 수 있습니다.

공항 내 습득물 관련 주요 연락처

T1 인천공항 유실물 관리소	TEL : 032-741-3110/3114/8991/8992
T2 인천공항 유실물 관리소	TEL : 032-741-8988/8989
인천공항 경찰대	TEL : 032-745-5561~2
T1 인천공항 세관	TEL : 032-722-4426
(T2 인천공항 세관 - TEL : 032-723-5125/5119 (여객터미널 지하 1층 서편)	
T2 인천공항 세관	TEL : 032-723-5125/5119
(T1 인천공항 세관 - 여객터미널 지하 1층 동편)	
김포공항 국내선/국제선 유실물 관리소	TEL : 02-2660-4097
칼 리무진 유실물 관리소	TEL : 02-2667-0386
핸드폰 찾기 콜센터	TEL : 1566-4300

여행은 시작이 중요합니다. : 항공기 탑승 후 안전한 항공 여행이 최고입니다. 비행기에 탑승할 경우 사망률은 낮다고는 하지만 한번 사고가 나면 되돌릴 수 없는 큰 사고로 이어질 수 있어서 항공사를 잘 선택하시는 것을 권장합니다. (내국인들은 국내 항공사나, 안전한 항공사로 평가되어있는 항공사를 선택하시는 편입니다.)

여행객이 목적지 이동에 필요한 항공사 항공권 구매선호도

1. 가까운 도시를 여행 시 가격 대비 – 저가 항공사 선호
2. 출발과 도착 시간대 (총 소요시간) – 직항 비행 선호
3. 항공편 운항 빈도와 넓은 노선망 – 대형 항공사 선호
4. 항공 마일리지 서비스와 항공 동맹 우수 회원사를 선호
   - 대한항공이 속한 스카이 팀, 아시아나항공이 속한 스타 얼라이언스
5. 기내 좌석의 편의성 - 대형 항공사 선호
6. 기내 인터넷 가능 여부 확인 – 유료 서비스 가능
7. 항공편 지연 및 결항률이 적은 - 대형 여행사 선호
8. 기내 엔터테인먼트 – 개인 모니터 설치 여부
9. 대형 항공사 브랜드 – 국적기 항공사 선호

세계에서 가장 안전한 항공사 & 최고의 항공사 순위(2022. 기준)

항공사 안전성 평가 기준 : * 최근 10년 이내에 심각한 사고가 있는지 * 항공사가 조종사로 인해 발생한 심각한 사고를 겪은 경험이 있는지 * 항공사가 주요 검사를 모두 통과를 하였는지 * 국제적 코로나- 19 표준을 따르고 있는지 여부 - 평가 기준

1. 뉴질랜드 항공 (뉴질랜드), 2. 에티하드항공 (아랍 에미리트), 3. 카타르 항공 (카타르) 4. 싱가포르 항공 (싱가포르), 5. TAP포르투갈 항공 (포르투갈), 6. 스칸디나비아 항공 (노르웨이, 스웨덴, 덴마크), 7. 콴타스항공 (호주), 8. 알래스카 항공 (미국), 9. 에바 항공 (대만), 10. 버진 오스트레일리아 (호주), 버진 애틀랜틱 (영국), 11. 케세이 퍼시픽 항공 (홍콩), 12. 하와이 항공 (미국), 13. 아메리칸 항공 (미국), 14. 루프트한자 항공 (독일), 15. 핀 에어 (핀란드) 16. KLM (네덜란드), 17. 영국 항공 (영국), 18. 델타 항공 (미국), 19. 유나이티드 항공 (미국), 20. 에미레이트 항공 (아랍 에미리트)

항공사 연합 <제휴>(Alliance)

항공사 연합 <제휴>(Alliance)란 경쟁 관계에 있는 기업끼리 특정한 사업이나 업무 분야에 대해 협력 관계를 맺는 것을 말한다.
항공사 간에는 항공기 좌석, 마케팅 활동 및 서비스 시설을 상호 보완적으로 공유할 목적으로 수행된다. 이 밖에도 협력의 대상과 필요에 따라 다양한 형태로 제휴가 이루어진다. 오늘날에는 제휴의 범위가 확대되면서 항공기를 공동으로 운항하거나 한 항공사가 다른 항공사를 위해 필요로 하는 활동을 지원하는 내용으로 다양하게 형성된다.
1997년 소규모의 스타 얼라이언스가 처음으로 등장한 이후 시장 지배력 강화를 위해 글로벌 제휴 그룹으로 발전하였다. 제휴 그룹은 각 대륙이나 지역을 대표하는 항공사들이 모여 서로의 네트워크와 고객 프로그램을 개발하고 공유하는 협력체제로 운영하고 있다. 대표적인 협력으로는 예약 시스템의 공동 사용, 운임 책정 및 발권, 수하물 자동 연계, 운항 스케줄의 조정, 운항편 공동 사용, 마일리지 프로그램의 통합 운용 등이다. 항공사 입장에서는 비용 절감과 고객 서비스 향상을 위해 오늘날 세계적으로 국제 항공사 간에는 활발한 글로벌 제휴에 참여하여 형성되거나, 기존의 제휴 그룹의 재편 등 끊임없는 제휴가 진행되고 있다. 현재 세계 시장에서 형성되어 있는 대표적인 대형 글로벌 제휴 그룹은 3개의 제휴 동맹이 있다.

memo

전 세계 주요 항공 동맹 6개(2022. 06. 27. 기준)

* 스타 얼라이언스(STAR ALLIANCE) : 26개 항공사 / 항공기 약 5,000대
* 원 월드(ONE WORLD) : 14개 항공사 / 항공기 3,300대
* 스카이 팀(SKYTEAM) : 19개 항공사 / 항공기 3,050대

* 바닐라 얼라이언스(VANILLA ALLIANCE) : 5개 항공사 / 항공기 46대
* 벨류 얼라이언스(VALUE ALLIANCE) : 5개 항공사 / 항공기 201대
* 유플라이 얼라이언스(U-FLY ALLIANCE) : 2016년 창설 항공기 129대

스타 얼라이언스(STAR ALLIANCE)
: 26개 항공사 / 항공기 약 5,000대

AEGEAN

에게해 항공 - 그리스

AIR CANADA

에어 캐나다

AIR CHINA

에어 차이나

AIR INDIA

에어 인디아

AIR NEW ZEALAND

에어 뉴질랜드

ANA

아나 항공 - 일본

ASIANA AIRLINES

아시아나 에어라인

Austrian

오스트리아 항공

Avianca

아비안카 항공 - 콜롬비아

브뤼셀 항공

CopaAirlines

코파 항공 - 파나마

CROATIA AIRLINES

크로아티아 항공

이집트 항공

Ethiopian

에티오피아 항공

에바 항공 - 타이완

LOT 폴란드 항공

Lufthansa

루프트한자 - 독일

SAS

스칸디나비아 항공

싱가포르 항공

SOUTH AFRICAN AIRWAYS

남 아프리카 공화국 항공

심천 항공

SWISS

스위스 항공

TAP AIR PORTUGAL

TAP 포르투갈 항공

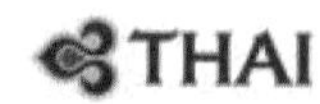

타이 항공

터키 항공

UNITED

유나이티드 항공

원 월드(ONE WORLD)
: 14개 항공사 / 항공기 3,300대

American Airlines
아메리칸 항공

영국 항공
BRITISH AIRWAYS

CATHAY PACIFIC
캐세이패시픽

핀 에어 – 핀란드 항공사

FIJI AIRWAYS
피지 항공

이베리아 – 스페인 항공사
IBERIA

일본 항공

말레이시아 항공

오만 에어

콴타스 – 오스트리아

카타르 항공

로얄 에어 마록 – 모로코

الخطوط الملكية المغربية
royal air maroc

الملكية الأردنية
ROYAL JORDANIAN

로얄 요르단 국립항공사

스리랑카 항공

스카이 팀(SKYTEAM)
: 19개 항공사 / 항공기 3,050대

대한 항공

아에로플로트 러시아

에러롤리네아스플러스
아르헨티나

아에로 멕시코

에어 유로파 스페인

에어 프랑스

ITA 에어 웨이즈 이탈리아

중화 항공

중국 동방 항공

체코 항공

델타 항공

가루다 인도네시아 항공

케냐 항공

KLM 네덜란드 항공

중동 항공 레바논

사우디아 항공

루마니아 국영 항공사

베트남 항공

샤먼 항공 - 중국

바닐라 얼라이언스(VANILLA ALLIANCE)
: 5개 항공사 / 항공기 46대

아에 오스트랄 - 프랑스

Air Madagascar

에어 마다가스카르

에어 모리셔스

에어 세이셸

인테르 에어 일 - 코모로

벨류 얼라이언스(VALUE ALLIANCE)
: 5개 항공사 / 항공기 201대

녹 에어 - 태국

세부 퍼시픽 - 필리핀

제주 항공 - 대한민국

스쿠트 항공 - 싱가포르

cebgo

세브고 - 필리핀

유플라이 얼라이언스(U-FLY ALLIANCE)
: 2016년 창설 항공기 129대

EASTAR JET
이스타항공

이스타 항공 - 대한민국

HK express

홍콩 익스 프레스

럭키 에어 - 중국

우루무치 항공 - 중국

중국 서부 항공

항공사 앱 활용하기

항공사 앱 설치 및 검색은
1. Play 스토어 또는 앱 스토어에서 항공사를 입력 후 앱을 설치하세요.
2. 포털사이트에서 항공사를 검색하시어, 이용하실 항공사를 클릭하세요.

1. ❶ Play 스토어 또는 앱 스토어를 [터치]하세요. ❷ Play 스토어 또는 앱 스토어에서 항공사를 입력 후 [검색]하세요. ❸ 이용하실 항공사 앱을 [선택]을 하신 후 [터치]를 하세요.

2. ❶ 포털 사이트에서 ① [검색]에서 사용하실 항공사를 [입력]하세요. ② [항공사 사이트]를 [선택]을 하시고 [터치]하세요. ❷ 항공사 사이트가 나오면 [계획, 예약, 경험, 고객지원] 중 [선택]하시고 [터치]하세요. [예약]을 [터치]하겠습니다. ❸ ① [출발지], ② [도착지]를 [입력]하세요. ③ [계속]을 [터치]하세요. - 항공사 [매뉴얼]에 따라 진행을 하세요.

Play 스토어 또는 앱 스토어에서 이용하실 항공사를 [입력]하신 후 앱을 [설치]를 하시면 됩니다.

* 대한 항공 / 아시아나 항공 *

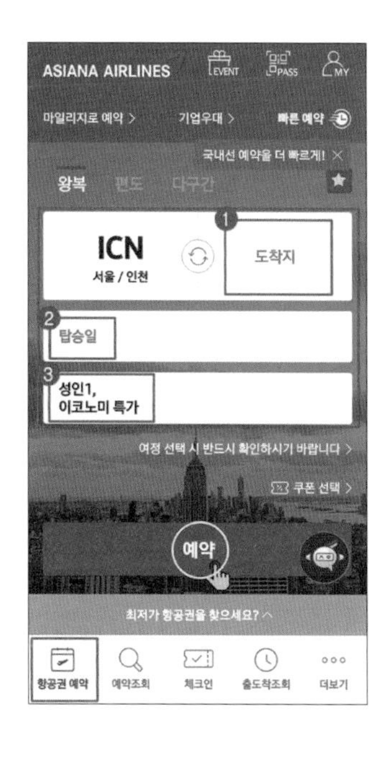

1 아시아나 항공 - 회원가입 또는 로그인 후 항공권 예약에서 ① [도착지] ② [탑승일] ③ [인원, 좌석 등급]을 [입력] 후 [예약]을 [터치]하세요. 2 대한 항공 - 회원가입 또는 로그인 후 [예매, 나의 여행, 항공편 현황] 중 [선택]하시어 [터치]하세요. [예매]를 [터치]하겠습니다.

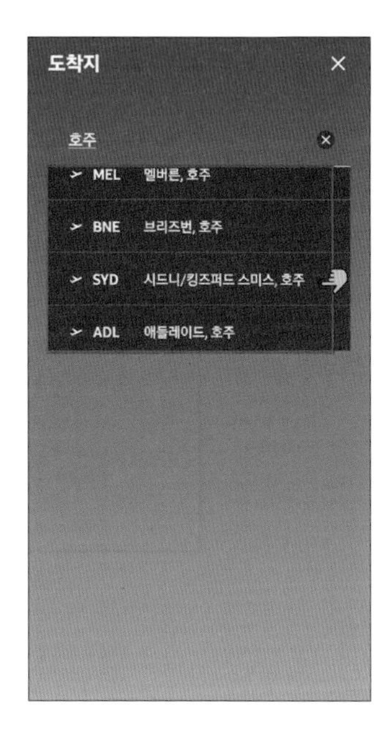

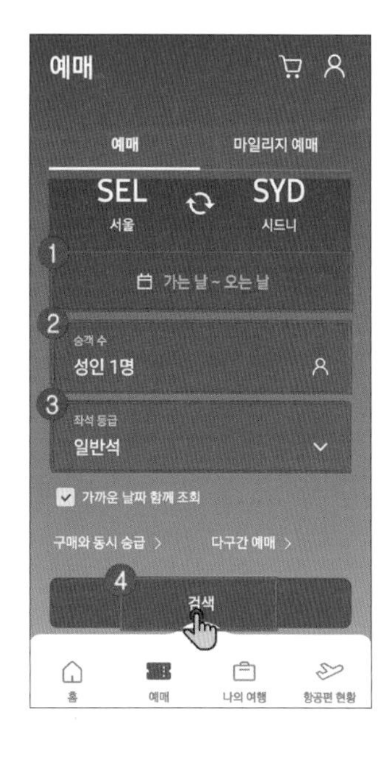

1 항공권 예매에서 [출발지 / 국가, 도시], [도착지 / 국가, 도시], [가는 날 - 오는 날], [승객 수], [좌석 등급] 중 [도착지]를 [선택] 후 [터치]합니다. 2 [도착지]에서 [선택한 국가] [지역(도시)]에서 이용하실 [지역(도시)]을 [터치]를 하세요. 3 예매에서 [선택한 출발지 - 도착지]에 ① [가는 날 - 오는 날], ② [승객 수] ③ [좌석 등급]을 [입력]을 하신 후 ④ [검색]을 [터치]하세요.

해외 로밍 서비스 안내

스마트폰은 현대인의 필수입니다.
해외에서 국내처럼 편리하게 본인의 휴대폰 번호 그대로 이용할 수 있는 서비스를 말합니다.

국내 3대 이동 통신사의 해외 로밍 방법 대하여 알아보겠습니다.

SK

국내에서는 : 02-6343-9000,
해외에서는 : +82-2-6343-9000
로 걸면 무료
(단, 로밍 오토 다이얼 이용 시
02-6343-9000로 걸면 무료)
https://troaming.tworld.co.kr/

KT

국내 : 02-2190-0901
해외 : +82-2-2190-0901
(KT 휴대폰에서 무료)
톡 고객센터(24시간 운영)
https://www.kt.com/

LG

국내에서 걸 때 : 02-3416-7010
해외에서 걸 때 : +82-2-3416-7010
24시간 카카오 로밍 상담
https://www.lguplus.com/

준비 중 해외 로밍 서비스 앱 활용하기

스마트폰 통신사 3대 업체 해외 로밍

1 Play 스토어 또는 앱 스토어를 [터치]하세요. 2 ① [검색]에서 로밍을 [입력] 후 [터치]하세요.
3 [로밍]에서 사용하시는 [통신사 - (SKT, LGU+, KT)]를 [터치]하세요.

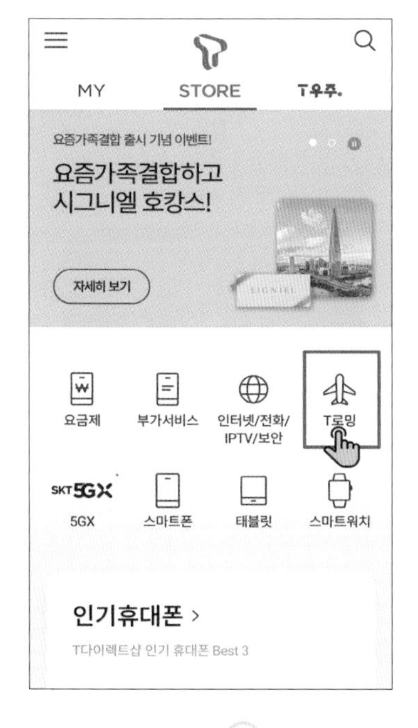

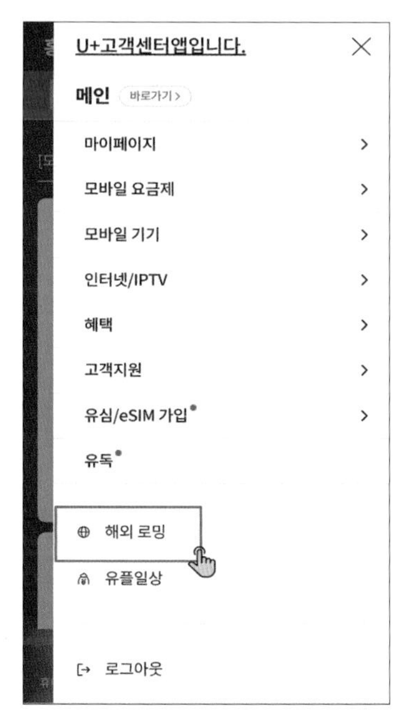

SKT 스마트폰 SKT 통신사 해외 로밍 사용 방법 알아보기

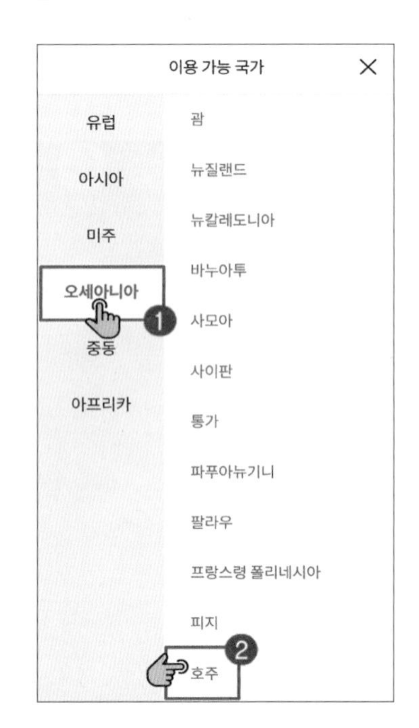

1 [SKT 로밍]을 이용하시려면 [회원가입] 가입하신 분은 ① [아이디], ② [비밀번호]를 [입력]하신 후 로그인하세요.
2 [SKT 로밍]에서 ① [국가별 맞춤 로밍 요금제 추천] 또는 ② [전체 국가 보기]를 [터치]하세요.
3 ① [대륙별 지역]을 [선택]하시면, 국가에서 이용하실 ② [국가]를 [선택] 후 [터치]하세요.

자동 로밍 서비스란, 따로 로밍을 신청하지 않아도 해외에서 내 휴대폰과 전화번호를 그대로 사용하실 수 있는 서비스입니다.

01
휴대폰 설정에서 [T로밍] 선택

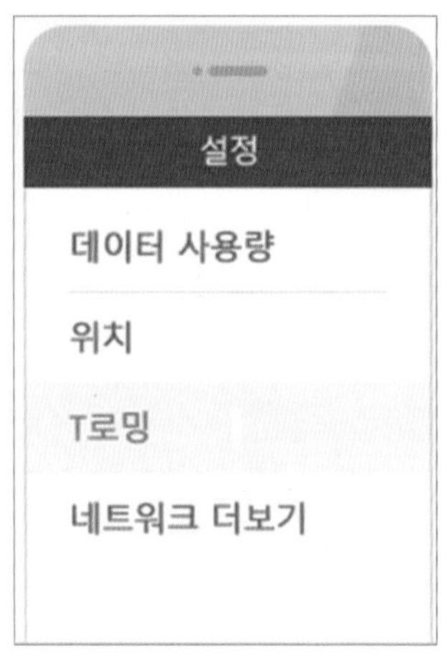

02
"데이터 로밍 설정", "LTE 로밍 사용"에 체크

[언제 떠나세요?]에서 ① [출발일], ② [입국일]을 [선택]하시고 [추천 요금제 확인]을 [터치]하세요.

LTE 자동 로밍 : LTE 휴대폰을 사용하면 해외에서도 3G보다 훨씬 빠른 속도로 데이터를 사용하실 수 있습니다. 음성 통화와 문자(SMS)는 3G 자동 로밍과 같은 품질로 이용하실 수 있습니다.

스마트폰 통신사 KT, LG 해외 로밍 사용 방법 알아보기

KT

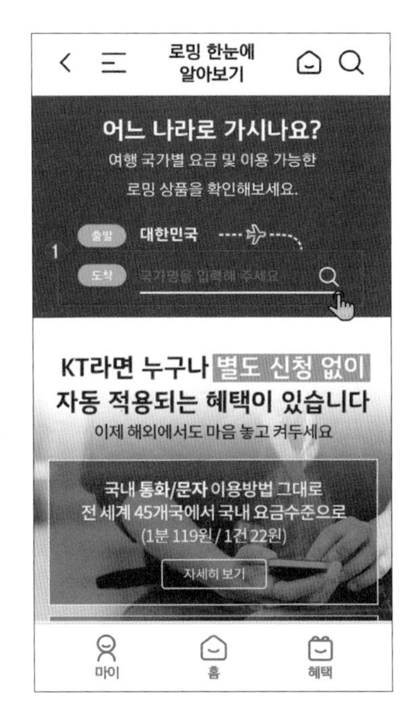

현지이용중

통화 : 한국 번호 발신 :
+(0번 길게) +82 + 상대방 번호
현지 번호 발신 :
(+국가 번호 없음) 상대방 번호만

데이터 : 데이터 로밍 켜야 이용 가능

안드로이드 : 팝업창 접속 "허용"
아이폰 : 설정 – 셀룰러 데이터옵션
"데이터 로밍" ON

원활한 사용을 위해 WIFI OFF/
LTE ON 일시적 사용 불가 시
통신사 수동 선택

귀국 시 로밍은 자동 종료 별도 해지
신청 불필요
(휴대폰 껐다가 켜주세요)

❶ [KT 로밍]을 이용하시려면 ① [회원가입] 후 [아이디, 비밀번호]를 [입력]하세요. ② [로밍]에서 이용하실 서비스 [선택] 후 [터치]하세요. ❷ 해외여행 국가를 ① [도착지]를 [입력]하시고 [터치]하세요.

LG

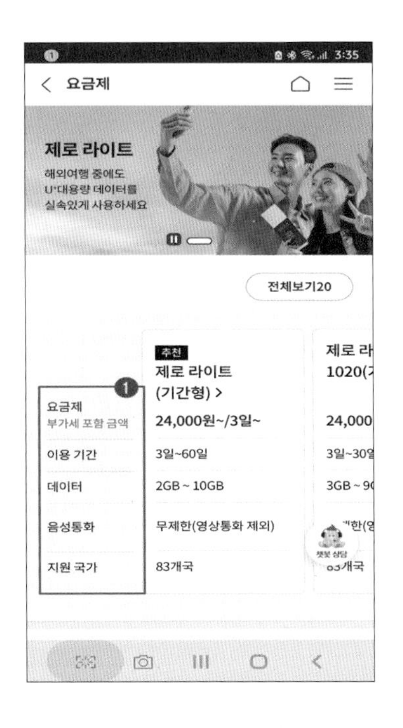

FAQ > 개인 > 해외 로밍 > WCDMA/GSM
다음과 같이 데이터 로밍을 수동 설정한 후 사용할 수 있습니다.

사용하시고자 하는 국가가 속해 있는 Zone에 따라 설정방법에 차이가 있으니 확인하시기 바랍니다.

- Zone 1 국가: 홈->메뉴->설정->해외로밍->로밍네트워크 설정->수동설정->로밍 방식 선택->수동선택-> LG U+ 직접로밍

- Zone 2 국가: 홈->메뉴->설정->해외로밍->로밍네트워크 설정->수동설정->로밍 방식 선택->수동선택-> Vodafone 스폰서로밍

❶ [LGU+ 가입자]는 로그인하신 후 [해외 로밍 요금제]를 [선택]하신 후 [터치]하세요.
❷ ① [요금제, 이용 기간, 데이터, 음성통화, 지원 국가] 중 사용하실 로밍 서비스를 [선택]하신 후 [터치]하세요.

와이파이(Wi-Fi) 네트워크 연결하기

무선 데이터 전송 시스템(wireless fidelity)의 줄임말입니다.
와이파이는 전용선이나 전화선 없이 근거리 통신망(local area networks /LANs)을 가동시킬 수 있어, 가정 및 사업장 네트워크 시스템으로 많이 선택되었습니다. 또한 와이파이는 노트북과 휴대전화, 개인용 휴대 정보 단말기(PDA), 전자 게임기 등 많은 장치들에 무선 광대역 인터넷 접속을 가능하게 하여 줍니다. 무선 인터넷 장치를 휴대하고 핫스팟(hot spots)이라고 불리는 와이파이 접속 가능 지역에 가면 인터넷 접속이 가능합니다. 핫스팟은 공항, 호텔, 서점, 커피숍 등 많은 장소에서 와이파이 접속을 제공하면서 보편화되어 있습니다.

- 와이파이는 무료로 무제한으로 이용이 가능한 장점이 있으나 와이파이 지역을 벗어나면 인터넷이 안 되며, 이동 시 이용이 불편하고 해킹과 도청에 주의해야 하는 단점이 있습니다.

memo

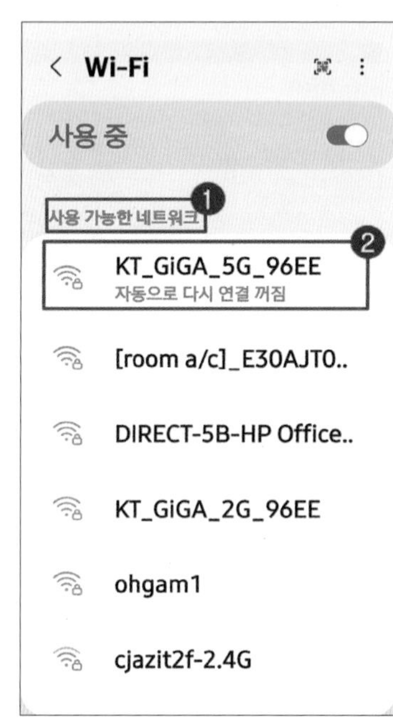

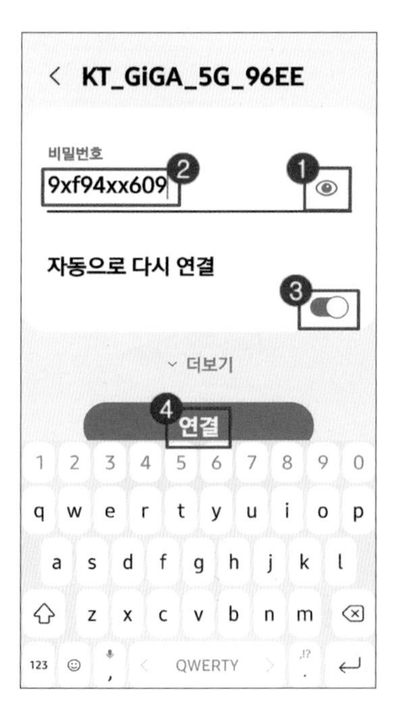

1 Wi-Fi (와이파이) 열기 - 위쪽 상단 [알림 줄]을 끌어 내리시면, 꺼져 있는 [Wi-Fi] (와이파이) 목록이 보입니다. [터치]하세요. 2 ① [사용 가능한 네트워크]에서 ② [원하시는 와이파이]를 [선택]하신 후 [터치]하세요.
3 ① [보이기]를 [터치]하시고, ② [비밀번호] (무선 랜 암호)를 [입력]을 하세요. ③ [자동으로 다시 연결]을 켜시고, ④ [연결]을 [터치]하세요.

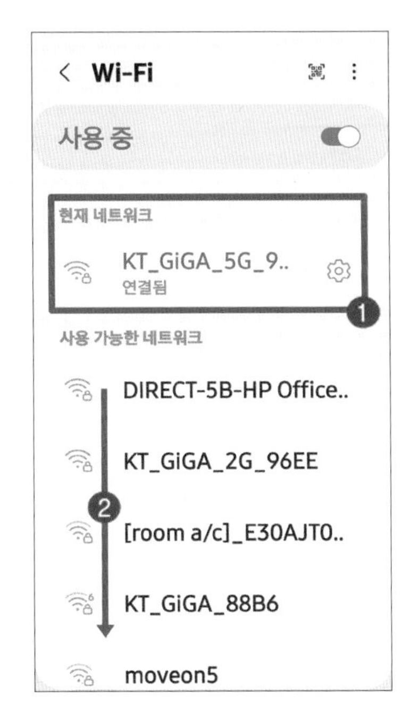

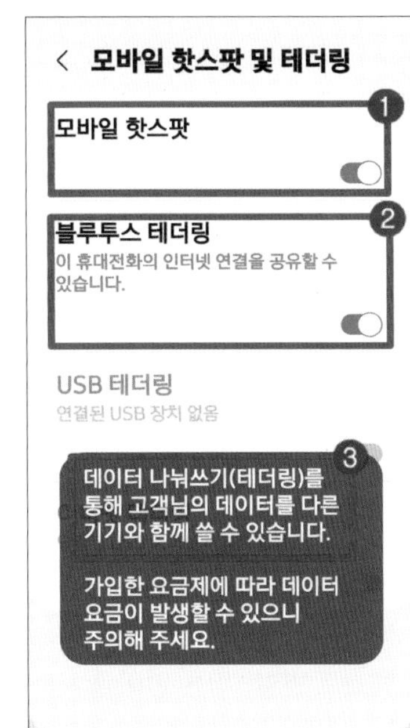

1 ① [현재 네트워크] 연결되어 있는 와이파이입니다. 다른 와이파이 연결을 원하시면, ② [사용 가능한 네트워크] 아래에서 [선택]을 하신 후 [비밀번호]를 [입력]하시면 [연결]이 가능하십니다.
2 [와이파이 연결 상태]를 [알림 줄]에서도 [확인]을 하실 수 있습니다.
3 ① [모바일 핫스팟], ② [블루투스 테더링]을 켜시면, 다른 분과 ③ [데이터 나눠 쓰기] 통해, 다른 기기와 함께 [연결]하여 사용하실 수 있습니다.

memo

번역 - 구글 번역 앱 제대로 활용하기 

109개 다른 언어로 단어, 구문, 웹페이지를 즉시 번역합니다.

- 텍스트 번역 : 입력을 통해 108개 언어 번역할 수 있습니다.
- 탭하여 번역 : 어떤 앱에서나 텍스트를 복사하고, 구글 번역 아이콘을 탭하여, 번역을 할 수 있습니다.
- 오프라인 : 인터넷 연결 없이 번역할 수 있습니다. (59개 언어)
- 즉석 카메라 번역 : 카메라로 이미지의 텍스트를 즉시 번역할 수 있습니다. (94개 언어)
- 사진 : 사진을 찍거나, 가져와 번역할 수 있습니다. (90개 언어)
- 대화 : 2가지 언어로 된 대화를 실시간으로 번역할 수 있습니다. (70개 언어)
- 필기 입력 : 입력하는 대신 필기로 텍스트 문자 쓰기로 번역할 수 있습니다. (96개 언어)
- 표현 노트 : 번역된 단어와 구문을 별표 표시하고 저장하여 나중에 참고할 수 있습니다.
- 기기 간 동기화 : 로그인하여 앱과 데스크톱 간에 표현 노트 동기화를 할 수 있습니다.
- 텍스트 변환 : 다른 언어를 사용하는 사람의 말을 거의 실시간으로 연속 번역합니다. (지원되는 언어 8개)

memo

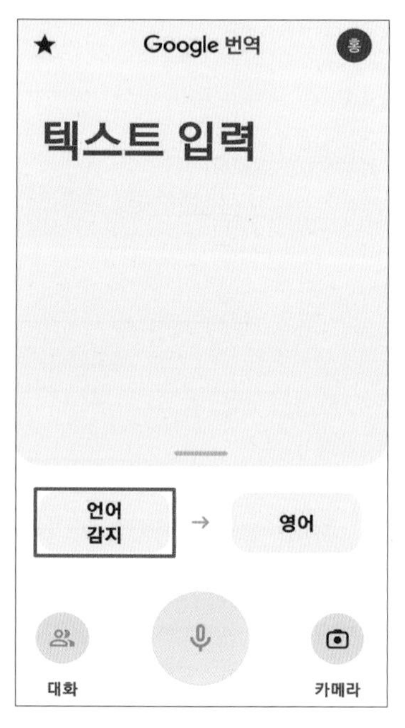

1. Play 스토어 또는 앱 스토어에서 [구글 번역]을 [검색]하신 후 앱을 [설치]하세요.
2. [구글 번역] 앱에서 [열기]를 [터치]하여 실행하세요.
3. [텍스트 입력]에서 [출발 언어]를 [터치]하세요.

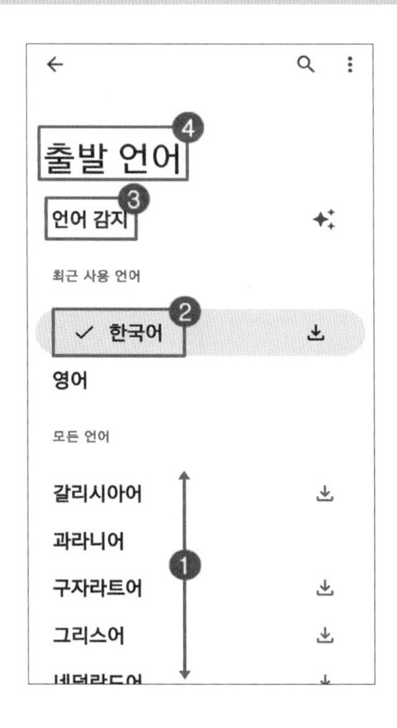

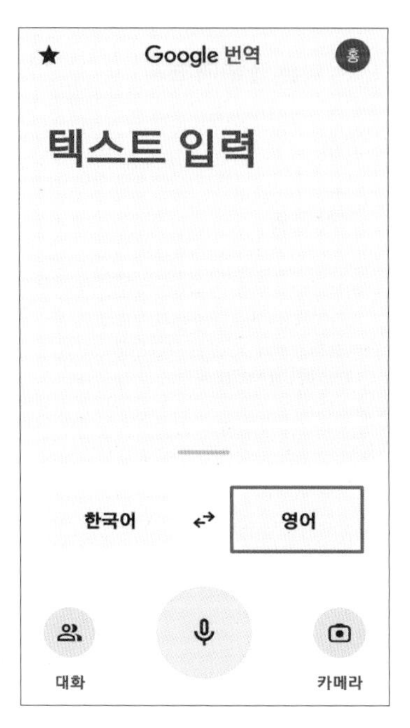

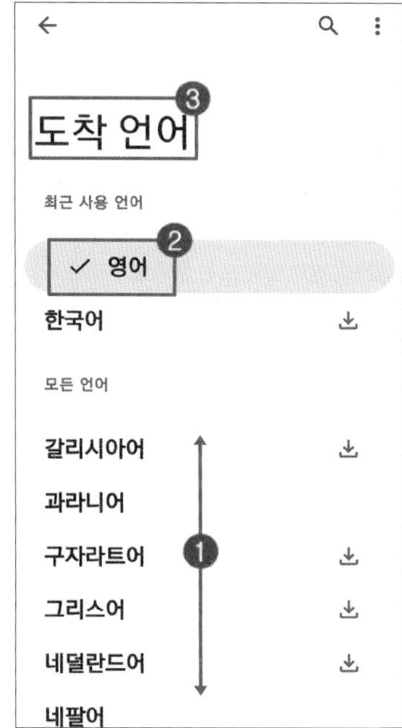

1 [모든 언어]에서 ① [아래로 내리기]에서 사용을 하실 [언어]를 [선택]하세요. ② [한국어] 또는 ③ [언어 감지]를 [선택] 후 [터치]하세요. ④ [출발 언어]로 [설정]됩니다. 2 [도착 언어]를 [터치]하세요.
3 [모든 언어]에서 ① [아래로 내리기]에서 사용을 하실 [언어]를 [선택]하세요. ② [언어]를 [선택]하신 후 [터치]를 하세요. ③ [도착 언어]로 설정됩니다.

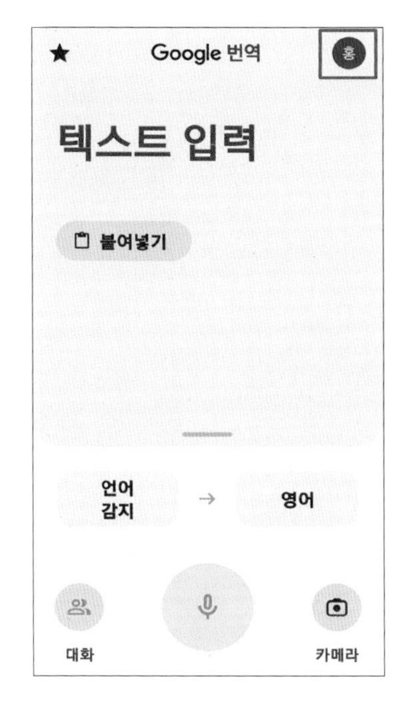

1 상단에 [구글 계정 관리]를 [터치]하세요.
2 [구글 계정 관리]에서 나의 지메일 주소가 나옵니다. [확인]하시고, [설정]을 [터치]하세요.
3 [설정] 화면이 나오면 [탭하여 번역]을 [터치]하세요.

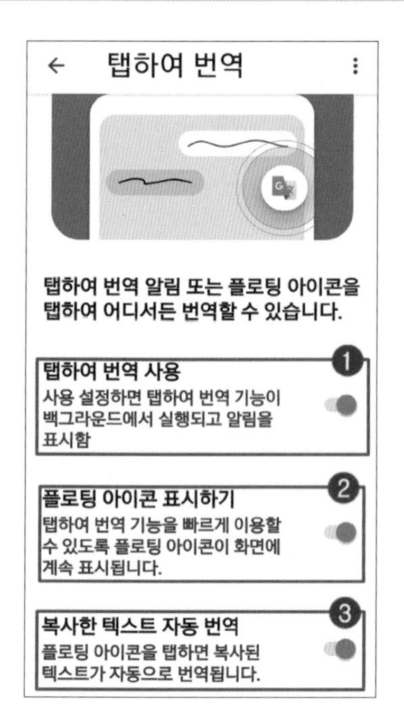

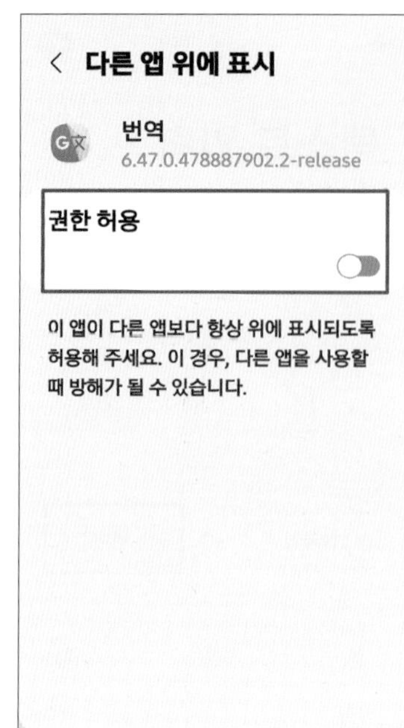

❶ [탭하여 번역]에서 ① [탭하여 번역 사용], ② [플로팅 아이콘 표시하기], ③ [복사한 텍스트 자동 번역]을 [활성화]를 [터치]해주세요. ❷ [다른 앱 위에 표시]에서 [권한 허용]을 [터치]를 해주세요.
❸ [플로팅 아이콘 표시하기]를 [활성화]하시면, 모바일폰 앱에서 [플로팅 알림]이 설치되어서 바로 [터치]를 하시어, [구글 번역]을 사용을 하실 수 있습니다.

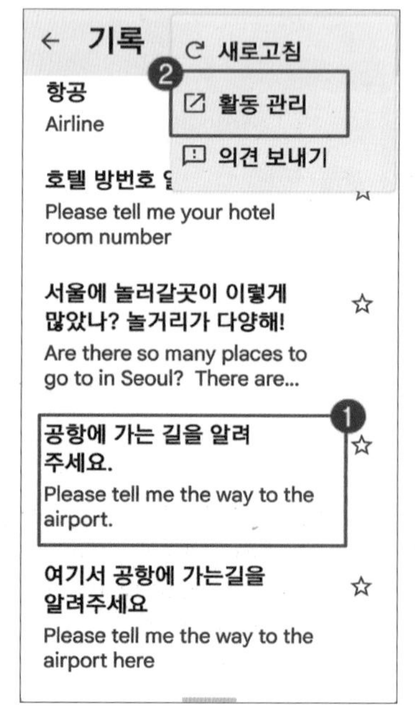

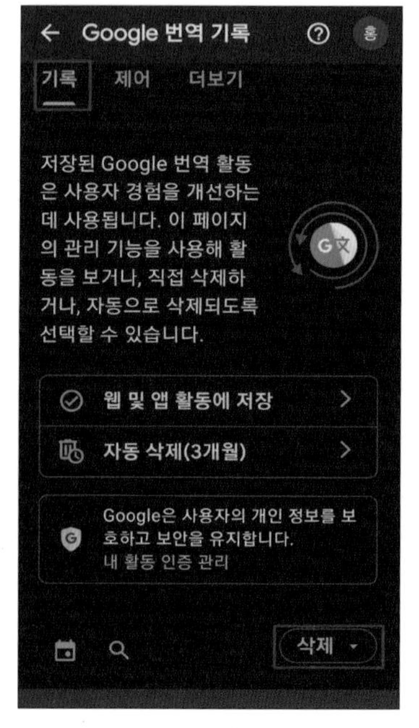

❶ [텍스트 입력]에 [번역하실 내용]을 복사하여, ① [붙여넣기]를 또는 [키보드 입력], ② [손 글씨 입력]으로도 사용할 수 있습니다. ③ [기록]을 [터치]하겠습니다. ❷ [기록]에서 사용했던 ① [내용]을 [선택]하시어 사용하실 수 있습니다. ② [활동 관리]를 [터치]하세요. ❸ [기록]에서 사용하신 [내용]을 [삭제]하실 수 있습니다.

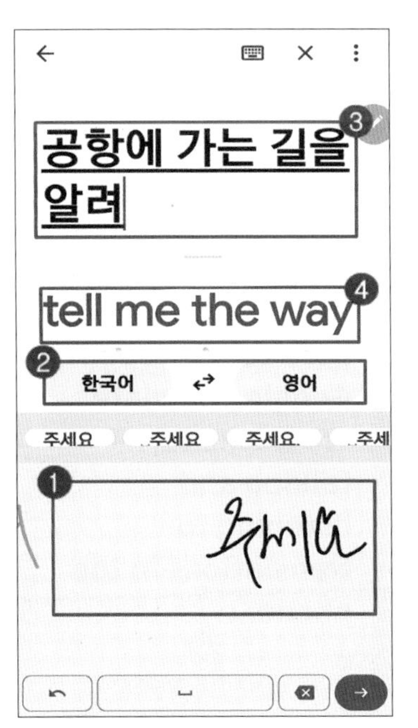

1 [텍스트 입력]을 ① [손 글씨], ② [키보드]로 [변경]하여 사용하실 수 있습니다. 2 ① [손 글씨]로 [한국어]로 [입력]하시면, ② [한국어 ↔ 영어]를 [터치]하시면 [서로 교환]하여 사용할 수 있습니다. ③ [한국어] [입력]이 ④ [영어]로 [번역]됩니다. 3 ① [한국어]를 번역된 내용을 ② [영어 발음 표기], ③ [영어]로 [번역]이 됩니다. 내용을 ④ [듣기], ⑤ [복사]를 사용하실 수 있습니다. 마치시면 ⑥ [나가기]를 [터치]하세요.

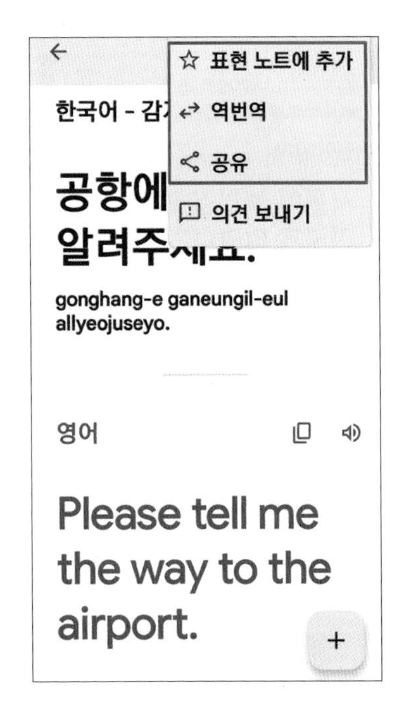

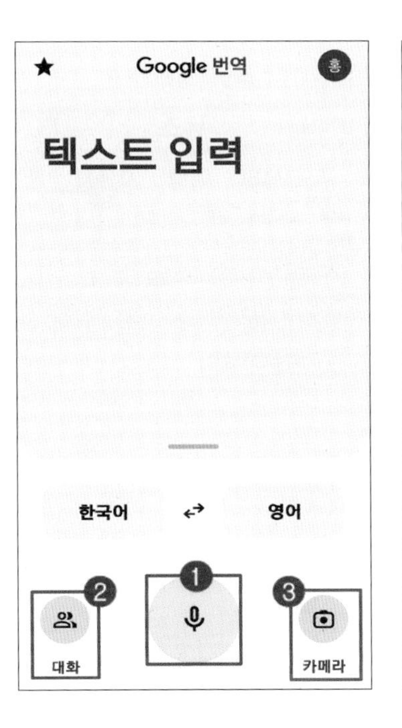

1 [번역하실 내용]을 [표현 노트에 추가], [역번역], [공유]를 사용을 하실 수 있습니다.
2 [텍스트 입력]에 ① [마이크]를 [터치]하시고 [음성을 입력]하시면, [텍스트 입력]이 됩니다. ② [대화]를 [터치]하시면 [2개국 언어]로 [대화]도 가능하고, ③ [카메라]를 [터치]하신 후 [촬영]을 하신 내용이 [번역]이 됩니다.
3 [대화]에서 ① [한국어], ② [영어], ③ [자동]을 이용하여 서로 다른 언어로 [소통]을 해 보세요.

1 [대화]에서 ① [한국어]로 말씀하시면, ② [영어]로 [번역]됩니다. ③ [듣기]를 [터치]하시면, [내용]을 [듣기]를 하실 수 있습니다. ④ [손 모양]을 [터치]하세요. 2 대화하실 분에게 보여주시고, [듣기]를 [터치]하여 주세요. 3 [소통대학교]의 [배너]입니다. 이 내용을 [영어]로 [번역]하겠습니다.

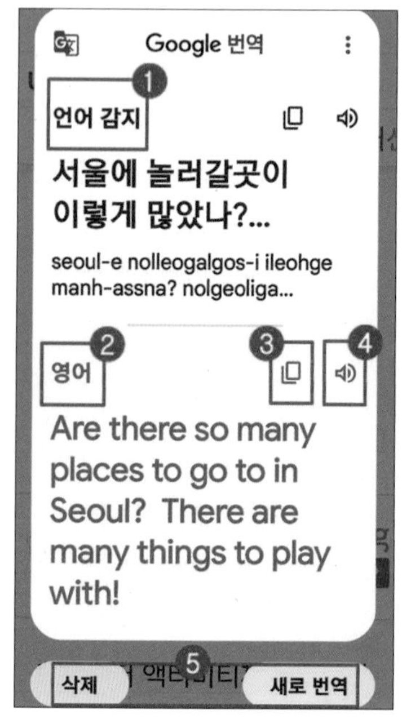

1 [구글 번역]에서 [카메라]로 [촬영]하시면, [소통대학교], [배너]가 [영어]로 [번역]이 됩니다.
2 스마트폰 포털사이트 [내용]을 [다른 언어]로 [번역]하시려면, ① [내용]을 [선택]하시고 ② [메뉴]를 터치 후 [번역]을 [터치]하세요. 3 ① [언어 감지] 후 ② [영어]로 [번역]됩니다. ③ [복사], ④ [듣기]도 이용을 하실 수 있습니다. ⑤ [삭제], [새로 번역]을 [터치]하여, 내용을 삭제, 새로 번역으로 이동을 하실 수 있습니다.

번역 – 네이버 파파고 앱 제대로 활용하기

한국어 표현이 상대적으로 자연스러운 장점이 있습니다.

: 파파고는 현재 한국어, 영어, 일본어, 중국어(간체, 번체), 스페인어, 프랑스어, 베트남어, 태국어, 인도네시아어, 러시아어, 독일어, 이탈리아어 총 13개 국어 번역을 지원합니다.

· 텍스트 번역 - 번역이 필요한 문구를 텍스트로 입력하면 실시간 번역할 수 있습니다.
· 이미지 번역 - 카메라로 찰칵 찍고 버튼만 누르면, 자동으로 인식하여 번역하여 줍니다.
· 음성 번역 - 번역이 필요한 내용을 음성으로 말하면 실시간 번역할 수 있습니다.
· 오프라인 번역 - 인터넷이 연결 없이도 텍스트 번역 사용이 가능합니다. (3개 언어)
· 대화 번역 - 외국인과 1:1 대화가 필요한 상황에서 서로의 언어로 동시 대화가 가능합니다.
· 필기 번역 – 손가락으로 글자를 써주면 무슨 뜻인지 찾아주는 필기 번역기능이 있습니다.
· 웹사이트 번역 – 해외 웹사이트 URL만 넣으면 전체 내용을 자동으로 번역할 수 있습니다.

memo

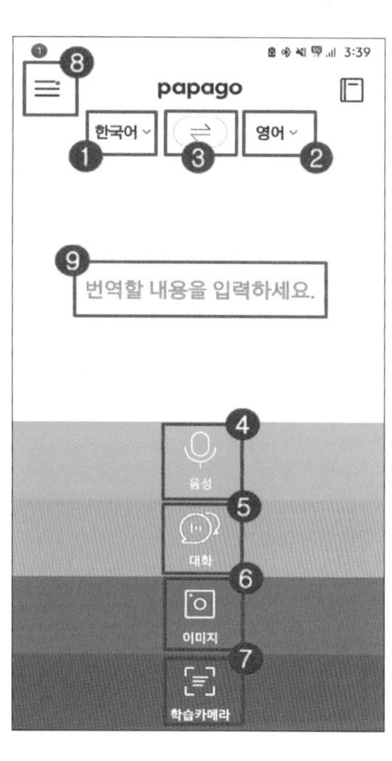

1 [Play 스토어] 또는 [앱] 스토어에서 [네이버 파파고]를 [검색]하신 후 설치를 [터치]하세요.
2 [네이버 파파고]에서 [열기]를 [터치]하세요. 3 ① [입력 언어]와 ② [번역 언어]를 [선택]하세요. ③ [서로 교환]하여 사용을 하실 수 있습니다. ④ [음성]을 입력하여 [번역]하기, 다른 언어로 ⑤ [대화]하기 ⑥ [이미지]를 [촬영]하여 [번역]하기, ⑦ [영문]을 [촬영]하여 [학습]하기를 하실 수 있습니다. ⑧ [더보기]입니다. 번역할 내용을 입력하신 후 ⑨ [내용]을 [터치]하세요.

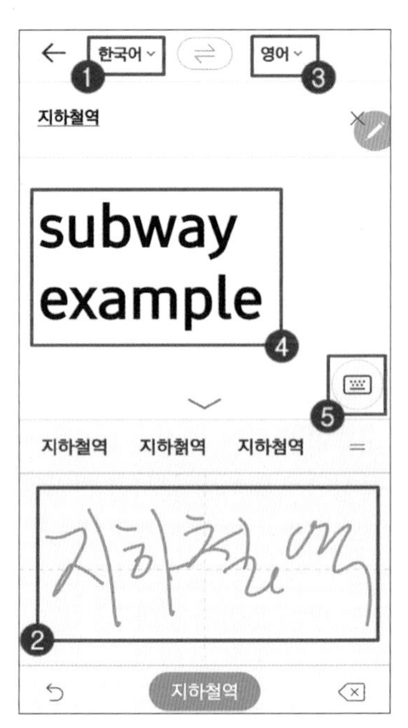

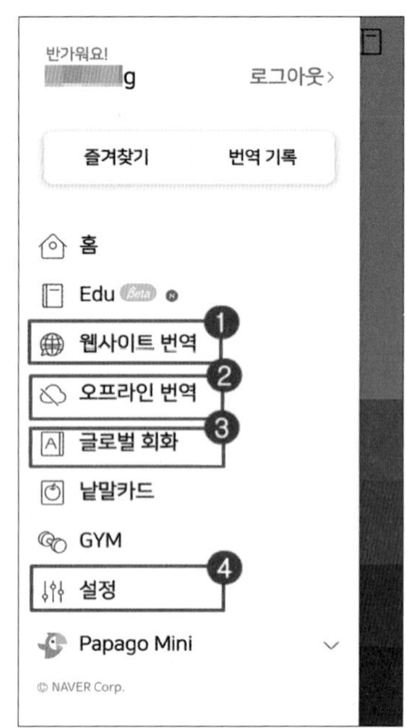

❶ 선택하신 ① [입력 언어], ③ [번역 언어]입니다. ② [입력]에 [키보드]로 내용을 입력하세요. ④ [번역 언어]를 보여줍니다. ⑤ [손 글씨]를 [터치]합니다. ❷ ① [입력 언어], ③ [번역 언어]입니다. ② [손 글씨]로 [입력]을 합니다. ④ [번역 언어]를 보여줍니다. ⑤ [키보드]를 [터치]하시면 [키보드]로 [입력]을 하실 수 있습니다. ❸ ① [웹사이트 번역], ② [오프라인 번역], ③ [글로벌 회화]를 [터치]하여 이용하실 수 있습니다. ④ [설정]을 [터치]하겠습니다.

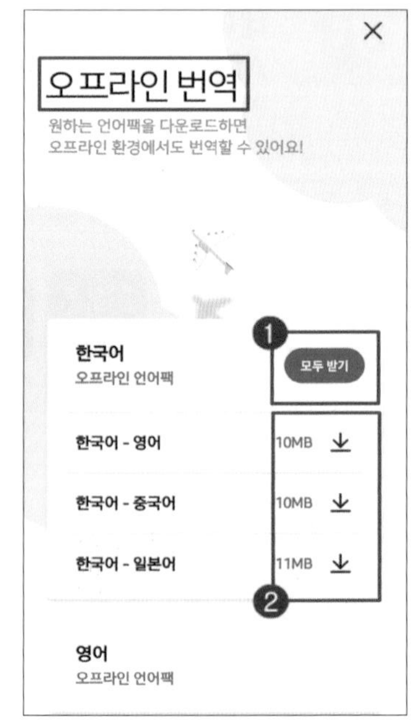

❶ [설정]에서 ① [실시간 번역]을 [활성화]하세요. ❷ [메뉴]에서 [오프라인 번역]을 [터치]하세요. ① [모두 받기]를 하거나 ② 해당 언어를 [다운]받으면, 인터넷이 안 되는 곳에서도 [다운]받은 언어를 사용하실 수 있습니다.
❸ [메뉴]에서 [글로벌 회화]를 [터치]하시면, 기본표현과 상황별로 [예문]과 [음성]을 이용하실 수 있습니다.

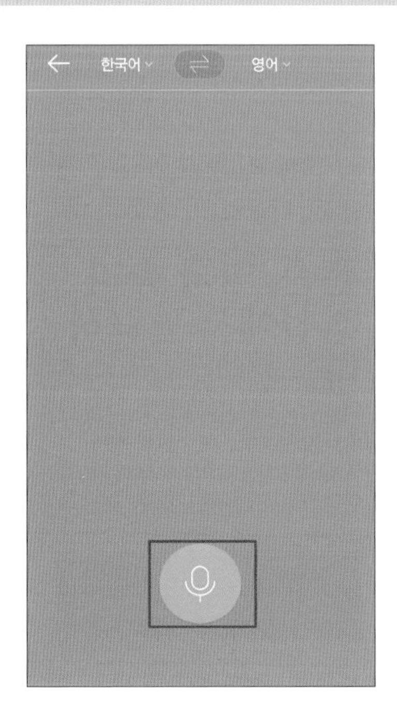

🅰 [마이크] 아이콘을 [터치]하시고, [음성]을 입력합니다. 🅱 음성으로 ① [입력]한 내용을 보여줍니다. ② [듣기]를 [터치]하면 음성으로 들을 수 있습니다. ③ [번역 언어] 보여주며, ④ [듣기]를 [터치]하면 음성으로 들을 수 있습니다. 🅲 [대화 통역]을 하기 위해 [대화]를 [터치]하세요. ① [마이크]를 [터치]하세요. ② [영어]로 [음성]을 말씀하시면, ③ 동시에 [한국어]로 [음성]을 들려주고, [텍스트]도 보여줍니다.

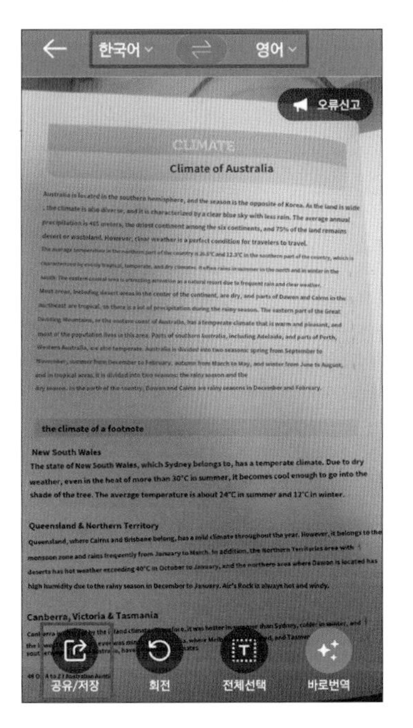

🅰 ① [마이크]를 [터치]하시고, ② [한국어]로 말씀하시면, ③ [영어]로 [음성]을 들려주고, [텍스트]도 보여줍니다.
🅱 [이미지]를 [터치]하시면, ① [갤러리]의 이미지를 가져와서 번역을 할 수 있으며, 어두운 곳에서 [촬영] 시 ② [손전등]을 [켜기]를 하시어 [촬영]을 하세요. 책의 내용을 [번역]하시려면 ③ [카메라]를 [터치]하세요.
🅲 바로 번역된 언어를 보여주며 [공유/저장]을 터치하여 공유, 저장, 복사를 할 수 있습니다.

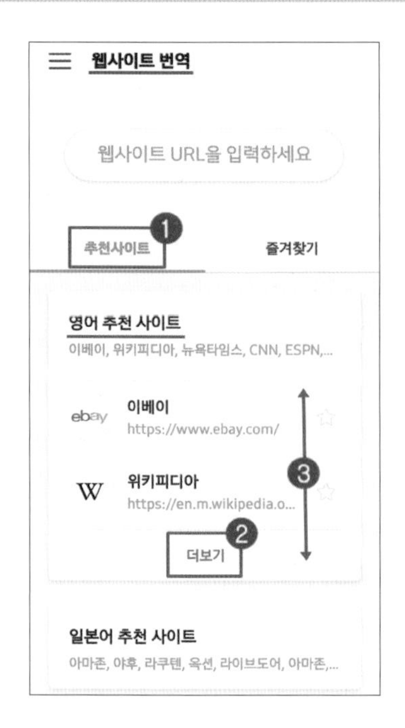

1 [웹사이트 번역]을 [터치]하세요. ① [추천 사이트]에서 [영어 추천 사이트], ② [더보기]를 [터치]하시어 더 많은 사이트를 [검색]할 수 있습니다. ③ [아래로 내리기]에서 [검색]을 하실 [사이트]를 [선택]하세요.
2 ① [영어문장]을 [선택]하신 후 ② [번역]을 [터치]하세요. 3 [한국어]로 [번역된 언어]를 보여줍니다.

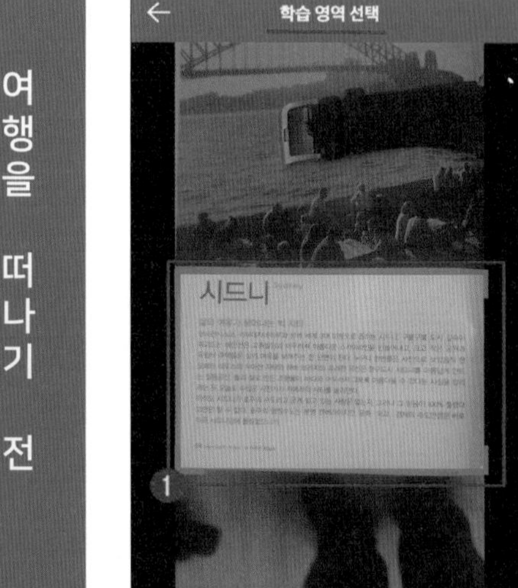

1 [학습 카메라]를 [터치]하시고, ① [학습하실 내용]을 [선택]을 하신 후 ② [선택 완료]를 [터치]하세요.
2 [체크 노트 저장]을 [터치]하시면 [학습]하실 내용이 잘 정리되어 보여줍니다.
3 사이트 [검색] 중 [번역]하실 [내용]을 [복사]하시어 ① [번역하실 내용]을 붙여 [넣기]를 하세요.
② [번역]된 내용을 볼 수 있고 ③ [듣기]도 가능합니다.

구글 어시스턴트(Assistant) 앱 활용하기

구글 어시스턴트 (Assistant)로 전화를 걸고, 검색하고, 탐색하는 등 모든 작업을 할 수 있습니다. (안드로이드 버전 7.1 이상만 사용 가능합니다.)

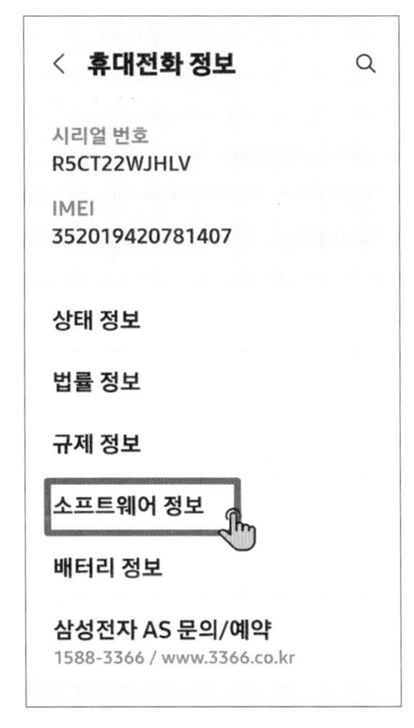

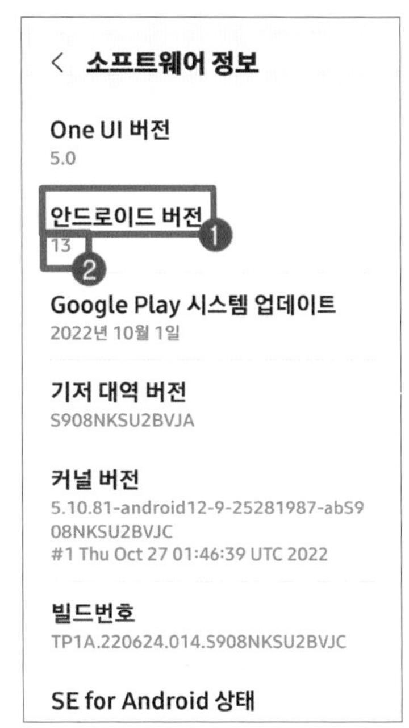

❶ [구글 어시스턴트] 사용이 가능한 [스마트폰]인지를 확인하시기 위해서, 스마트폰 [설정]에서 [휴대전화 정보]를 [터치]하세요. ❷ [휴대전화 정보]에서 [소프트웨어 정보]를 [터치]하세요. ❸ ① [안드로이드 버전]이 ② [7.1 이상] 인지를 확인하세요.

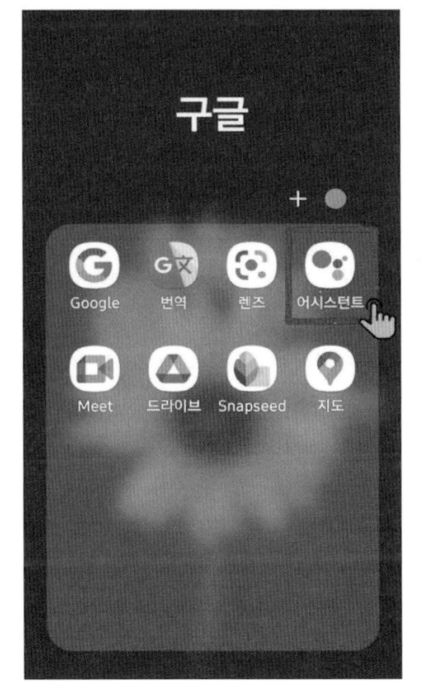

❶ 스마트폰에서 [구글 앱이 모여 있는] 앱을 [터치]하세요. ❷ [구글]에서 [구글 어시스턴트]를 [터치]하세요. [구글 어시스턴트]가 없을 경우 [Play 스토어]에서 검색하여 설치합니다. ❸ 또는 구글 사이트에서 우측 상단에 있는 [프로필 아이콘]을 [터치]하세요.

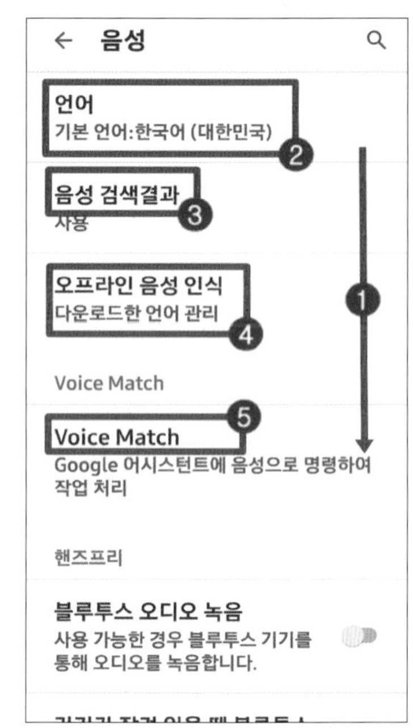

1 [구글]에서 [설정]을 [터치]하세요. 2 ① [음성], ② [구글 어시스턴트] 중에 먼저 [음성]을 [터치]하겠습니다. 3 [음성]에서 ① [아래로 내리기] 하시면, 음성에 대한 설정이 나옵니다. ② [언어]에서 [한국어]로 설정되었는지 확인하시고, ③ [음성 검색결과]를 [사용]으로, ④ [오프라인 음성 인식]에서 원하시는 [언어]를 [선택]하세요. ⑤ [Voice Match]를 [터치]하세요.

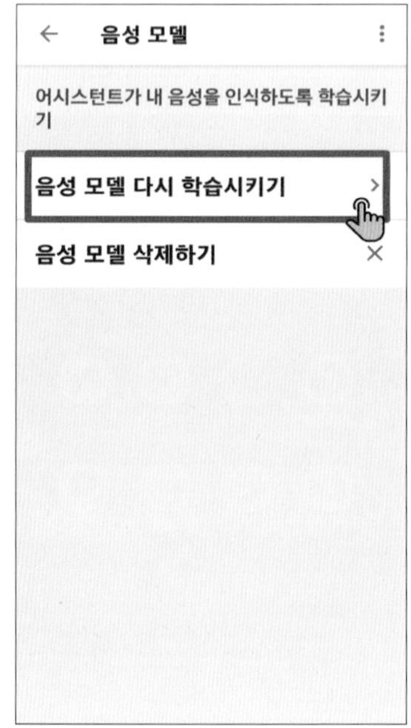

1 [Hey Google 및 Voice Match]에서 ① [헤이 구글]을 활성화하여 주시고, ② [음성 모델]을 [터치]하세요.
2 [음성 모델 다시 학습시키기]를 [터치]하시어 본인 음성을 학습시켜 주세요.
3 [구글 어시스턴트]를 [터치]하시면, ① [아래로 내리기]를 하시면, 구글 어시스턴트 대한 설정이 나옵니다. ② [Hey Google 및 Voice Match], ③ [언어], ④ [잠금 화면]을 [터치]하세요.

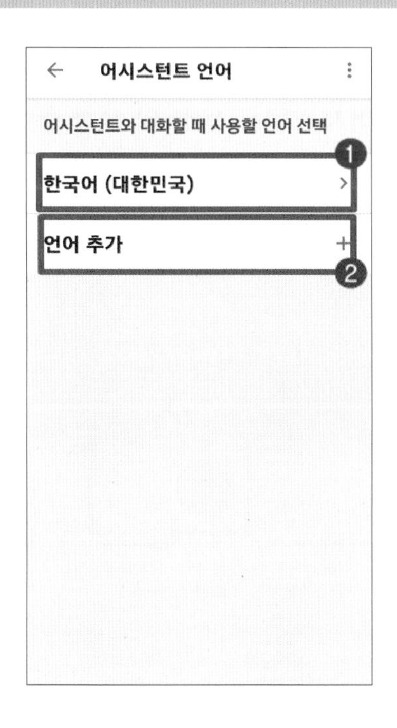

❶ [언어]를 [터치]하시면, [어시스턴트 언어]에서 ① [한국어], ② [언어 추가 +]를 [터치]하시어 추가하실 언어를 [선택]하세요. ❷ [잠금 화면]을 [터치]하시면, [잠금 화면]에서 [잠금 화면에서 어시스턴트 응답 듣기]를 활성화하여 주세요. ❸ [루틴]을 [터치]하시면, ① [루틴 설정], ② [내 루틴]에서 ③ [아래로 내리기]에서 [선택]하시어 [설정]을 하세요. ④ [+ 새로 만들기]를 [터치]하시고, 기본 루틴 외 더 많은 루틴을 [선택]하여 [설정]하여 사용할 수 있습니다.

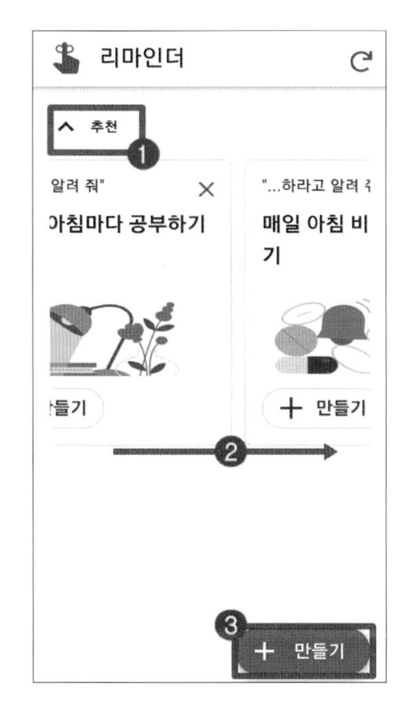

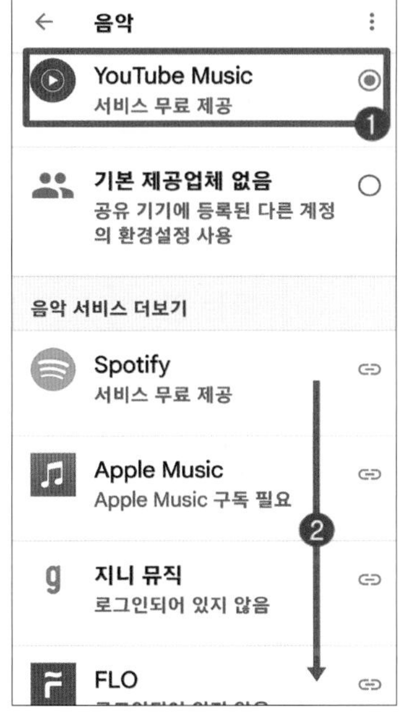

❶ [리마인더]에서 ① [추천]을 [터치]하세요. ② [오른쪽으로 이동]을 하시어 사용을 하실 [리마인더]를 [선택]하시어 [터치]하세요. 추가로 [설정]을 하실 경우 ③ [+만들기]를 [터치]하세요. ❷ [음악]에서 기본 ① [유튜브 뮤직]이 설정되어 있습니다. ② [아래로 내리기]를 하시면 가입하신 [음원] 찾아 [터치]하여 사용하실 수 있습니다. ❸ ① [나 - 정보 및 개인 설정]에서 ② [아래로 내리기]에서 필요한 정보를 [입력]을 하시고, [설정]하여 [사용]하세요.

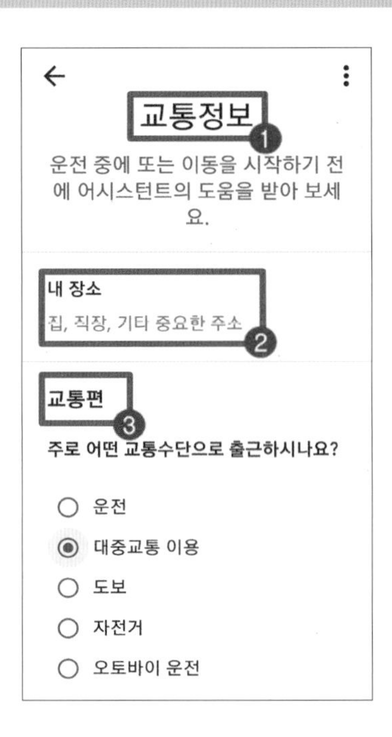

1 [교통]을 [터치]하시면, ① [교통정보]에서 ② [내 장소]가 [설정]된 상태에서 ③ [교통편]에서 교통수단을 [선택]하시어 사용하세요. 2 [기기]를 [터치]하시면, [어시스턴트 기기]에서 [기기 추가, Home 앱 열기]를 하실 수 있습니다. 3 [어시스턴트 음성 및 음성 출력]을 [터치]하세요. [레드 : 남성], [오렌지 : 여성] 중 선택을 하세요. 선택하신 음성으로 이용하실 수 있습니다.

1 [구글 어시스턴트] 기본 [설정]을 마치시고, 구글에서 [음성]을 [터치]하세요. 2 ① [듣는 중…]이 나옵니다. 알고 싶은 내용을 질문하세요. ② [노래 검색]을 [터치]하시고 [신청곡]을 말씀하시면 [음악]을 들려줍니다.
3 ① [음성]으로 궁금하신 [내용]을 말씀하시면, ② [글자]로 표시되며, 질문하신 내용을 알려 드립니다.

구글 렌즈(Lens) 앱 활용하기

Google 렌즈(Lens)는
눈에 보이는 사물을 검색하고, 더욱 빠르게 작업을 처리하며, 카메라와 사진만으로 주변 세상을 이해할 수 있습니다.

- **텍스트 스캔 및 번역하기** : 단어를 번역하고, 명함을 연락처에 저장하고, 포스터에 안내된 일정을 캘린더에 추가하며, 복잡한 코드나 긴 문단을 간편하게 복사한 다음 휴대전화에 붙여 넣어 시간을 절약할 수 있습니다.
- **동식물 이름 찾기** : 식물 이름, 강아지가 어떤 품종인지 알아볼 수 있습니다.
- **주변 장소 둘러보기** : 명소, 음식점, 매장 등의 자세한 정보(이름, 평점, 영업시간, 역사적 사실 등)를 확인할 수도 있습니다.
- **마음에 드는 스타일 찾기** : 내가 좋아하는 스타일의 옷, 가구, 인테리어 소품을 찾아볼 수 있습니다.
- **주문할 메뉴 정하기** : Google 지도의 리뷰를 바탕으로 식당의 인기 메뉴를 찾아볼 수 있습니다.
- **코드 스캔하기** : QR 코드와 바코드를 빠르게 스캔하실 수 있습니다.

★ 서비스 제공은 제한적이며, 언어 또는 지역에 따라 사용이 불가능할 수도 있습니다. 일부 렌즈 기능을 사용하려면 인터넷 연결이 필요합니다.

memo

1 플레이 스토어에서 [구글 렌즈] 앱을 설치하신 후, 설치하신 [구글 렌즈] 앱을 [터치]하세요.
2 또는 스마트폰 화면에서 [구글 앱]에서 [렌즈] 아이콘을 [터치]하세요.
3 화면에서 ① [검색 렌즈]와 아래쪽에 기본 메뉴 ② [번역, 테스트, 검색, 과제, 쇼핑, 장소, 음식점]을 [선택]을 하시어 사용하실 수 있습니다. ③ [갤러리 이미지]를 [터치]하세요.

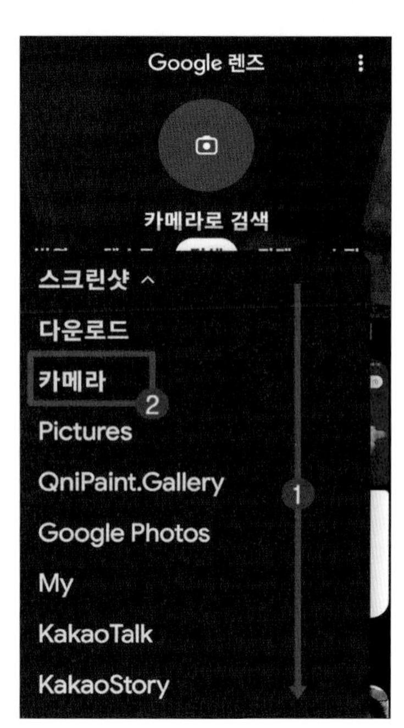

1 갤러리 이미지에서 ① [모두 보기], ② [이미지], ③ [스크린샷]을 보실 수 있습니다. [스크린샷]을 [터치]하겠습니다. 2 [스크린샷]에서 ① [아래로 내리기]를 하시면, 선택을 하실 수 있는 [메뉴]가 나옵니다. ② [카메라]에서 [사진]을 선택합니다. 3 ① [선택한 사진]을 ② [검색]하시면, ③ [선택한 사진의 이름], ④ [시각적으로 일치하는 항목]을 보실 수 있습니다.

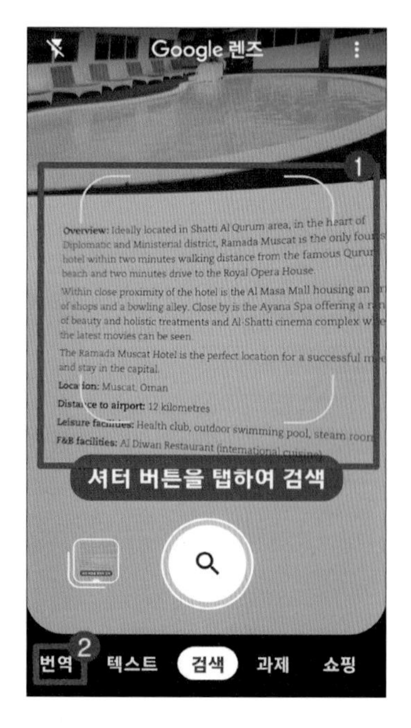

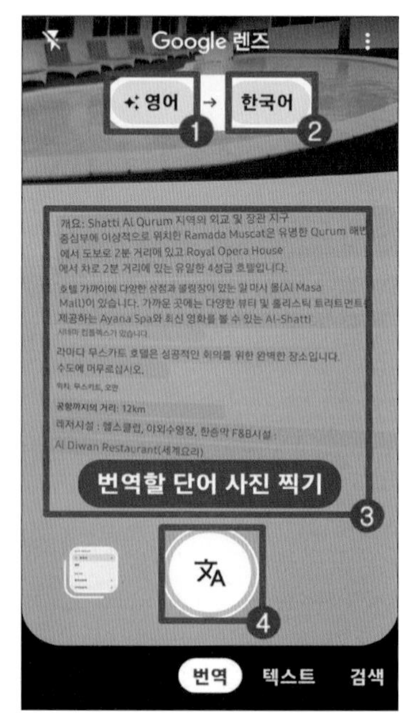

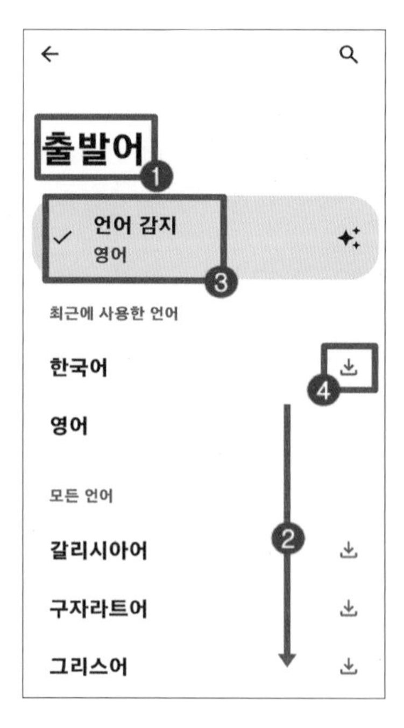

1 책을 번역을 할 경우 ① [선택하실 내용]을 화면 담고, ② [번역]을 [터치]하세요. 2 ① [출발어]를 [선택]하시고, ② [도착어]를 [선택]을 하시면, ③ [번역된 언어]로 보실 수 있습니다. ④ [번역 언어 사진 찍기]입니다. ① [출발어]를 [터치]합니다. 3 ① [출발어]에서 ② [아래로 내리기]에서 [언어]를 [선택]하세요. 선택하신 ③ [출발어]가 [설정]이 됩니다. ④ [다운로드]를 하시면, 인터넷 연결 없이 사용을 하실 수 있습니다.

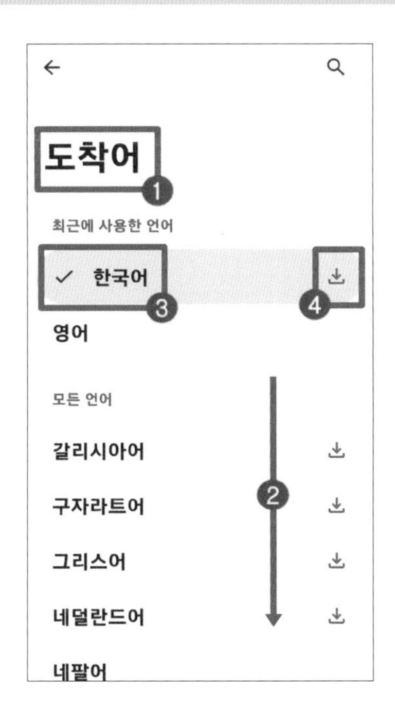

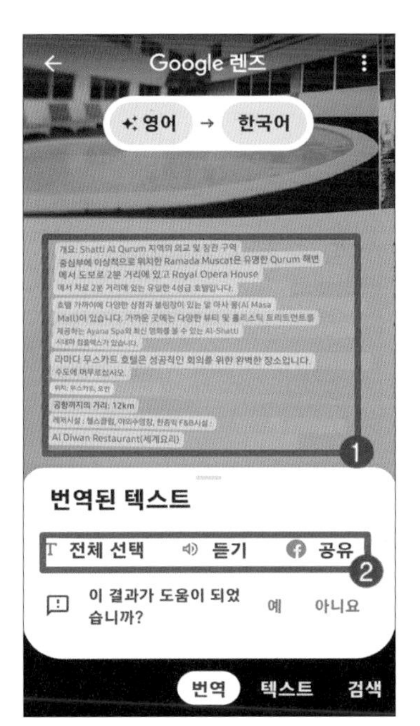

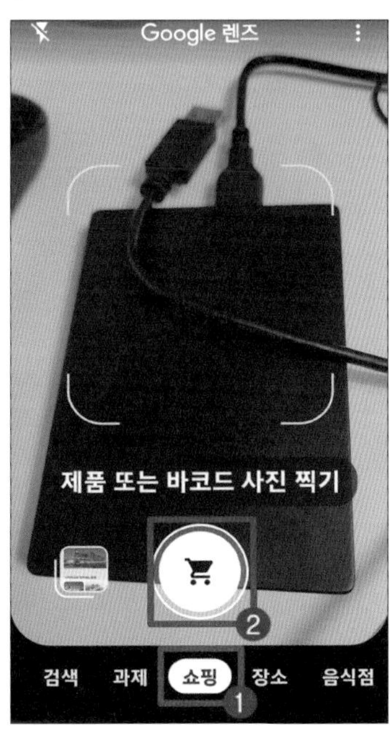

🅰 [도착어]를 [터치]하세요. ① [도착어]에서 ② [아래로 내리기]에서 [언어]를 [선택]하세요. 선택하신 언어가 ③ [도착어]로 [설정]이 됩니다. ④ [다운로드]를 하시면, 인터넷 연결 없이 사용을 하실 수 있습니다.
🅱 [번역된 언어]를 [사진 찍기]를 하시면, ① [선택한 내용]을 [번역된 텍스트]에서 ② [전체 선택, 듣기, 공유, 한국어 다운로드, 구글 번역에서 열기]를 [선택]하여 사용할 수 있습니다. 🅲 기본 메뉴에서 ① [쇼핑]으로 하시고, 제품을 ② [사진 촬영]하세요.

🅰 ① [촬영하신 제품]을 ② [아래로 내리기] 하시면, 제품의 시각적으로 일치하는 항목을 보실 수 있습니다.
🅱 기본 메뉴에서 ① [장소]를 [선택]하시고 ② [건물]을 ③ [촬영]하세요.
🅲 ① [건물]에 대한 ② [검색]에서 ③ [장소 정보]를 보실 수 있으며, ④ [시각적으로 일치하는 항목]도 보실 수 있습니다.

구글 지도(Google Maps) 활용하기

구글 지도(Google Maps)는 구글에서 제공하는 지도 서비스입니다.
구글 지도는 위성 사진, 스트리트 뷰, 360° 거리 파노라마 뷰,
실시간 교통 상황 (구글 트래픽), 그리고 도보, 자동차, 자전거(베타),
대중교통의 경로를 제공합니다.

- 220개 국가와 지역의 주변 장소를 탐색하여 장소를 찾는 데 활용할 수 있습니다.
- 운전 중인 자동차, 자전거, 도보 이동을 위한 음성 안내 지원과 GPS 내비게이션 제공합니다.
- 15,000여 개 도시의 대중교통 길 찾기 및 지도를 제공합니다.
- 최적 경로 검색을 위한 실시간 교통정보를 제공하며, 자동으로 경로 변경을 알려줍니다.
- 음식점, 박물관 등의 스트리트 뷰 및 실내 이미지를 제공합니다.
- 1억 개 이상의 장소에 있는 비즈니스 및 연락처를 지도 앱에서 상세 정보를 볼 수 있습니다.
- 데이터 로컬 저장으로 인터넷 없이도 사용이 가능합니다.
- 대중교통 경로를 캘린더에 저장할 수 있습니다.

memo

- 국가에 따라 제공되지 않는 기능이 있을 수 있습니다.
구글 지도(Google Maps)를 PC에서 보는 방법

구글 지도를 PC에서 보시기 위해 - 인터넷 검색에서 구글을 [클릭]하세요. 구글에서 화면이 나오면,
① 구글 앱을 [클릭]하시면, ② 여러 종류의 구글 앱이 나옵니다.
구글 지도를 선택하시고 [클릭]하시면 됩니다.

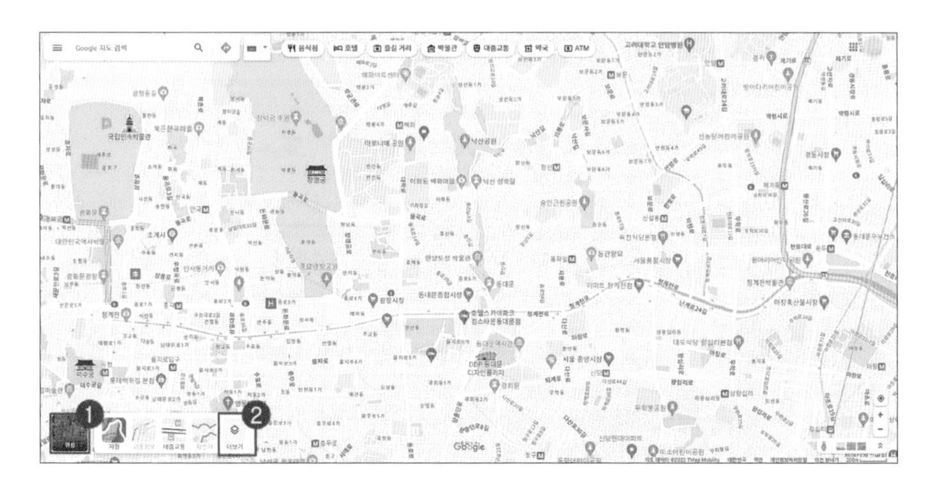

① [레이어]에 마우스 아이콘을 대면, 지형, 교통정보, 대중교통, 자전거, ② [더보기]를 [클릭]하세요.

위성을 [클릭]하면 위성 화면을 볼 수 있습니다. ① [기본 유형 – 지구본 뷰, 위성 – 라벨] 중에서 [선택]하시어 화면을 보시면 됩니다. ② [지도 세부 정보 – 대중교통, 교통정보, 자전거 도로, 지형, 스트리뷰, 산불]을 선택 가능한 것을 [선택]하시어 보실 수 있습니다.

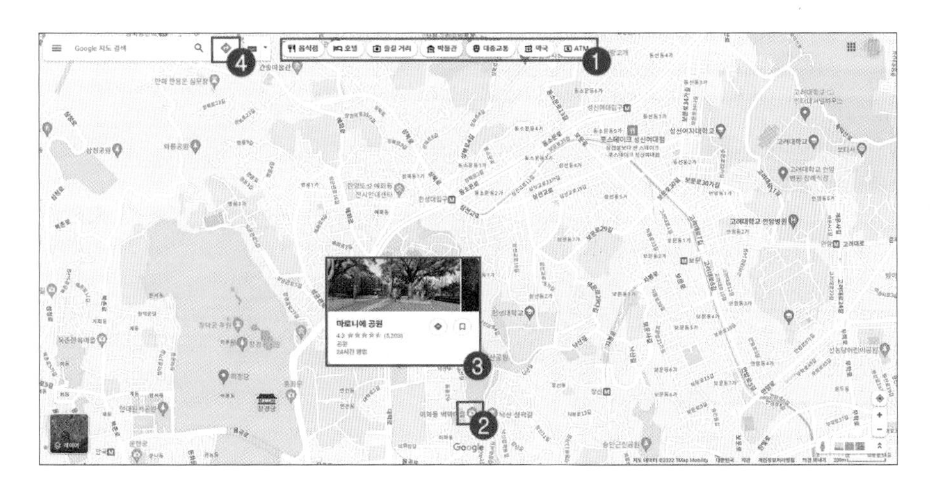

① [음식점, 호텔, 즐길 거리, 대중교통, 주차, 약국, ATM] 중에서 [선택]하시면, 자세한 위치가 표시가 됩니다.
② [위치별 표시 아이콘]에 마우스를 대면 ③ [사진과 함께 자세한 정보]를 보실 수 있습니다.
④ [경로]를 [터치]하세요.

여행 일정표를 구글 지도로 보는 방법

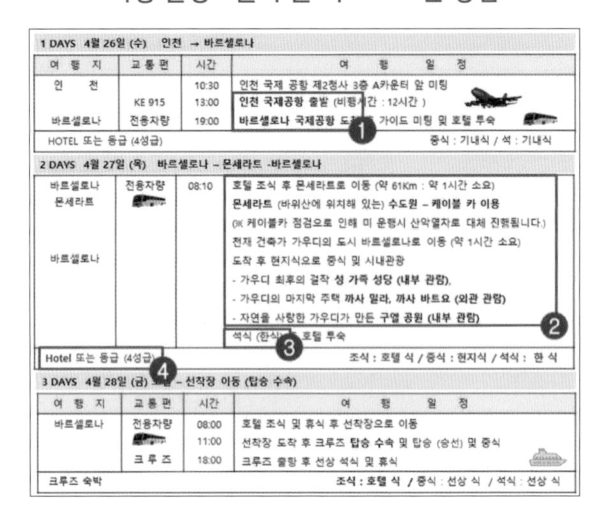

1 DAYS 4월 26일 (수) 인천 → 바르셀로나

여 행 지	교 통 편	시간	여 행 일 정
인 천		10:30	인천 국제 공항 제2청사 3층 A카운터 앞 미팅
	KE 915	13:00	인천 국제공항 출발 (비행시간 : 12시간)
바르셀로나	전용차량	19:00	바르셀로나 국제공항 도[illegible] 가이드 미팅 및 호텔 투숙
HOTEL 또는 동급 (4성급)			중식 : 기내식 / 석 : 기내식

2 DAYS 4월 27일 (목) 바르셀로나 – 몬세라트 -바르셀로나

여 행 지	교 통 편	시간	여 행 일 정
바르셀로나 몬세라트	전용차량	08:10	호텔 조식 후 몬세라트로 이동 (약 61Km : 약 1시간 소요) 몬세라트 (바위산에 위치해 있는) 수도원 – 케이블 카 이용 (※ 케이블카 점검으로 인해 미 운행시 산악열차로 대체 진행됩니다.)
바르셀로나			천재 건축가 가우디의 도시 바르셀로나로 이동 (약 1시간 소요) 도착 후 현지식으로 중식 및 시내관광 - 가우디 최후의 걸작 성 가족 성당 (내부 관람). - 가우디의 마지막 주택 까사 밀라, 까사 바트요 (외관 관람) - 자연을 사랑한 가우디가 만든 구엘 공원 (내부 관람) 석식 (한식[illegible] 호텔 투숙
Hotel 또는 동급 (4성급)			조식 : 호텔 식 / 중식 : 현지식 / 석식 : 한 식

3 DAYS 4월 28일 (금) [illegible] – 선착장 이동 (탑승 수속)

여 행 지	교 통 편	시간	여 행 일 정
바르셀로나	전용차량	08:00	호텔 조식 및 휴식 후 선착장으로 이동
		11:00	선착장 도착 후 크루즈 탑승 수속 및 탑승 (승선) 및 중식
	크 루 즈	18:00	크루즈 출항 후 선상 석식 및 휴식
크루즈 숙박			조식 : 호텔 식 / 중식 : 선상 식 / 석식 : 선상 식

여행 일정표 : ① [항공 일정], ② [여행지 차량 이동], ③ [식당], ④ [호텔] 등을 지도로 알아보겠습니다.

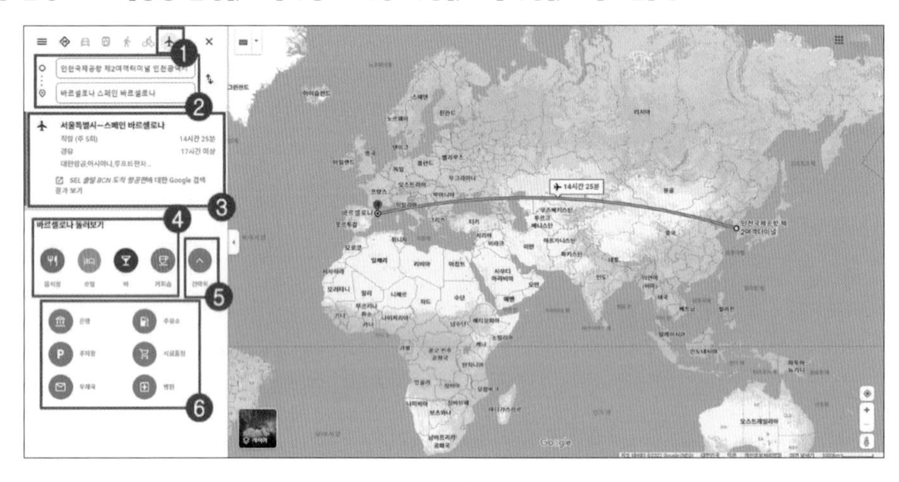

교통수단에서 ① [항공]을 선택, ② [출발지 – 도착지]를 입력하시면, ③ [항공편, 항공 이동 시간]을 알 수 있습니다. 도착지 ④ [음식점, 호텔, 바, 커피숍], ⑤ [자세히]를 [클릭]하시면, ⑥ [은행, 주유소, 주차장, 식료품점, 우체국, 병원] 등 더 많은 정보를 보실 수 있습니다. (항공 이동은 PC에서만 가능)

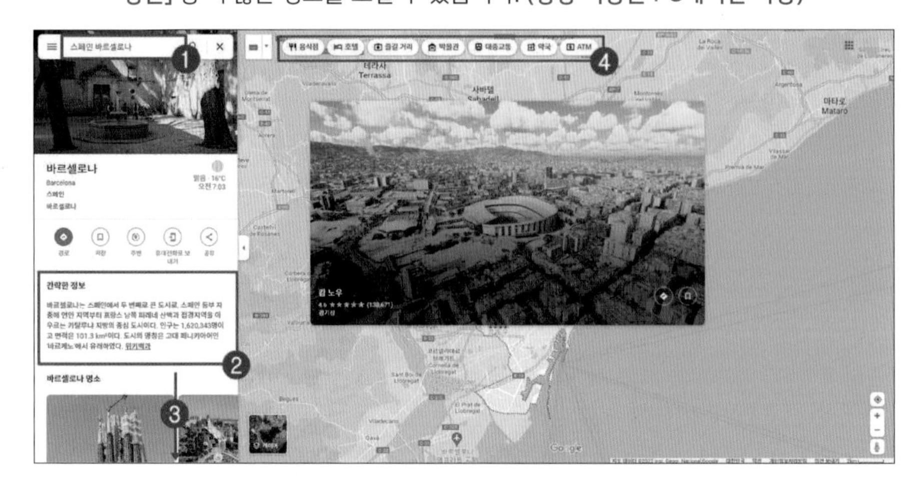

도착지 ① [지역]을 입력하시면, 여행지 ② [간략한 정보]를 보실 수 있으며, 마우스로 아래로 내리면 ③ [명소, 호텔 등], ④ [음식점, 호텔, 즐길 거리, 박물관, 대중교통, 약국, ATM] 정보를 보실 수 있습니다.

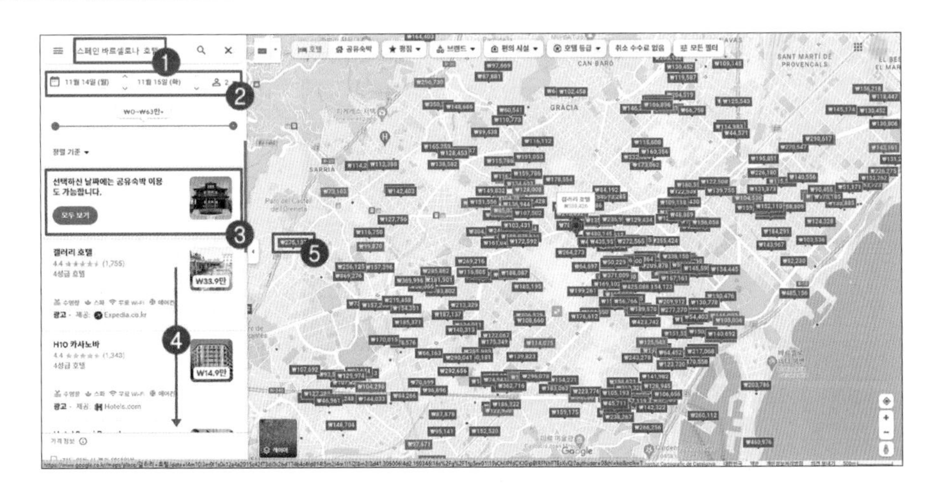

① [국가, 지역, 호텔]을 입력하시고, ② [숙박 일자, 인원]을 선택하시고, ③ [모두 보기]를 [클릭]하시고,
④ [호텔 정보]에서 마우스를 아래로 [드래그 앤 드랍]을 하시면, 호텔 정보를 보실 수 있습니다.
⑤ [호텔 위치, 호텔 요금]을 보실 수 있습니다.

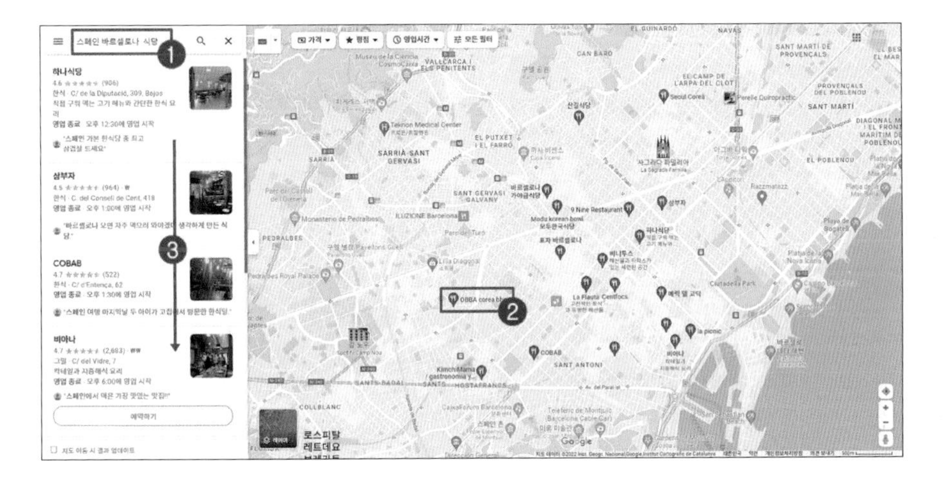

① [국가, 지역, 식당]을 입력을 하세요. 지도에서 ② [식당 위치, 식당 이름]을 보실 수 있으며,
③ [아래로 내리기]에서 마우스를 아래로 [드래그 앤 드랍]을 하시면, [식당 정보]를 보실 수 있습니다.

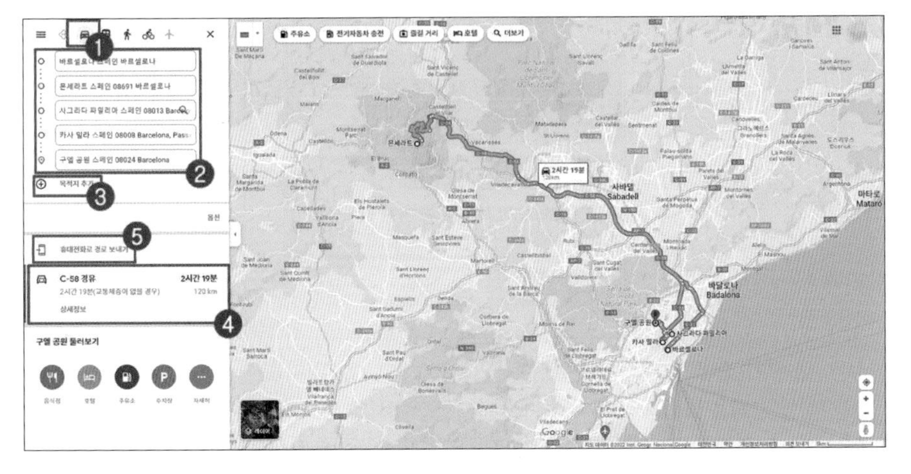

교통수단에서 ① [자동차]를 선택, ② [출발지 – 경유지 – 도착지]를 입력하세요. ③ [목적지 추가]를 하실 수 있습니다.
④ [이동 시간과 상세한 정보]를 보실 수 있습니다. ⑤ [휴대전화로 경로 보내기]도 하실 수 있습니다.

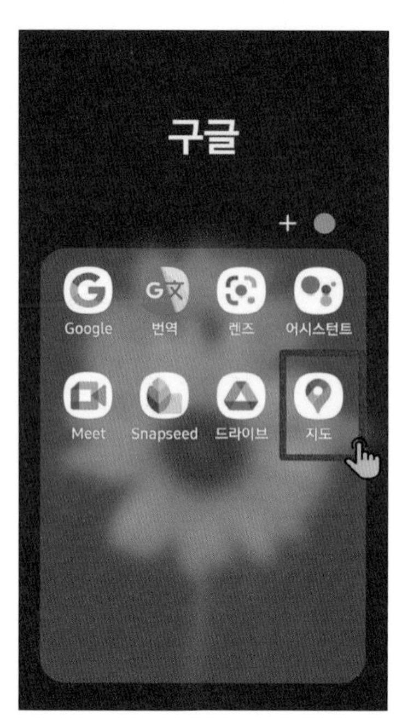

❶ 모바일에 설치된 [구글] 앱 아이콘을 [터치]하여 실행합니다. ❷ [구글]에서 [구글 지도]를 [터치]하세요. ❸ [구글 지도] 초기 화면에서 현 위치 ① [음식점, 주유소, 식료품, 호텔, 커피, 공원, 관광 명소, 더보기]가 나옵니다. [더보기]를 [터치]하면, 더 많은 서비스를 보실 수 있습니다. 화면 하단에서 ② [탐색, 찾기, 저장됨, 참여, 업데이트]를 이용을 하실 수 있습니다. ③ [길 찾기]를 [터치]하겠습니다.

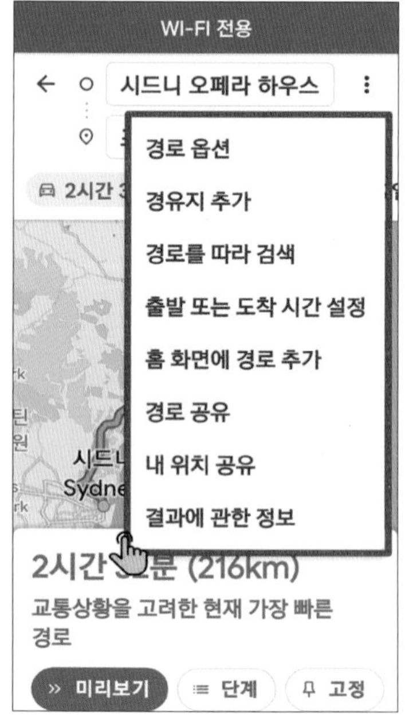

❶ 길 찾기에서 ① [내 위치(출발지), 목적지 선택]을 [입력]하세요. ② [위치 교환]도 하실 수 있습니다. 교통 이동 수단에서 ③ [승용차]를 선택을 하겠습니다. ❷ ① [출발지, 도착지]를 선택하면, ② [이동 시간, 이동 거리]를 보실 수 있습니다. ③ [메뉴]를 [터치]하세요. ❸ [경로 옵션, 경유지 추가, 경로를 따라 검색, 출발 또는 도착 시간 설정, 홈 화면에 경로 추가, 경로 공유, 내 위치 공유, 결과에 관한 정보]를 [터치]하여 [추가, 검색, 공유] 등을 할 수 있습니다.

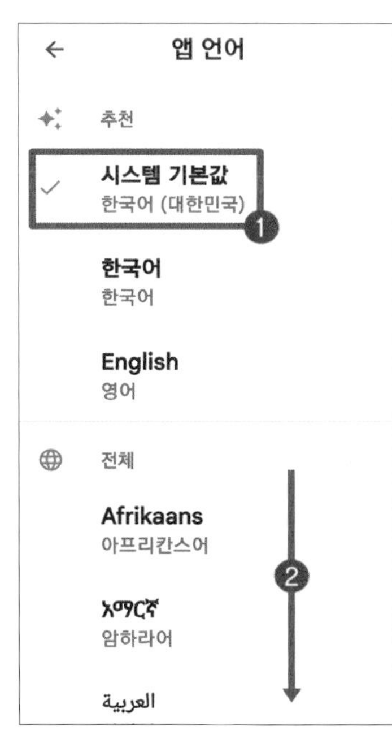

❶ ① [프로필 아이콘]을 [터치]하시면, ② [내 계정]이 나옵니다. ③ [설정]을 [터치]하세요.
❷ ① [앱 언어], ② [오프라인 지도 설정], ③ [테마]는 [항상 밝은 테마]로 설정하겠습니다. ④ [아래로 내리기]에서 [선택]하시어 [설정]을 하세요. ❸ [앱 언어]를 [터치]하시면 ① [시스템 기본값 : 한국어 (대한민국)]으로 설정하시고, [전체]에서 ② [아래로 내리기] 하시면, 여러 국가 언어 중에서 [선택] 사용하실 수 있습니다.

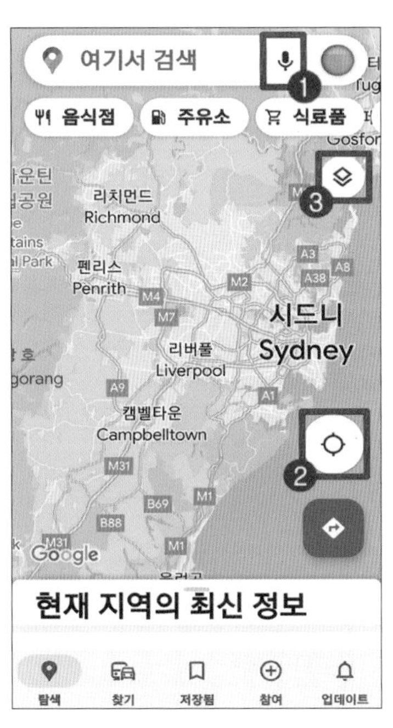

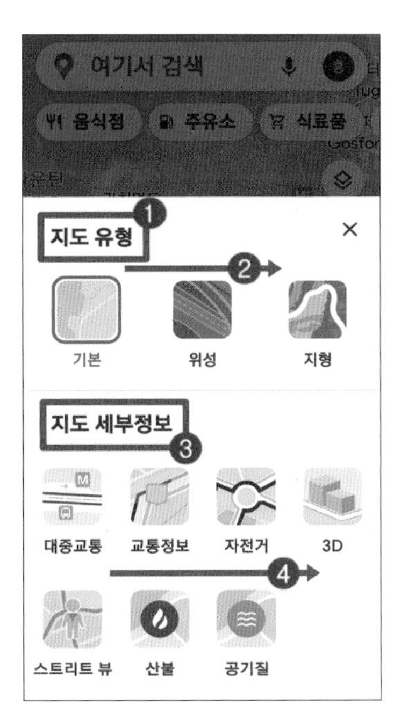

❶ [오프라인 지도 설정]을 [터치]하시면 ① [오프라인 지도 자동 업데이트], ② [추천 지도 자동 다운로드]를 활성화하시고, ③ [다운로드 환경설정]을 하시고, ④ [오프라인 지도 정보]를 확인하실 수 있습니다. ❷ ① [음성]을 터치 후 음성입력도 가능하십니다. ② [내 위치]를 [터치]하시면 내 위치를 확인하실 수 있습니다. ③ [지도 설정]을 [터치] 합니다. ❸ ① [지도 유형]에서 ② [기본, 위성, 지형], ③ [지도 세부정보]에서 ④ [대중교통, 교통정보, 자전거, 3D, 스트리트 뷰, 산불, 공기질] 정보를 보실 수 있습니다.

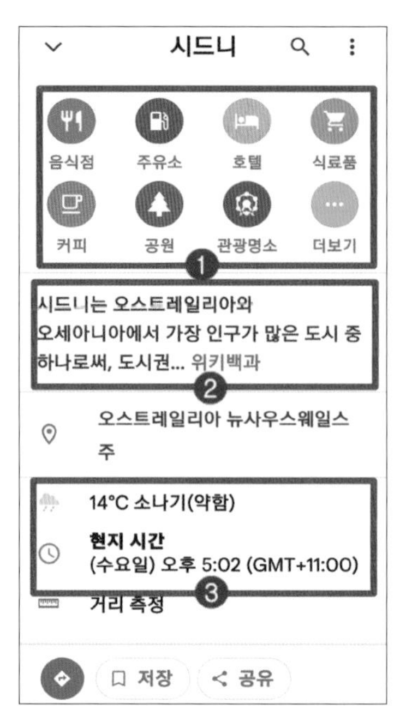

1 모바일 지도에서 [지역]을 [터치]하면, 그 지역의 ① [지역 사진]과 [지역 안내]가 나옵니다. ② [지역 안내]를 아래로 내리겠습니다. 2 ① [음식점, 주유소, 호텔, 식료품, 커피, 공원, 관광 명소, 더보기]를 [터치]하시면, 자세한 지역 등 서비스를 보실 수 있습니다. ② [지역 안내], ③ [지역 날씨 및 시간]을 알 수 있습니다.
3 사진을 [터치]하시면 ① [전체], ② [최신 사진], ③ [동영상]을 [터치]하시면 ④ [아래로 내리기]에서 여러 종류의 사진과 동영상을 보실 수 있습니다.

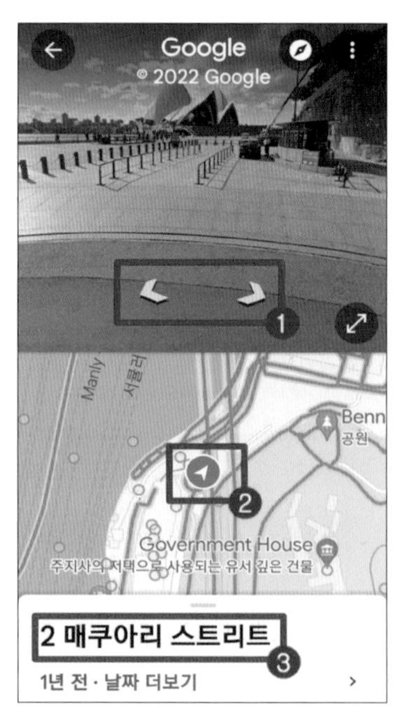

1 ① [관광지]를 입력하시면, ② [관광지 안내] 정보를 보실 수 있습니다. ③ [관광지 경로, 티켓, 통화 등]을 선택을 하시면 원하는 서비스를 이용하실 수 있습니다. ④ [사진]을 [터치]하세요.
2 ① [방향]을 [터치]하시면, 스마트폰 이동에 따라 다른 위치를 보실 수 있으며, ② [화살표]를 [터치]하여 이동하여 보실 수도 있습니다. ③ [메뉴]를 [터치]하여 [공유] 할 수 있습니다. ④ [위치]를 [터치]하겠습니다.
3 ① [이동]을 [터치]하여 이동하면, ② [위치표시]가 이동합니다. ③ [위치명]도 알 수 있습니다.

교통 – 네이버 지도 앱 활용하기

1 Play 스토어 또는 앱 스토어에서 [네이버 지도]를 [검색]하신 후 앱을 [설치]하시고, 설치된 앱 아이콘을 [터치]하여 실행합니다. 2 상단에서 ① [음식점, 카페 등] 하단에서 ② [주변, 대중교통, 내비게이션, 마이 페이지]를 이용하실 수 있습니다. 3 ① [주변]을 [터치]하시면 ② [현 위치의 기후, 미세먼지 등]을 알려드립니다. 화면을 아래로 내리면 주변의 주요 상가 등을 알려드립니다.

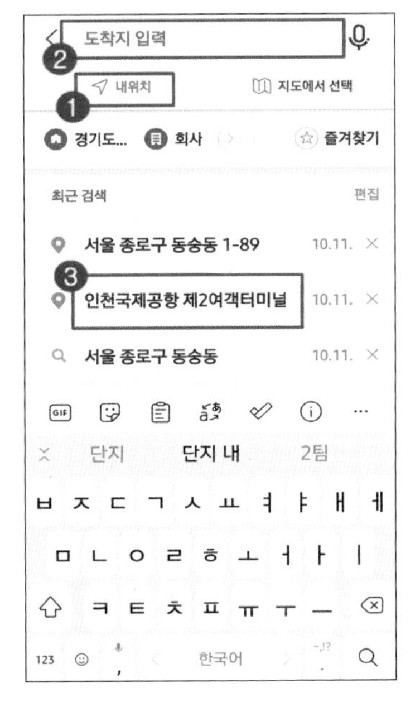

1 ① [길찾기]를 [터치]하세요. ② [현 위치]입니다. (집과 회사 위치를 입력 설정하세요.) 2 ① [현 위치]를 [터치]하시거나, ② [위치를 입력] 후 [검색]을 [터치]하시고, ③ [출발]을 [터치]하세요. 3 선택한 주소 또는 현 위치 ① [내 위치]를 출발지로 ② [도착지를 입력] 후 [검색]을 하시거나 ③ [도착지]를 [선택]을 하세요.

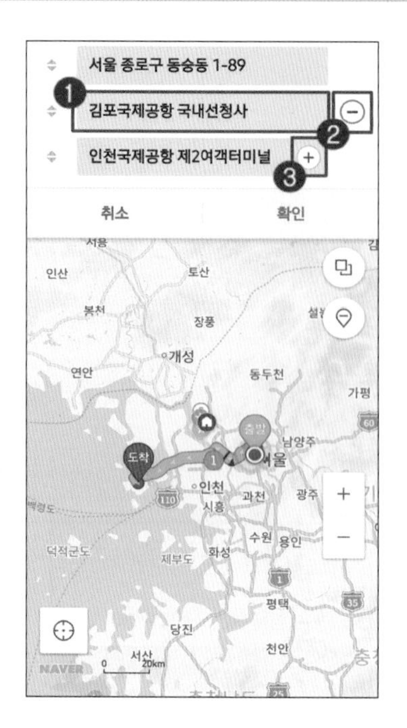

1 ① [경유지]를 [입력]을 하시려면, ③ +를 [터치]하시고, [경유지]를 [입력]하세요. 경유지를 ② [지우기] ③ [추가하기]를 하실 수 있습니다. (경유지 포함된 지도가 나옵니다.) 2 ① [도착지]를 선택하신 후 이동 수단을 ② [자동차]를 선택을 합니다. ③ [추천 경로시간]을 [선택] 후 [터치]하세요. ④ [안내시작]을 [터치]하세요. 3 [내비게이션] 길 안내 서비스를 받을 수 있습니다.

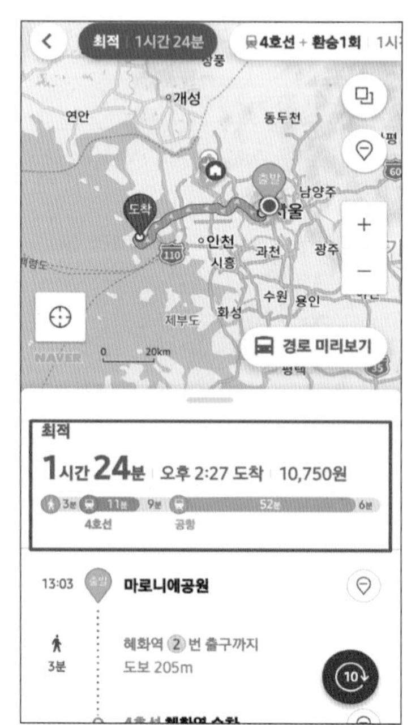

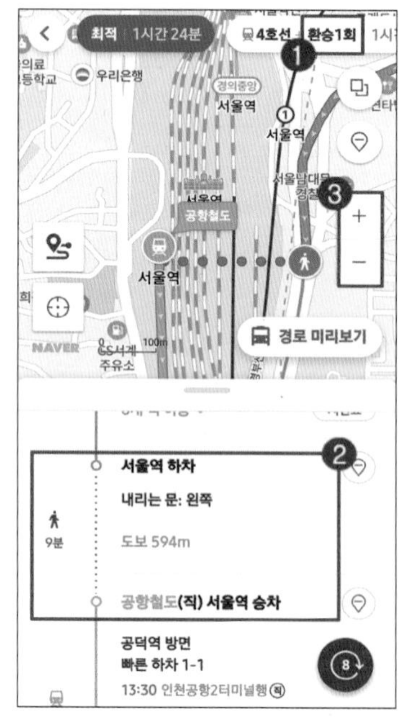

1 ① [출발지와 도착지]를 입력하시고, ② [교통수단]을 [선택]하시면, ③ [아래로 내리기]에서 추천 경로가 나옵니다. 원하시는 경로를 [선택] 후 [터치]하세요. 2 최적 경로를 [선택]하시면 위쪽에 [지도]로 안내 경로와 아래쪽에 [자세한 경로] 안내가 나옵니다. 3 ① [환승1회]를 확인하시려면, ② [환승 안내] 부분을 [터치]하시면, 위쪽에 지도에서 확인을 하실 수 있습니다. ③ [+, -] 화면 크기 조절 기능입니다.

1 ① 내 위치를 [터치]하시고, ② [길찾기] 또는 ③ [출발]을 [터치]하세요. 2 ① [도보]를 [선택], [터치]하시고, ② [도착지 입력]을 하시고, ③ [지역]을 [선택]하세요. 3 ① [출발지와 도착지]가 선택되었으면 ② [도보] 이동 소요 시간이 나옵니다. ③ [지도]에서 경로도 볼 수 있습니다. ④ [변경]을 터치하시면 이동 경로가 변경됩니다.

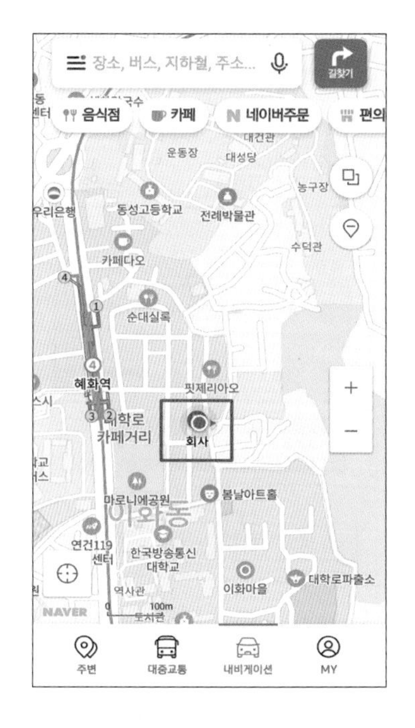

1 내 위치의 [거리 뷰]를 보실 수 있습니다. [회사]를 [터치]하세요 2 ① [현 위치]에서 ② [현 위치 사진]을 [터치]하세요. 3 ① [360도]를 터치하시고, 핸드폰을 좌우로 이동하시면 현 위치에서 360도 화면을 보실 수 있으며, ② [화살표] 방향을 [터치]하시면, 화살표 방향에 따라 이동한 [거리 뷰]를 보실 수 있습니다. ③ [나침반]에 내 위치의 방향을 알 수 있습니다.

1 ① [더보기]를 [터치]하시면, [길찾기, 내비게이션, 지하철노선도, 기차 조회 예매 등]을 검색을 하실 수 있습니다. ② [지도설정]을 [터치]하세요. 2 [일반지도, 위성지도, 지형도] 화면을 [선택]하실 수 있습니다. 3 [위성 지도], [지형도]를 [터치]하세요. 위쪽 화면은 [위성지도] 화면이고, 아래쪽 화면은 [지형도] 화면입니다.

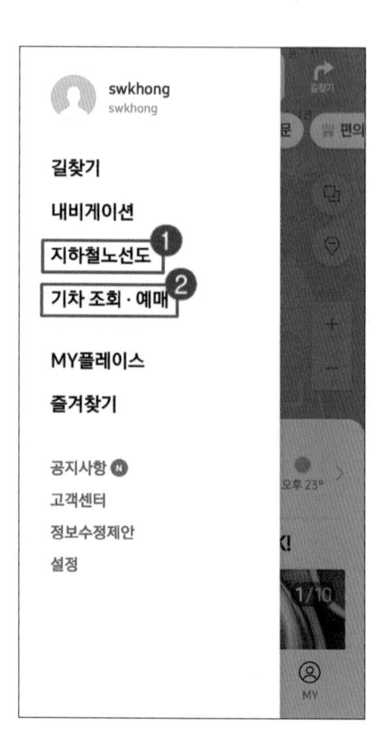

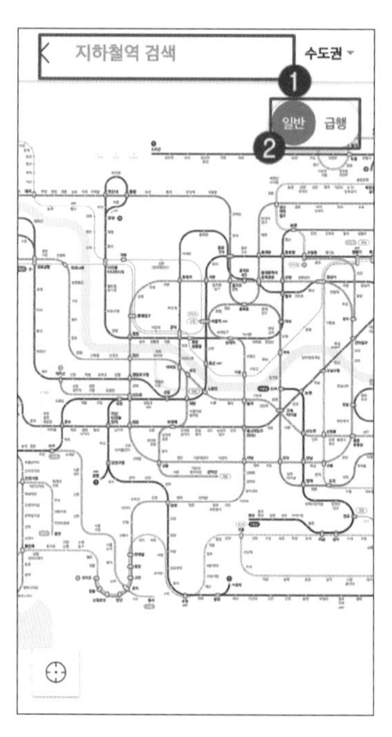

1 ① [지하철노선도] 화면, ② [기차 조회 예매] 화면을 터치하세요. 2 ① [지하철역 검색]에 원하시는 역을 검색하시면 [출발], [경유], [도착]이 나옵니다. [출발]을 선택하신 후 [도착]지를 [입력]하신 후 ② [일반] 또는 [급행]을 선택하시면 됩니다. 3 [기차 조회, 예매] ① 출발, 도착 기차역을 [검색]하신 후 ② [일자], [인원], [좌석 등급]을 [선택]하시고, ③ [시간표 조회]를 선택하세요. 예매를 하시면, ④ [내 승차권]을 확인할 수 있습니다.

교통 – 지하철 종결자 앱 활용하기

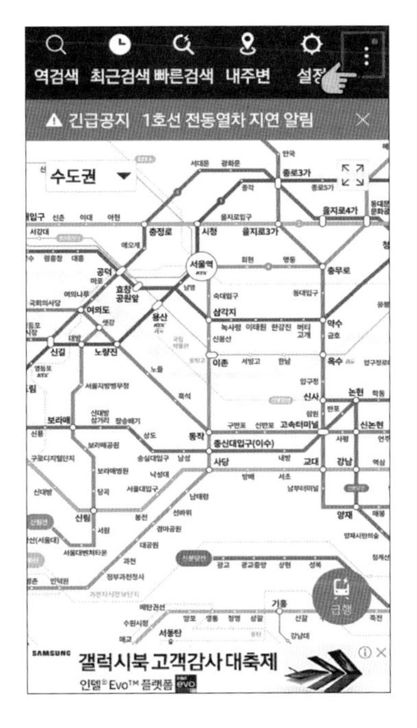

❶ Play 스토어 또는 앱 스토어에서 [지하철 종결자]를 [검색]하신 후 앱을 [설치]하시고, 설치된 앱 아이콘을 [터치]하여 실행합니다. ❷ 수도권 지하철 노선이 나오면, 상단에 [메뉴]를 [터치]하세요. ❸ 화면에 지하철 노선도··· 등 화면이 나옵니다. 원하시는 서비스를 [선택], 상단에 [설정]을 [터치]하세요.

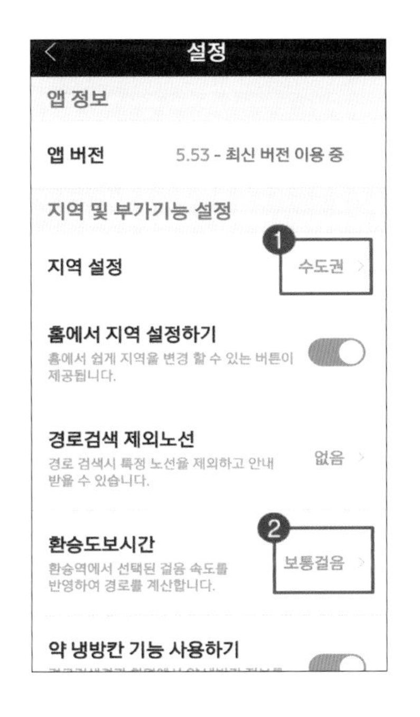

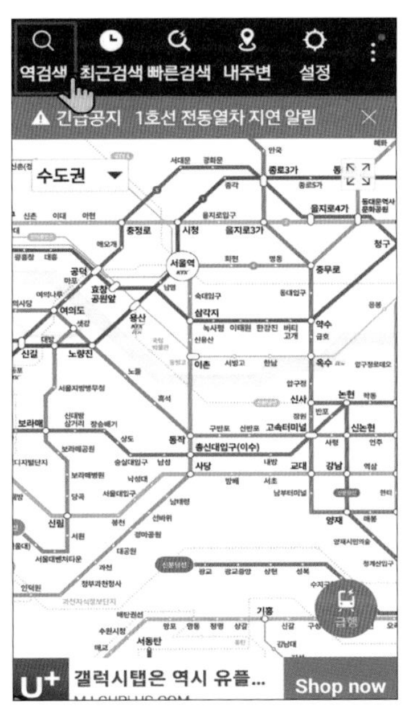

❶ [설정] 화면에서 [지역 설정] ① [지역]을 [선택]을 하시고, [환승 도보 시간]에서 ② [걸음 속도]를 [선택]하세요.
❷ [지역 설정] 화면에서 [지하철 노선도]가 나옵니다. 상단에 [역검색]을 [터치]하세요.
❸ [역검색]에서 원하시는 역을 [선택]하시고, [터치]하세요.

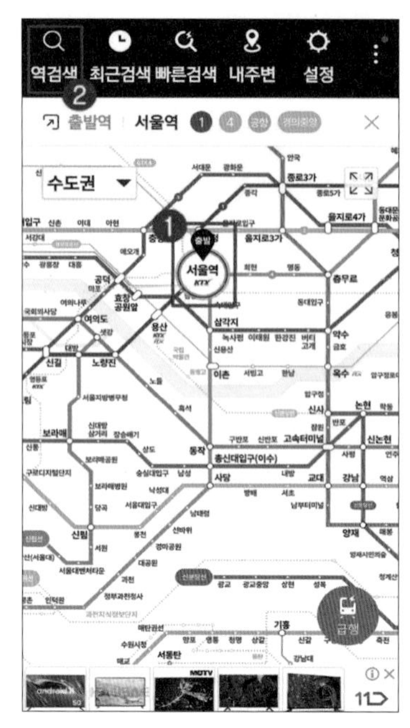

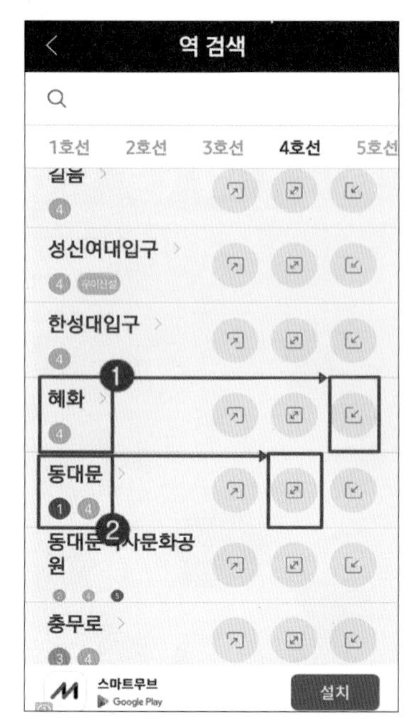

1 [서울역]을 [출발역]으로 [선택]하세요. [주변정보, 홈추가, 시간표] 등을 [선택]을 하시어 [정보]를 확인할 수 있습니다. 2 ① [서울역] 선택하시고, ② [역검색]을 [터치]하세요.
3 ① [혜화]를 [도착지]로, ② [동대문]을 [경유지]로 [선택]하겠습니다.

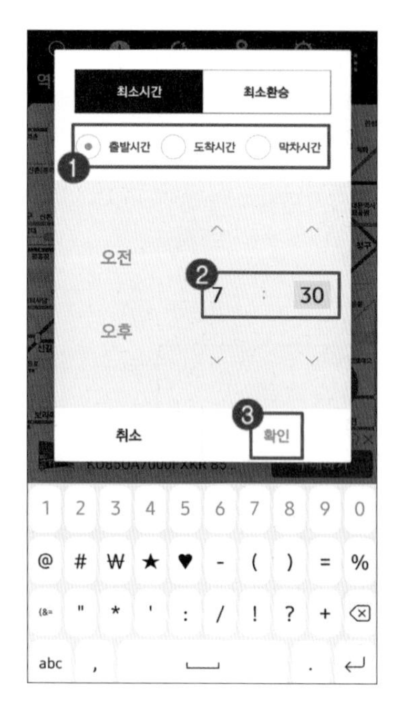

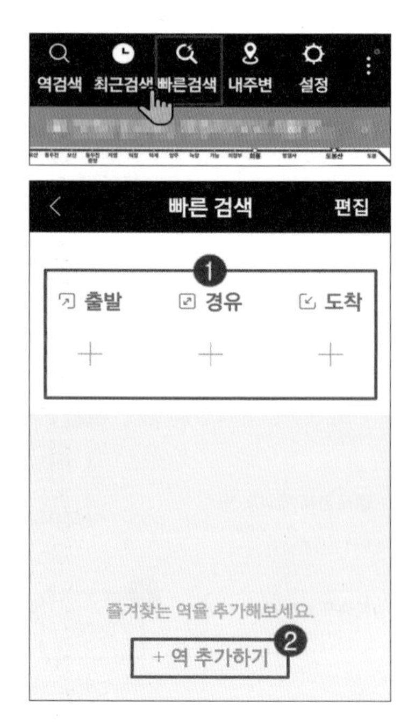

1 ① [출발시간, 도착시간, 막차시간]을 [터치]하시면, 보실 수 있습니다. [출발시간]을 선택하고, ② 시간을 [선택]하신 후 ③ [확인]을 [터치]하세요. 2 [출발지], [경유지], [도착지] 이동 시간을 [확인]하실 수 있습니다.
3 [빠른 검색]을 [터치]하시면, ① [출발, 경유, 도착]을 [터치] 후 [선택]하시면 이용하세요. ② [역 추가하기]를 터치하시면 [경유지]를 [추가, 변경]을 하실 수 있습니다.

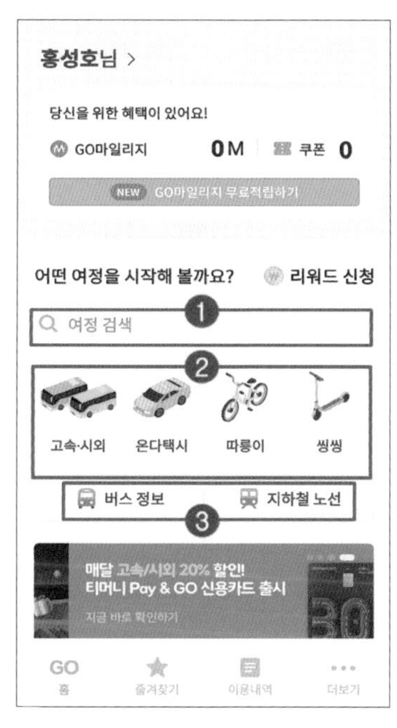

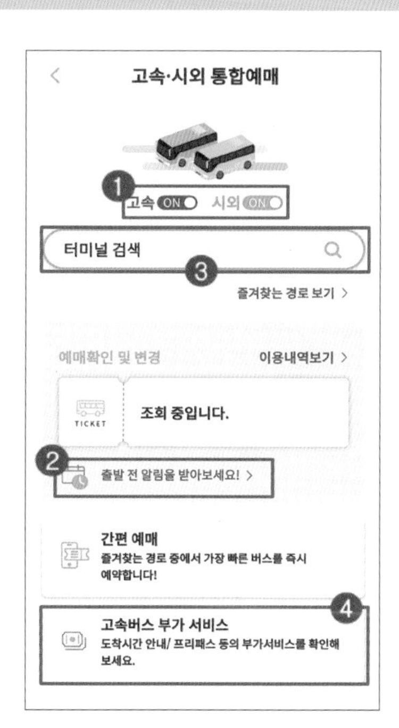

1 설치된 [티머니 GO] 앱 아이콘을 [터치]하여 실행합니다. 2 ① [여정 검색] ② [고속 시외], [온다 택시], [따릉이], [씽씽] ③ [버스 정보], [지하철 노선] 등 서비스도 이용하실 수 있습니다. [고속 시외]를 [터치]하겠습니다.
3 ① [고속], [시외]가 [ON] 상태인지 확인하시고, ② [출발 전 알림을 받아보세요.] ④ [고속버스 부가 서비스…]가 있습니다. ③ [터미널 검색]을 [검색]하세요.

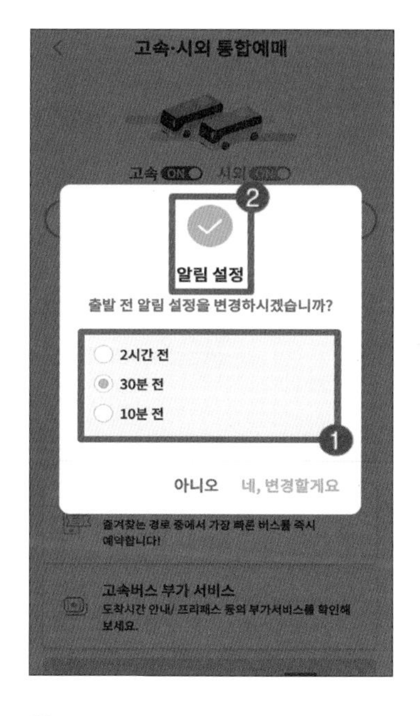

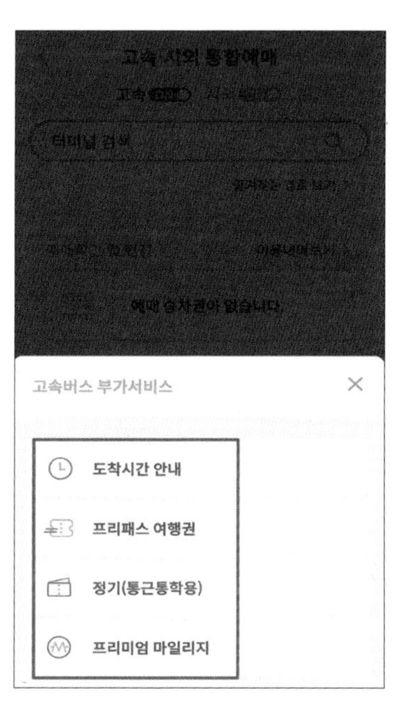

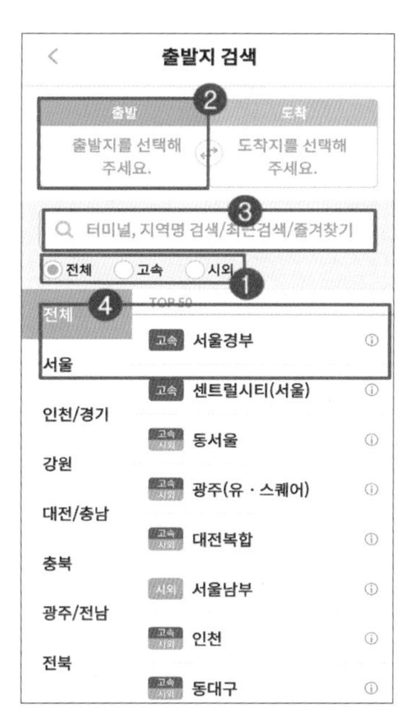

1 [출발 전 알림을 받아보세요.]를 [터치]하시면, ① [2시간 전, 30분 전, 10분 전]을 [선택]하신 후 ② [알림 설정]을 [터치]하세요. 2 [고속버스 부가서비스…]를 [터치]하시면, [도착시간 안내], [프리패스 여행권], [정기(통근통학용)], [프리미엄 마일리지] 서비스를 받을 수 있습니다. 3 ① [전체]를 선택하시고, ② [출발]을 [선택]하신 후 ③ 직접 [검색] 입력하시던지, ④ [전체]에서 [선택], [터치]를 하세요.

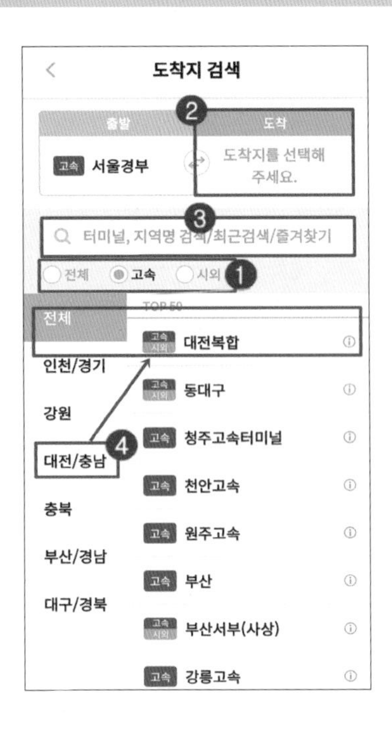

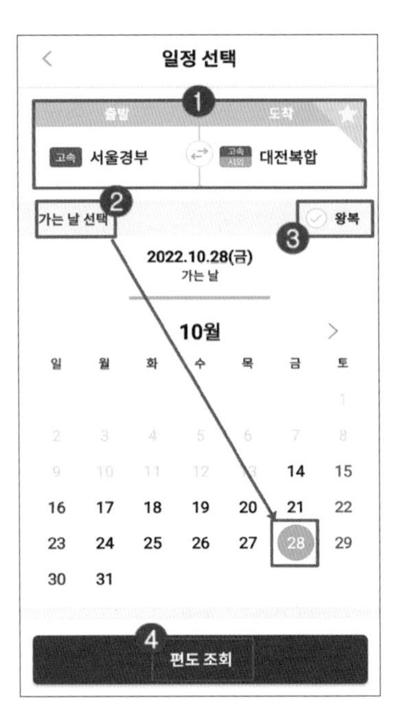

1 ① [전체]를 선택하시고, ② [도착]을 [선택]하신 후 ③ 직접 [검색] 입력하시던지, ④ [전체]에서 [선택], [터치]를 하세요. 2 ① [일정 선택]이 되시었으면, ② [가는 날 선택]에서 [일자]를 선택하신 후, ③ [왕복]이시면 [선택]하시고 오시는 날을 같은 방식으로 [예약]을 하시고, 편도일 경우 ④ [편도 조회]를 [터치]하세요.
3 ① 원하시는 시간을 [터치]하세요. ② [검색 조건]을 [터치]하겠습니다.

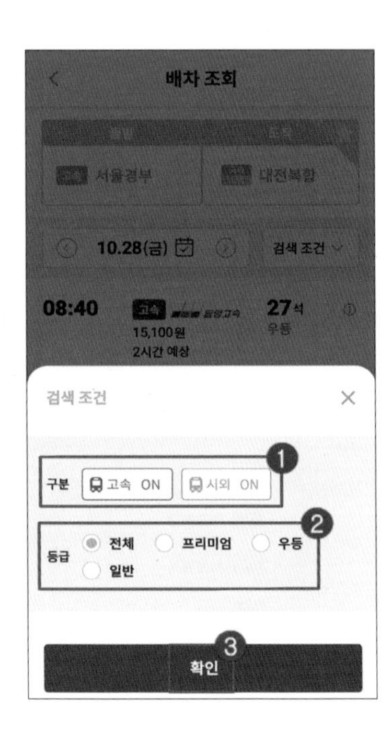

1 [검색 조건]에서는 ① [구분]과 ② [등급]이 나오면 원하시는 부분을 [터치] 후 ③ [확인]하세요.
2 예약된 상태에서 [매수 및 좌석 선택] 빈 ① [좌석]을 [선택]하신 후 ② [선택 완료]를 하세요.
3 [결제하기]에서 ① [결제수단] ② [위아래]에서 [결제] 수단을 선택을 하신 후 ③ [결제하기]를 [선택]하세요.

교통 – 코레일 톡 앱 활용하기 

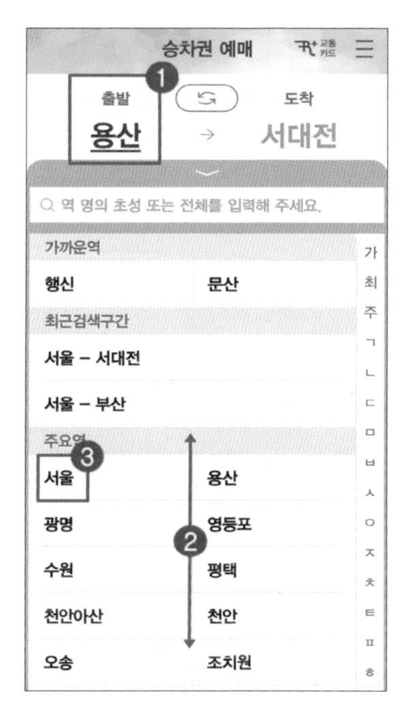

1 설치된 [코레일 톡] 앱 아이콘을 [터치]하여 실행합니다. 2 ① [출발]을 [터치]하시고, ② [위, 아래]에서 [지역]을 [선택]하세요. 저는 ③ [서울]을 선택하겠습니다. 3 ① [도착지]를 [터치]하시고, ② [위, 아래]에서 [지역]을 [선택]하세요. 저는 [도착지]를 ③ [대전]을 선택하겠습니다.

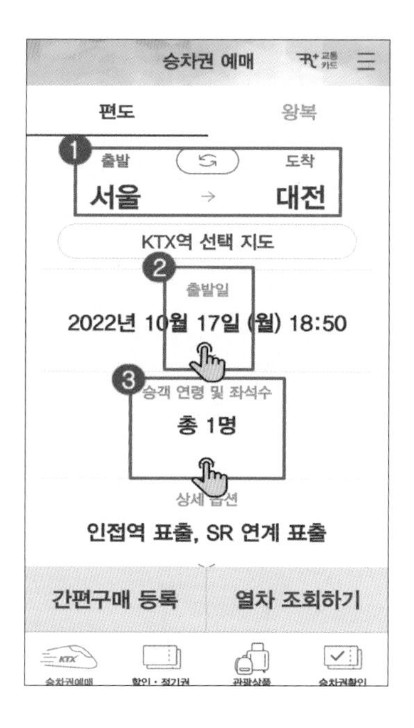

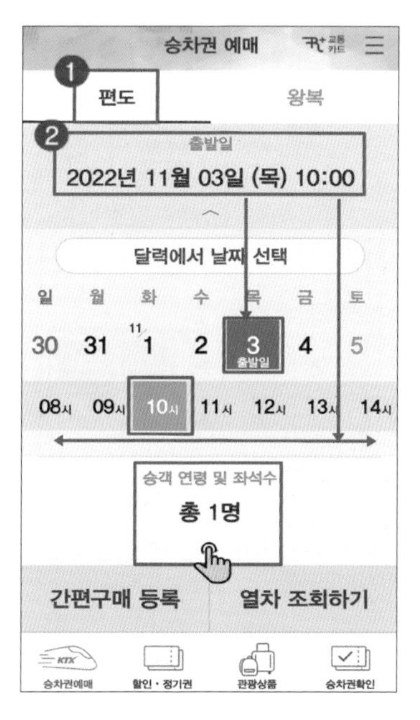

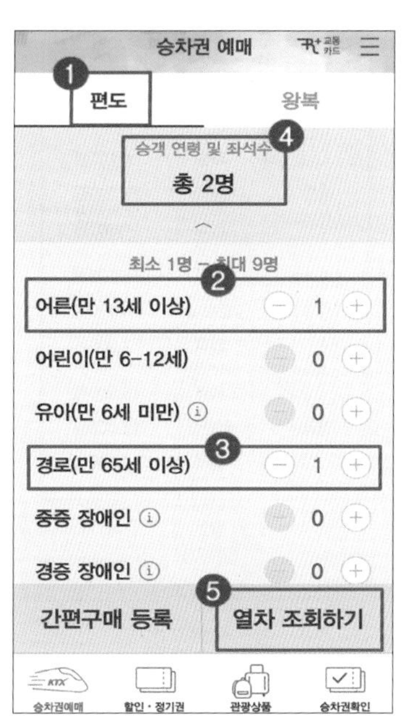

1 선택한 ① [출발]과 [도착] 지역이 나오면, ② [출발일]을 [터치]하신 후 ③ [승객 연령 및 좌석수]를 [터치]하세요. 2 ① [편도]를 선택 후 ② [출발일]을 선택 후 [달력에서 날짜]를 [선택]하시고, [시간]을 [선택]을 하신 후 [승객 연령 및 좌석수]를 [터치]하세요. 3 ① [편도] 선택에서 ② [어른] 1명과 ③ [경로] 1명을 ④ [총 2명]을 [선택] 후 ⑤ [열차 조회하기]를 [터치]하세요.

1 ① [위, 아래]에서 [열차시각과 열차 요금]을 [조회]하시고, ② [선택]을 하세요. 2 열차 조회에서 ① [열차 편, 출발 도착지 시간, 요금]을 [확인]하세요. ② [예매]를 [터치]하시면 예매가 가능합니다. ③ [열차시각], [운임요금], [좌석선택]에서 [열차시각]을 [터치]하세요. 3 [열차시각]에서 열차 편과 전체역에 대한, 운행 시간을 [확인]을 하실 수 있습니다.

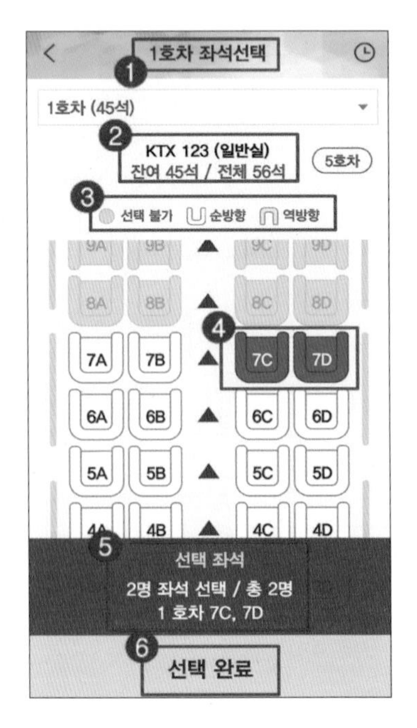

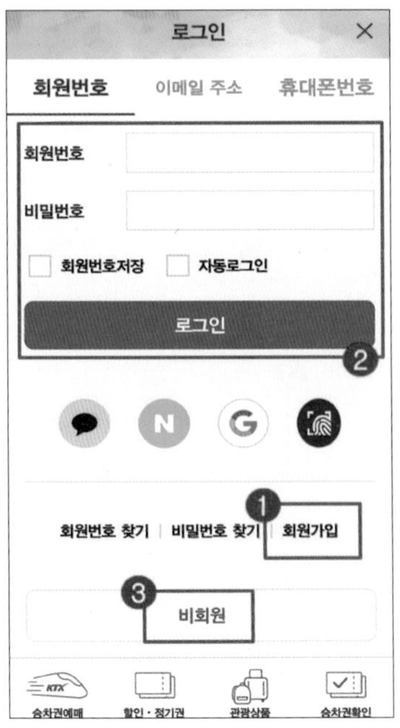

1 ① [운임 요금정보]를 [조회]하신 후 ② [확인]을 [터치]하세요. 2 [좌석 선택]하신 후 ① [1호차 좌석선택]에서 ② [예약]하신 [일반석 잔여 좌석 수]를 [확인]하신 후 ③ [선택 불가, 순방향, 역방향]을 확인하신 후 ④ [좌석]을 선택하세요. ⑤ [선택 좌석]에 대한 [안내]가 나옵니다. ⑥ [선택 완료]를 [터치]하세요.
3 ① [회원가입] 또는 가입하신 분은 ② [로그인]을 하세요. 또는 ③ [비회원]을 [터치]하시어 진행하시어도 됩니다.

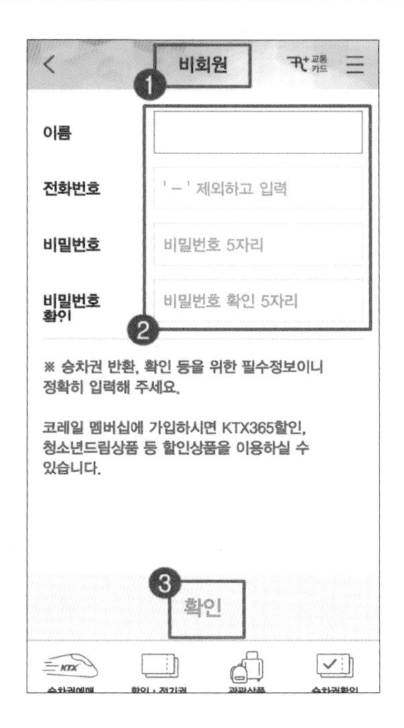

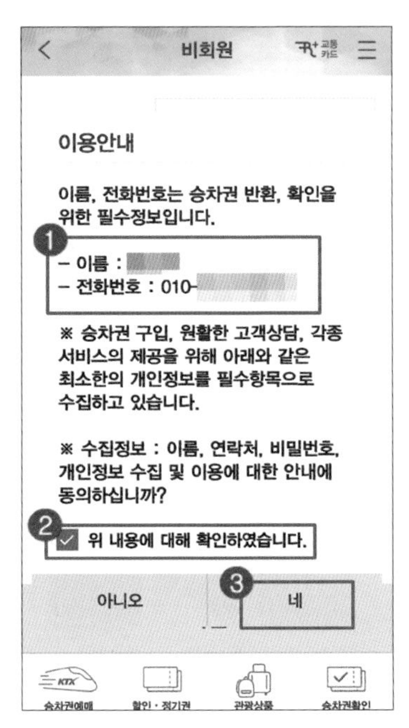

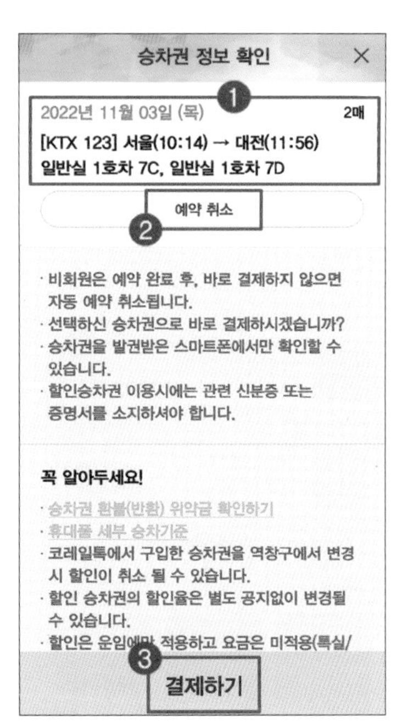

1 ① [비회원]으로 [선택]하시고, ② [이름, 전화번호, 비밀번호, 비밀번호 확인]을 입력하시고 ③ [확인]을 [터치]하세요. **2** ① [이름, 전화번호]를 [확인]하시고, 내용이 맞으면, ② [위 내용에 대해 확인하였습니다.]에 [체크]하세요. ③ [네]를 [터치]하세요. **3** ① [예약]이 틀리면, ② [예약 취소]를 [선택]하시고, 맞으시면 ③ [결제하기]를 [터치]하세요.

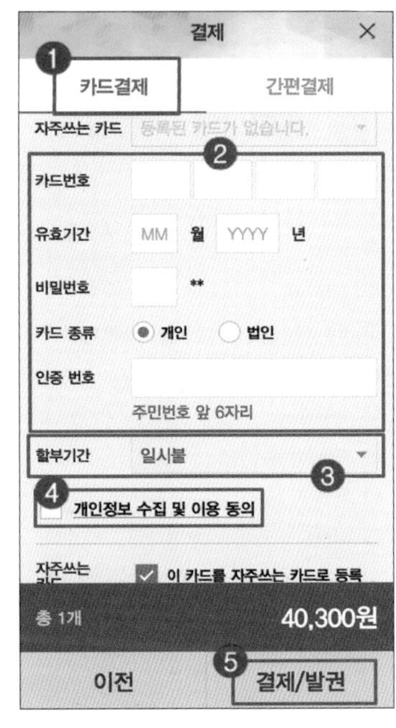

1 예약이 틀리시면, ① [예약취소]를 [선택]하시고, 맞으시면 ② [다음]을 [선택]하세요.
2 ① [카드결제]와 ② [간편결제] 중 [간편결제]를 선택하신 경우 아래 결제 수단을 [선택] ③ [결제/발권]을 [터치]하세요. **3** ① [카드결제]를 [선택]을 하신 경우, ② [카드]의 [카드번호, 유효기간, 비밀번호, 카드 종류, 인증 번호]를 정확히 입력 후 ③ [할부 또는 일시불]을 선택 ④ [동의]를 [체크]하시고, ⑤ [결제/발권]을 [터치]하세요.

교통 – 인천공항 앱 활용하기

인천공항 앱을 설치하시면 인천공항까지 교통편과 소요 시간 등 체크가 가능하시며, 인천공항 제1, 2청사 항공편과 인천공항 전반적인 서비스를 제공 받을 수 있습니다.

1 Play 스토어 또는 앱 스토어에서 ① [인천공항]을 [검색] 후 ② [설치]하세요. 2 설치되면 [열기]를 [터치]하세요.
3 ① 메뉴를 [터치]하시면, 교통 & 주차 등 서비스가 나옵니다. ② [집에서 공항까지], 또는 ③ [대중교통]을 [터치]하시면 공항까지 이동 안내 서비스를 받을 수 있습니다. ④ [주차안내], ⑤ [주차예약]을 [터치]하시면 안내 서비스를 받을 수 있습니다.

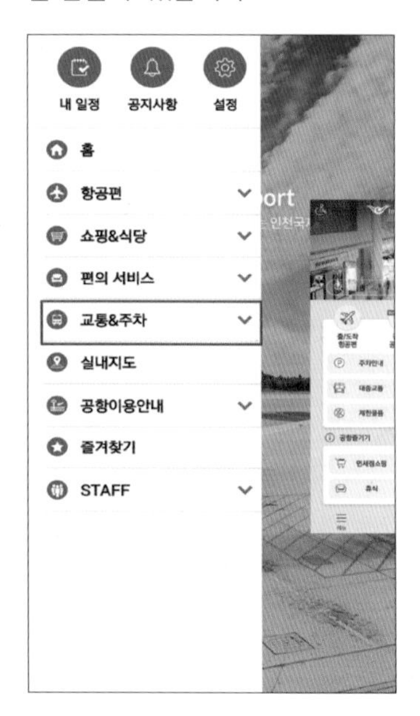

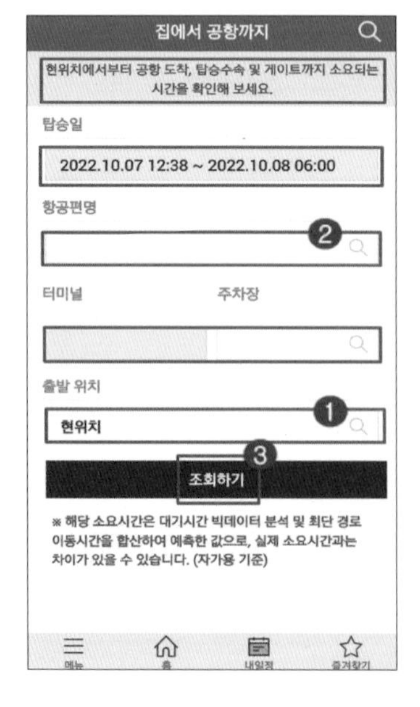

1 [교통 & 주차]를 [터치]하세요. 2 차량 이동 시 현 위치에서 공항 주차장까지 소요시간과 주차장 이용 안내를 해드립니다. ① [출발 위치]를 [검색], ② [항공편명]도 [검색] 후 [확인]하시고, ③ [조회하기]를 [터치]하세요.
3 ① [제1, 2터미널]을 [선택]을 하신 후 [터치]하세요. ② [버스 또는 공항철도] 이용을 [선택]을 하신 후 [터치]하세요. ③ [이동 지역]을 [선택]하신 후 [터치]하세요. 대중교통편을 알려 드립니다.

FedEx	KLM	Garuda Indonesia	KOREAN AIR
FedEX 항공 미국 T1	KLM 네덜란드 네덜란드 T2	가루다 인도네시아 인도네시아 T2	대한 항공 한국 T2
DELTA	Lao Airlines	LongHao Airlines	Lufthansa
델타 항공 미국 T2	라오 항공 라오스 T1	롱하오 항공 중국 T1	루프트한자 독일 항공 독일 T1
malaysia airlines	MIAT MONGOLIAN AIRLINES	MAI Myanmar Airways International	BAMBOO AIRWAYS
말레이시아 항공 말레이시아 T1	미아트 몽골리안 항공 몽골 T1	미얀마 국제 항공 미얀마 T1	뱀부 항공 베트남 T1
Vietnam Airlines REACH FURTHER	vietjetAir.com	السعودية SAUDIA	山東航空公司 SHANDONG AIRLINES
베트남 항공 베트남 T1	비엣젯 항공 베트남 T1	사우디아 항공 사우디아라비아 T1	산동 항공 중국 T1
厦门航空 XIAMENAIR	cebu pacific	SF AIRLINES 顺丰航空	SriLankan Airlines
샤먼 항공 중국 T2	세부 퍼시픽 항공 필리핀 T1	순풍 항공 중국 T1	스리랑카 항공 스리랑카 T1
SKY ANGKOR AIRLINES	scoot	silkway west airlines	深圳航空 Shenzhen Airlines
스카이 앙코르 항공 캄보디아 T1	스쿠트 타이거 항공 싱가포르 T1	실크 웨이 웨스트 항공 아제르바이잔 T1	심천 항공 중국 T1
SINGAPORE AIRLINES	American Airlines	ASIANA AIRLINES	AEROMEXICO
싱가포르 항공 싱가포르 T1	아메리칸 항공 미국 T1	아시아나 항공 한국 T1	에어로 멕시코 멕시코 T2
AEROFLOT	ATLAS AIR	Emirates	EVA AIR
아에로플로트러시아 항공 러시아 T2	아틀라스 항공 미국 T1	에미레이트 항공 아랍에미리트 T1	에바 항공 대만 T1
AIR NEW ZEALAND	air astana	AIRFRANCE	AeroLogic
에어 뉴질랜드 뉴질랜드 T1	에어 아스타나 카자흐스탄 T1	에어 프랑스 프랑스 T2	에어로 로직 독일 T1
AIR BUSAN	AIR SEOUL	AirAsia X	AIR INDIA
에어 부산 한국 T1	에어 서울 한국 T1	에어 아시아 엑스 인도 T1	에어 인디아 리미티드 인도 T1

인천공항 항공 편

Air Incheon 에어인천	AIR PREMIA	香港華民航空 air Hongkong	Ethiopian
에어 인천 한국 T1	에어 프레미아 한국 T1	에어 홍콩 중국 T1	에티오피아 항공 에티오피아 T1
الاتحاد ETIHAD	UZBEKISTAN airways	YTO 圆通航空 AIRLINES	UNITED
에티 하드 항공 아랍에미리트 T1	우즈베키스탄 항공 우즈베키스탄 T1	원통 항공 중국 T1	유나이티드 항공 미국 T1
ups	ANA Inspiration of JAPAN	JEJUair	AIR CHINA 中国国際航空公司
유피에스 항공 미국 T1	전 일본 공수 주식회사 일본 T1	제주 항공 한국 T1	중국 국제 항공 중국 T1
中国南方航空 CHINA SOUTHERN	中國東方航空 CHINA EASTERN	中国邮政航空公司 China Postal Airlines	中國貨運航空 CHINA CARGO AIRLINES
중국 남방 항공 중국 T1	중국 동방 항공 중국 T1	중국 우정 항공 중국 T1	중국 화물 항공 중국 T1
CHINA AIRLINES	JINAIR	ZIPAIR	天津货运航空 Tianjin Air Cargo
중화 항공 대만 T2	진 에어 한국 T1	집 에어 일본 T1	천진 항공화물 중국 T1
青島航空 QINGDAO AIRLINES	春秋航空 SPRING AIRLINES	cargolux ITALIA	cargolux
청도 항공 중국 T1	춘추 항공 중국 T1	카고룩스이탈리아항공 이탈리아 T1	카고룩스 항공 룩셈부르크 T1
QATAR AIRWAYS القطرية	KALITTA AIR	AIR CANADA	CATHAY PACIFIC
카타르 항공 카타르 T1	칼리타 에어 미국 T1	캐나다 항공 캐나다 T1	캐세이 퍼시픽 항공 중국 T1
QANTAS	THAILAND	THAI	TURKISH AIRLINES
콴타스 항공 오스트레일리아 T1	타이 에어 아시아 엑스 태국 T1	타이 항공 태국 T1	터키 항공 튀르키예 T1
t'way	POLAR AIR CARGO	LOT	peach
티 웨이 항공 한국 T1	폴라 에어 카고 미국 T1	폴란드 항공 폴란드 T1	피치 항공 일본 T1
FINNAIR	AirAsia	Philippine Airlines	HAWAIIAN AIRLINES
핀 에어 핀란드 T1	필리핀 에어 아시아 필리핀 T1	필리핀 항공 필리핀 T1	하와이안 항공 미국 T1

교통 - 스마트공항 서비스 앱 활용하기

실시간으로 항공기 출/도착 정보, 운항스케줄 조회와 공항별 주차장 현황 및 주차요금 계산이 가능합니다. 각종 공항 편의시설 안내는 물론, 공항 이용 알짜 팁 및 주변 관광지 정보를 한눈에 확인할 수 있습니다.

1 [Play 스토어]에서 ① [스마트공항 가이드]를 [검색] 후 ② [선택]하세요. 2 [설치]를 [터치]하시면 앱이 [설치] 됩니다. 3 [스마트공항 가이드]를 [열기]를 [터치]하세요.

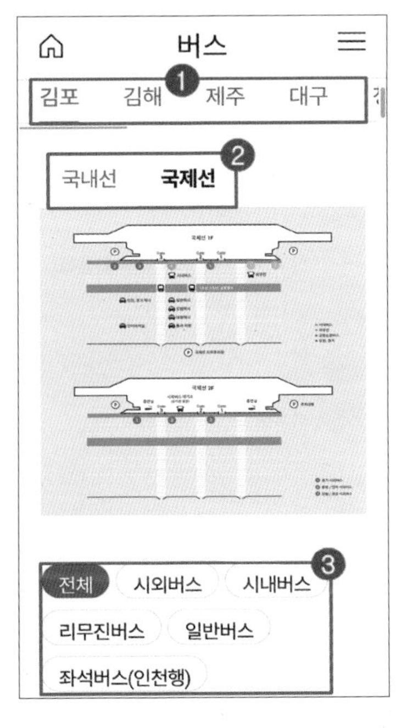

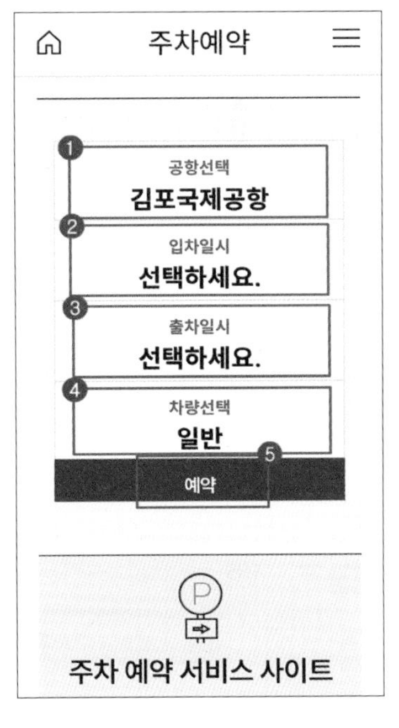

1 ① [대중교통], ② [주차안내] 중 원하시는 서비스를 [터치]하세요. 2 이용하실 대중교통 중 [버스] 서비스를 원하실 경우 ① [이용하실 공항]을 [선택]하시고, ② [국내선 또는 국제선] 중 선택을 하세요. ③ [전체 또는 교통수단]을 선택하시면 교통편을 알려 드립니다. 3 주차예약 서비스는 ① [공항선택], ② [입차일시], ③ [출차일시], ④ [차량선택]을 선택 후 ⑤ [예약]을 [터치]하세요. (주차 예약 서비스를 받을 수 있습니다.)

카카오톡(KakaoTalk) 앱 제대로 활용하기

실시간 1:1 채팅, 그룹채팅 서비스와 연락처를 기반으로 자동으로 채팅 친구를 등록, 친구 추천을 통한 네트워크 확장, 사진, 동영상, 연락처 공유 등의 서비스를 제공합니다.

- 카카오톡의 기본 기능은 상대방에게 메시지, 사진, 음성, 동영상 등을 전송하는 데 있습니다.
- 보이스톡을 통해 음성 통화가 가능하며, 페이스톡을 통해 영상통화도 가능합니다.
- 그룹채팅이 가능하며, 채팅플러스 기능이 있어 드로잉 톡, 필터 카메라, 솜노트, 솜투두, 라쿤 슬라이스, 불리2 등을 사용하면서 채팅을 할 수 있습니다.
- 자신이 필요한 메모나 데이터를 모아 놓을 수 있는 나와의 채팅이 있고, 서로 모르는 사람끼리 채팅할 수 있는 오픈 채팅 기능도 있습니다. #검색을 통해 채팅방 입력창에서 바로 검색을 하고 결과를 채팅방에서 공유할 수 있습니다.
- 카카오페이 기능을 통해 송금이 가능하며, 카카오 TV 시청도 가능합니다.
- 아이템 스토어 등을 통해 이모티콘 등의 구매가 가능하며, 각종 상품을 구매하거나 선물할 수도 있습니다.
- 카카오톡에서 사용 가능한 언어는 한국어 외에도 영어, 일본어, 중국어(간체), 중국어(번체), 독일어, 프랑스어, 스페인어, 이탈리아어, 러시아어, 베트남어, 인도네시아어, 태국어, 터키어, 포르투갈어 등입니다.

memo

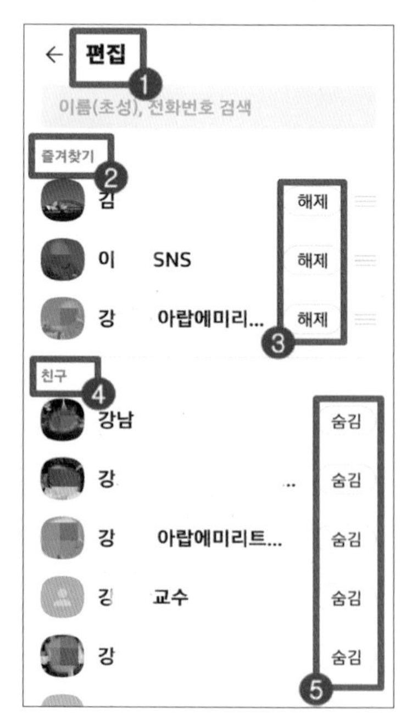

1 카카오톡 하단에 [친구, 채팅, 뷰, 쇼핑, 더보기]입니다.

2 친구에서 ① [설정]을 [터치]하시면 ② [편집, 친구 관리, 전체 설정]입니다.

3 ① [편집] : ② [즐겨찾기]에서 ③ [해제]를 [터치]하여 [즐겨찾기]를 해제할 수 있습니다.
④ [친구]에서 ⑤ [숨김]을 [터치]하여 숨길 수 있습니다.

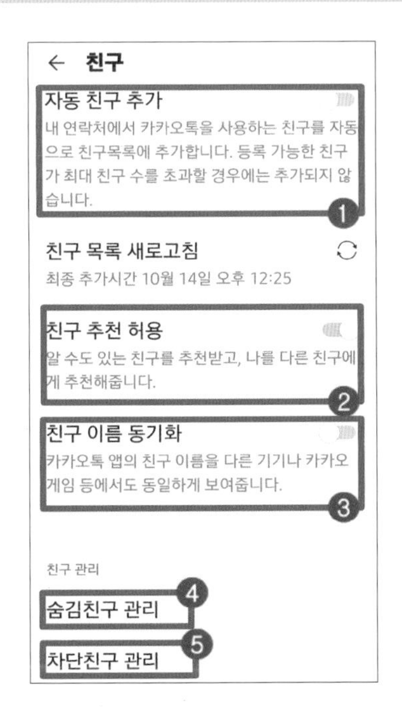

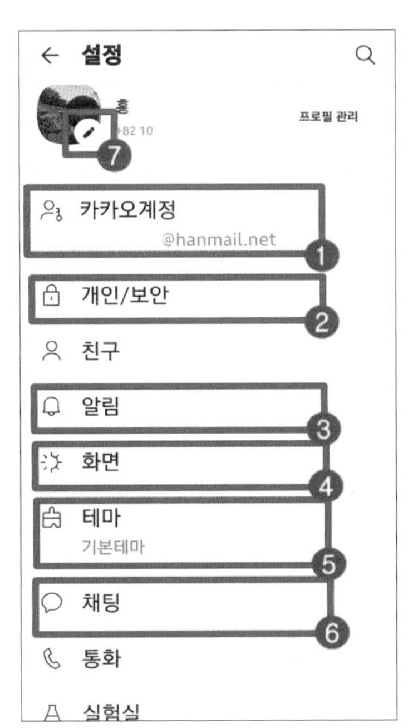

1 [친구 관리]에서 ① [자동 친구 추가], ② [친구 추가 허용], ③ [친구 이름 동기화]를 [켜기]하여, ④ [숨김 친구], ⑤ [차단 친구] 관리를 할 수 있습니다. 2 [전체 설정]에서 ① [카카오계정], ② [개인 보안], ③ [알림], ④ [화면], ⑤ [테마], ⑥ [채팅] 등입니다. [프로필]에서 ⑦ [수정]을 [터치]하세요. 3 ① [프로필 편집]을 [터치]하시면, ② [사진, 이름, 내용]을 [편집]하여 사용하실 수 있습니다. ③ [나와의 채팅], ④ [카카오스토리]를 [터치]하면 바로 사용이 가능하며, ⑤ [프로필 정보]를 [터치]하세요.

1 [내 프로필]에서 ① [코드스캔, 내 프로필, 송금코드, 결제코드], ② [변경, 전송, 다운로드]하실 수 있습니다.
2 [카카오계정]에서 [아래로 내리기]에 [이메일, 전화번호, 내 정보 관리 등]을 [설정]할 수 있습니다.
3 [개인정보 관리]에서 ① [아래로 내리기]하시면, [보안, 보관함]을 [설정, 관리]를 하실 수 있습니다.
② [아이템 함]을 [터치]하겠습니다.

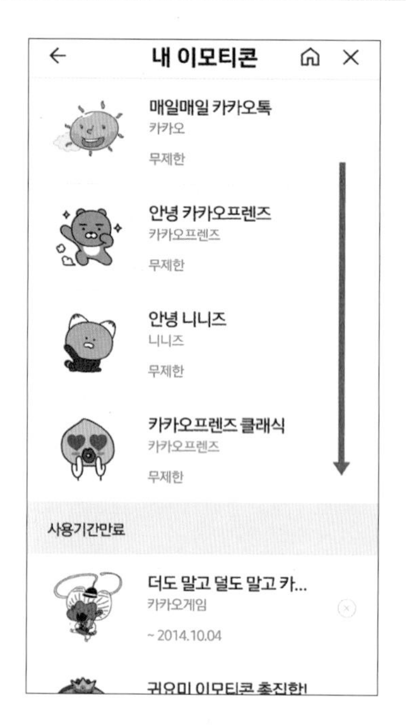

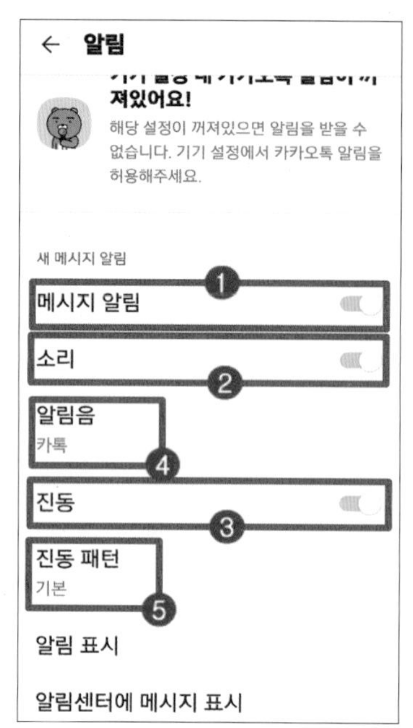

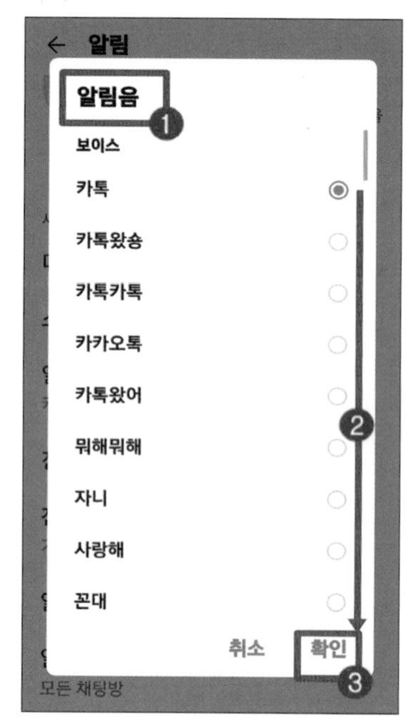

🅰 [내 이모티콘] [아래로 내리기]에서 [매일매일 카카오톡, 안녕 카카오 프렌즈 등]을 다운받은 후 사용할 수 있습니다. 🅱 [알림]에서 ① [메시지 알림], ② [소리], ③ [진동]을 [켜기]하여 사용하실 수 있습니다. ④ [알림음], ⑤ [진동 패턴]을 [터치]하세요. 🅲 ① [알림음]에서 ② [아래로 내리기]에서 알림음을 [선택]하세요. ③ [확인]을 [터치]하시면, [선택]하신 [알림음]을 받을 수 있습니다.

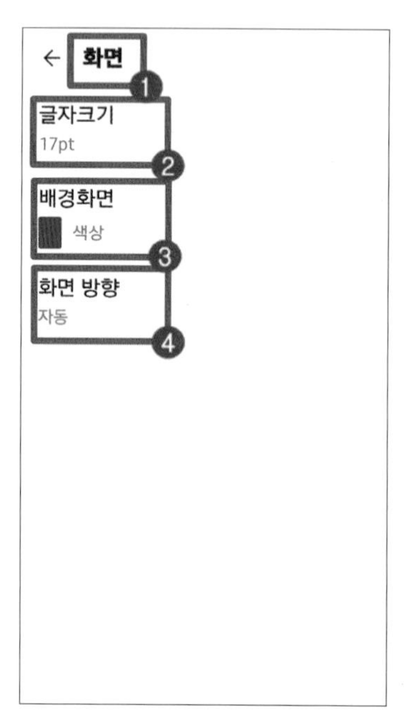

🅰 ① [진통 패턴], ② [아래로 내리기]에서 [선택]하시고 ③ [확인]을 [터치]하세요. 🅱 ① [화면]에서 ① [글자크기], ③ [배경화면], ④ [화면 방향]을 [터치] 후 [설정]하세요. 🅲 ① [테마]에서 ② [기본], ③ [라이트 모드, 다크 모드] 중 [선택]을 하시어 사용할 수 있습니다. [공식 테마]에서 ④ [아래로 내리기]에서 [테마]를 [선택]하여 사용을 하실 수 있습니다.

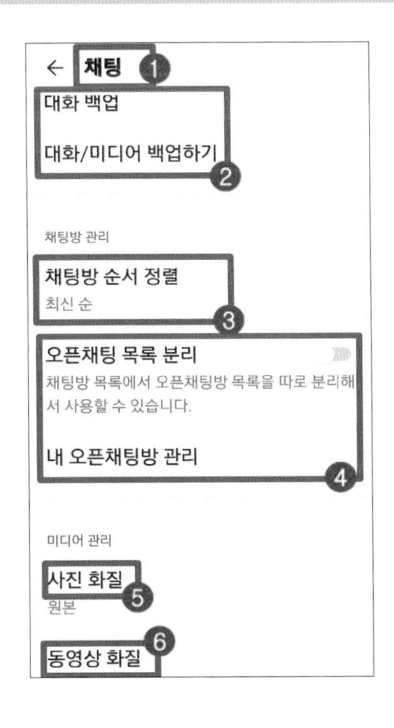

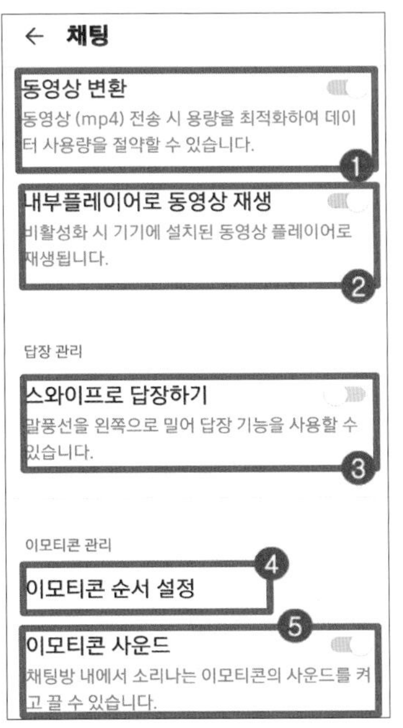

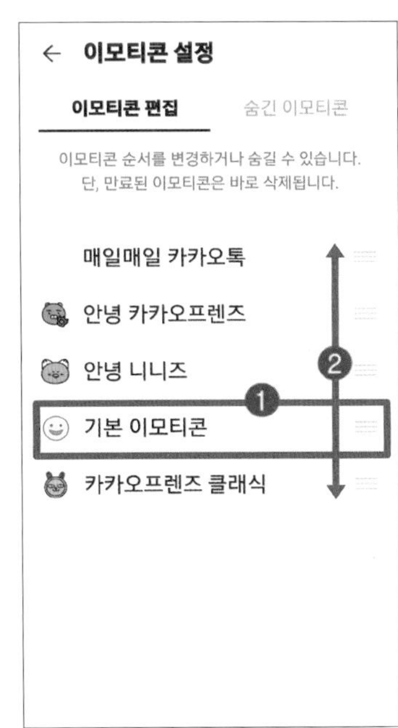

❶ ① [채팅]에서 ② [대화/미디어 백업하기], ③ [채팅방 순서 정렬], ④ [오픈채팅 목록 분리 등]을 [터치] 후 사용하실 수 있습니다. ⑤ [사진 화질]과 ⑥ [동영상 화질]을 [선택] 사용하실 수 있습니다.
❷ ① [동영상 변환], ② [내부플레이어로 동영상 재생]을 활성화합니다. ③ [스와이프로 답장하기], ④ [이모티콘 순서 설정], ⑤ [이모티콘 사운드] 활성화 등을 선택 사용하실 수 있습니다.
❸ [이모티콘 순서 설정]에서 ① [이모티콘]을 선택 ② [상, 하 이동]하여 위치를 [변경]하실 수 있습니다.

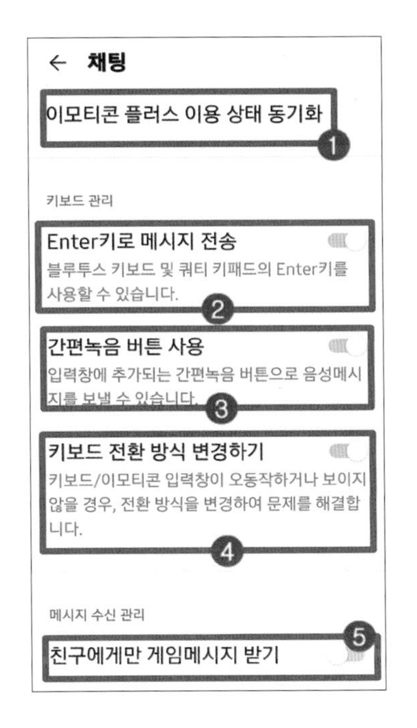

❶ ① [이모티콘 플러스 이용 상태 동기화], ② [Enter키로 메시지 전송], ③ [간편녹음 버튼 사용], ④ [키보드 전환 방식 변경하기], ⑤ [친구에게만 게임메시지 받기]를 활성화하여 사용하실 수 있습니다. ❷ [채팅]에서 ① [설정]을 [터치]하세요. ② [편집, 정렬, 전체 설정]입니다. ❸ [편집]에서 ① [아래로 내리기]를 하시면서 ② [선택]을 하신 후 다른 [친구선택]을 하려면, ③ [선택 해제]를 하세요. ④ [읽음], ⑤ [나가기]를 [터치]하여 [기능]을 사용할 수 있습니다.

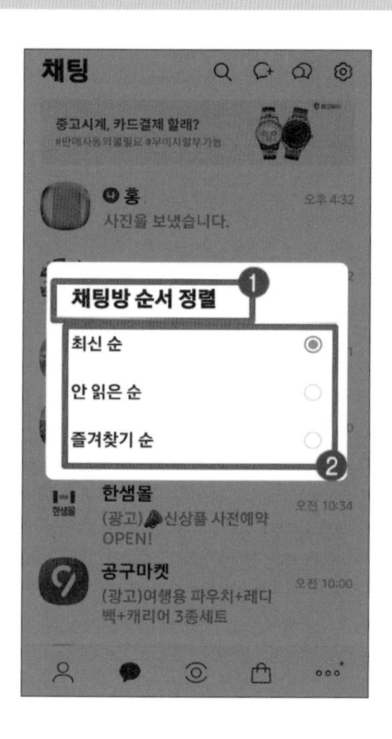

1 ① [채팅방 순서 정렬]에서 ② [최신 순, 안 읽은 순, 즐겨찾기 순]을 [선택]하시어 [설정]하세요.
2 ① [뷰]에서 ② [MY뷰, 발견, 카카오 TV, 코로나 19, 잔여백신]을 [선택]하여 서비스를 이용하실 수 있습니다. ③ [설정]을 [터치]합니다. 3 [내 보드 만들기, 내 활동 관리, MY뷰 관리, 전체 설정]을 [터치]하여 [만들고 관리하고 설정]을 하실 수 있습니다.

1 ① [쇼핑]에서 ② [선물하기, 쇼핑하기, 메이커스, 프렌즈, 쇼핑 라이브]를 [터치]하여 이용을 하실 수 있습니다. ③ [코드스캔]을 [터치]합니다. 2 ① [코드스캔], ② [내 프로필], ③ [송금 코드, 결제 코드]를 [터치]하여 사용하실 수 있습니다. ④ QR코드를 중심부에 맞춥니다. 3 ① [QR 코드]에 가까이 대면, ② [이름 및 내용]을 확인하실 수 있습니다.

1 ① [카카오페이]를 사용하실 수 있습니다. ② [전체서비스]를 [터치]하겠습니다.
2 ① [전체서비스]에서 ② [카테고리]를 [선택]하여 서비스를 사용하실 수 있습니다.
3 또한 ① [전체서비스]에서 ② [카카오 앱]에서 필요하신 [앱]을 [선택]하여 [설치] 후 사용하시면 됩니다.

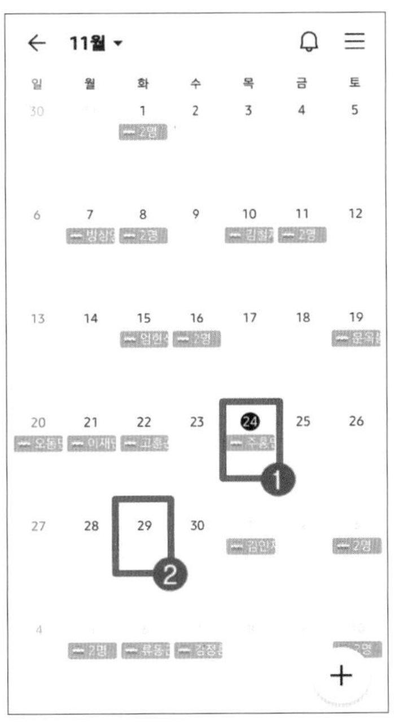

1 ① [톡서랍]에서 ② [중요 - 메모, 사진 등…], ③ [내 톡데이터 - 메모, 사진 등…]을 [선택]하신 후 [삭제]하거나 저장하실 수 있습니다. 2 [캘린더]에서 ① [날짜]를 [터치]하시면 보관된 [내용]을 확인하실 수 있으며, ② [날짜]를 [터치]하세요. [내용]을 [입력]하여 사용하실 수 있습니다.
3 ① [카카오 TV]에서 ② [아래로 내리기]를 하시면, 보실 [영상]을 [터치]하시면, [영상]을 보실 수 있습니다.

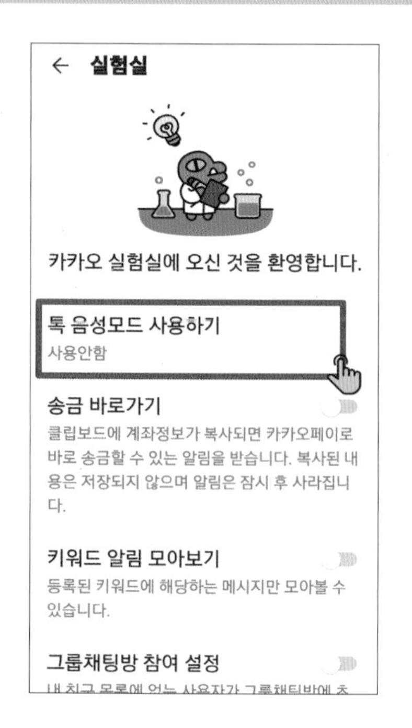

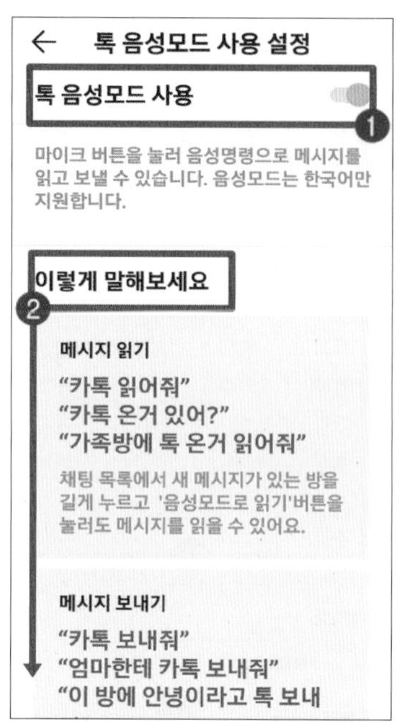

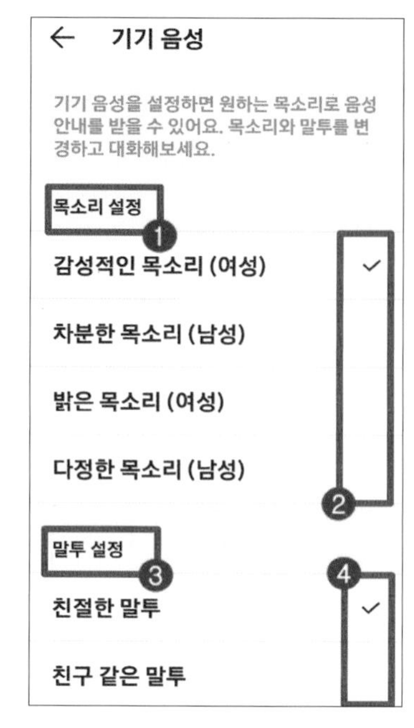

1 [설정]에서 [실험실]을 [터치]하시면, [톡 음성모드 사용하기]를 [터치]하세요.
2 ① [톡 음성모드 사용하기]를 [켜기]를 하시고, ② [이렇게 말해보세요] [아래 내용]을 확인하세요.
3 ① [목소리 설정] 중 ② [선택], [터치]하시고, ③ [말투 설정]을 ④ [터치] 설정하세요.

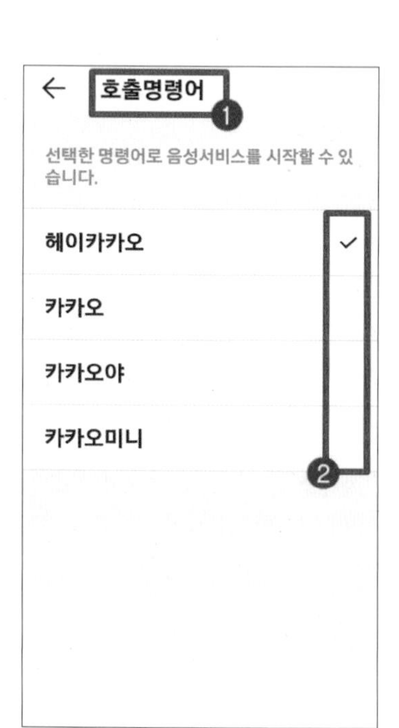

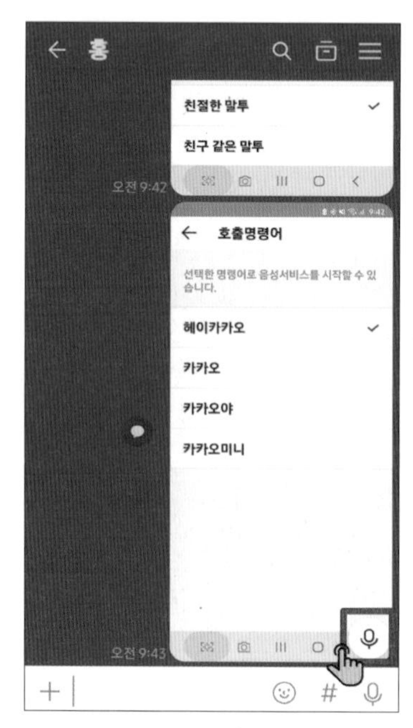

1 ① [호출명령어] 중 ② [헤이카카오, 카카오, 카카오야, 카카오미니] 중 하나를 [선택], [터치] 설정하세요.
2 [카카오톡]으로 내용을 보내실 분을 [선택]하세요. 그리고 [마이크]를 [터치]하세요.
3 화면이 나오면 [보낼 내용을 말해주세요]가 나옵니다. 말씀하시면 됩니다.

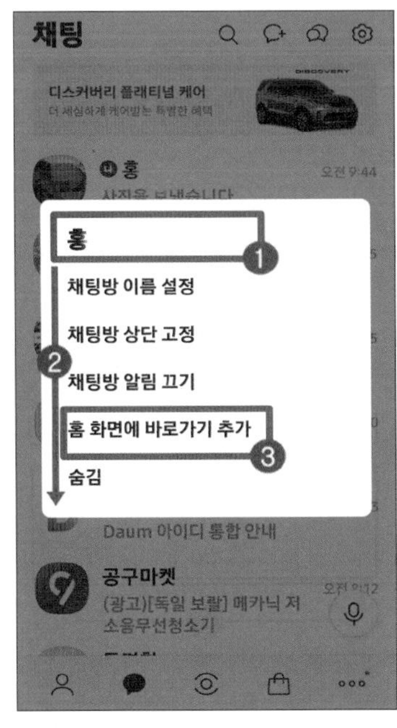

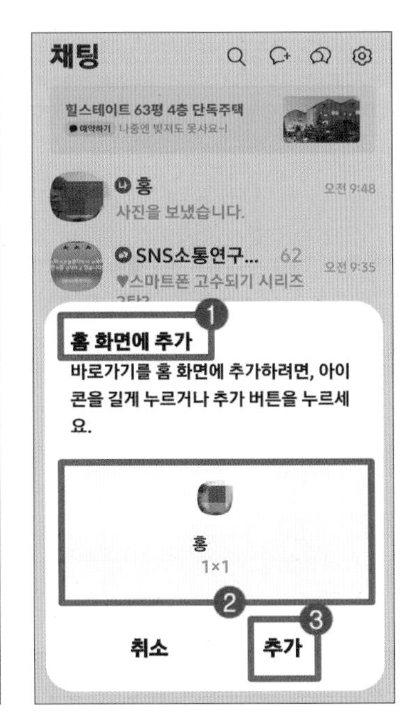

1 [채팅]방에서 [친구]를 [선택]하신 후 [길게 터치]하세요. 2 ① [친구] 설정에서 ② [아래로 내리기]에서 [채팅방 이름 설정, 상단 고정, 알림 끄기, 홈 화면에 바로가기 추가, 숨김] 중 [선택], [터치]하여 설정하실 수 있습니다. ③ [홈 화면에 바로가기 추가]를 [터치]하겠습니다.
3 ① [홈 화면에 추가]에서 홈 화면에 추가하시려면, ② [아이콘 화면]을 길게 누르거나, ③ [추가]를 [터치]하세요.

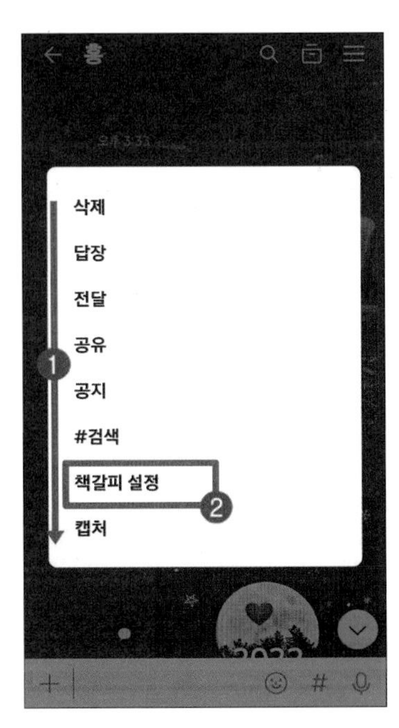

1 자주 사용하시는 [카카오톡 친구]를 [홈 화면]에서 바로 사용하실 수 있습니다. 2 카카오톡에서 중요한 내용을 바로 찾기를 하시기 위해 카카오톡 [친구] 대화방에서 [설정] 하실 내용을 [선택]하신 후 [길게 터치]하세요.
3 [선택하신 내용]을 ① [삭제, 답장, 전달, 공유, #검색, 책갈피 설정, 캡처]를 하실 수 있습니다. ② [책갈피 설정]을 [터치]하여 [설정]하세요.

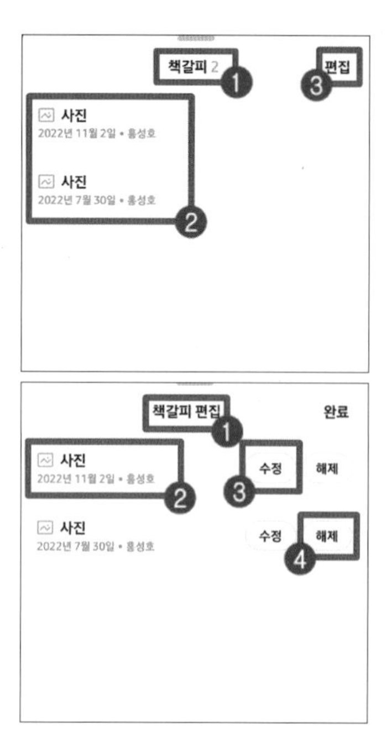

🅰 [책갈피 설정]을 하신 내용을 찾아보려면, [책갈피 설정]을 [터치]하세요. 🅱 ① [책갈피]에서 저장된 ② [사진, 내용 등]이 나옵니다. ③ [편집]을 [터치]하세요. 🅲 ① [책갈피 편집]에서 ② [사진, 내용 등]을 ③ [수정], ④ [해제] 하실 수 있습니다. ② [사진, 내용 등]을 [터치]합니다. 🅳 [책갈피 설정]이 된 ① [사진, 내용 등]을 보실 수 있습니다. ② [카카오톡 하신 일자]를 [터치]하세요.

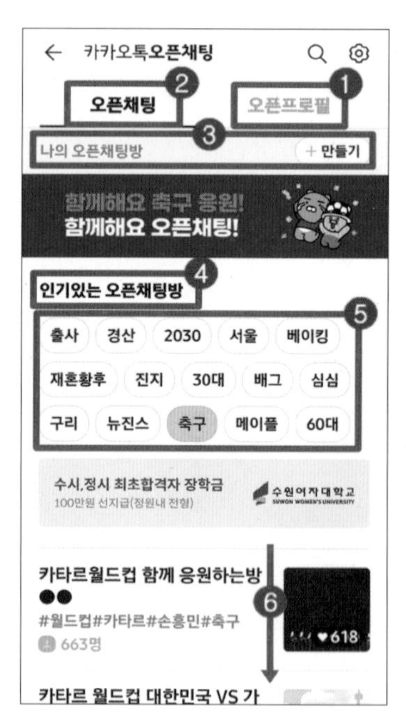

🅰 카카오톡 하신 내용을 찾고자 하시면, ① [년, 월] 기준 ② [<] 앞으로, ③ [>] 뒤로 [선택]하신 후 ④ [일자]를 [선택]하신 후 ⑤ [확인]을 [터치]하세요. 🅱 채팅방에서 ① [새로운 채팅], ② [오픈채팅]을 [터치]합니다. 🅲 [오픈채팅]방에서 ① [오픈프로필]을 [터치]하여 설정하실 수 있고, ② [오픈채팅]에서 ③ [나의 오픈채팅방 만들기] 하실 수 있고, ④ [인기있는 오픈채팅방]에서 ⑤ [축구]를 선택하시면, ⑥ [아래로 내리기]에서 [선택]을 하시면, [단체 채팅]을 하실 수 있습니다.

1 [새로운 채팅]에서 [일반채팅, 비밀채팅, 오픈채팅]을 하실 수 있습니다. 2 [일반채팅 또는 비밀채팅]을 [터치]하시면, 채팅하실 [친구]가 좌측에 나오면, 우측 ① [선택]을 하시고, ② [확인]을 [터치]하세요. 3 [친구] [선택]을 1인을 하시었으면, 바로 [카카오톡]을 실행하시고, [친구]를 [2명 이상 선택]을 하시었으면, [그룹채팅방 정보 설정]이 나옵니다. ① [단체방 이름]을 입력하신 후 ② [확인]을 [터치]하시고, [카카오톡]을 실행하시면 됩니다.

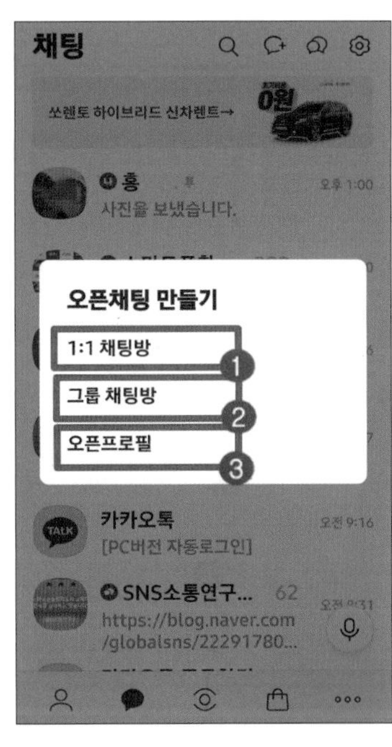

1 ① [비밀채팅]은 ② [모바일에서만 사용할 수 있습니다.]
2 단체방에서 ① [+ 대화 상대 초대]를 [터치]하여 [새로운 친구]를 [초청]할 수 있습니다. 본인이 단체방에서 [탈퇴]를 하고자 하면, ② [나가기]를 [터치]하여 대화방에서 [탈퇴]를 할 수 있습니다.
3 [오픈채팅]을 [터치]하시면, 오픈채팅 만들기에서 ① [1:1 채팅방], ② [그룹 채팅방]을 [터치]하여 오픈할 수 있는 채팅방을 만들 수 있으며, 오픈하실 프로필을 ③ [오픈프로필]을 [터치]하시어, 설정하실 수 있습니다.

1 ① [친구]에서 [카카오톡] 하실 분을 ② [선택]하시고 [터치]를 하세요. 2 ① [선택하신 친구]가 나오면, 별 그림 ② [즐겨찾기]를 [터치]하시면, [친구] 화면에서 상단에 [즐겨찾기]에서 바로 찾을 수 있습니다.
③ [1:1채팅, 통화하기, 페이스톡, 카카오스토리]를 [터치]하시면, [채팅, 통화 등]을 하실 수 있습니다.
3 [통화하기]를 [터치]하시면, ① [통화하기]와 ② [보이스톡]이 화면이 나옵니다. 그중 하나를 [선택] 후 [터치] 하시어 [통화]를 하실 수 있습니다.

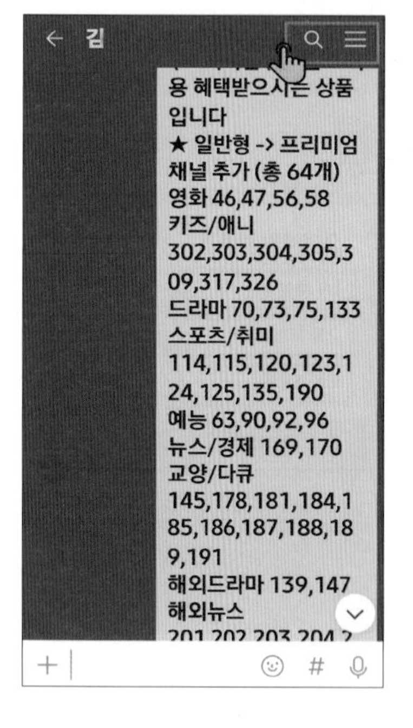

1 선택하신 [친구] 상단에 [검색, 메뉴]가 보입니다. 그중 하나를 [터치]하겠습니다. 2 [검색]을 [터치]를 하시고, ① [찾고자 하는 내용]을 [입력]하시면, ② [입력하신 내용]을 보실 수 있습니다. ③ [∧] 위에서 찾기, ④ [∨] 아래서 찾기 [터치]하여 찾아보실 수 있습니다. 3 [메뉴]를 [터치]하시고, [채팅방]에서 다른 [친구]를 ① [+대화 상대 초대]를 하실 수 있고, ② [나가기]를 하실 수 있습니다.

❶ [채팅]에서 [친구]를 선택 후 [터치]하세요. ❷ [친구] 채팅방에서 [더보기]를 [터치]하세요.
❸ ① [스마일], ② [해시태그], ③ [오른쪽으로]에서 [앨범, 카메라, 선물하기, 캡처, 음성메시지, 예약 메시지, 일정, 지도, 연락처, 파일, 뮤직]을 [터치]하여 이용하실 수 있습니다.

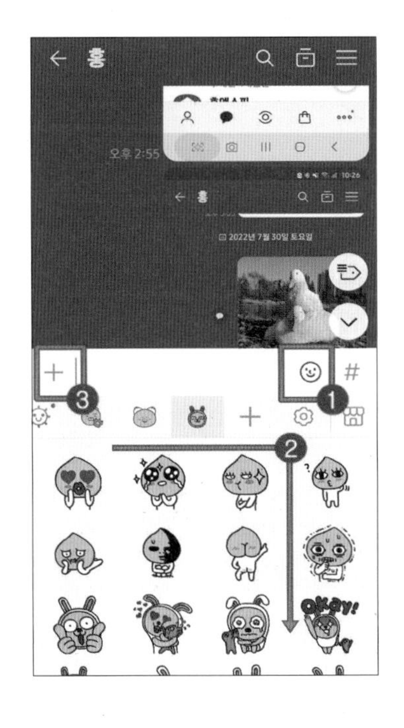

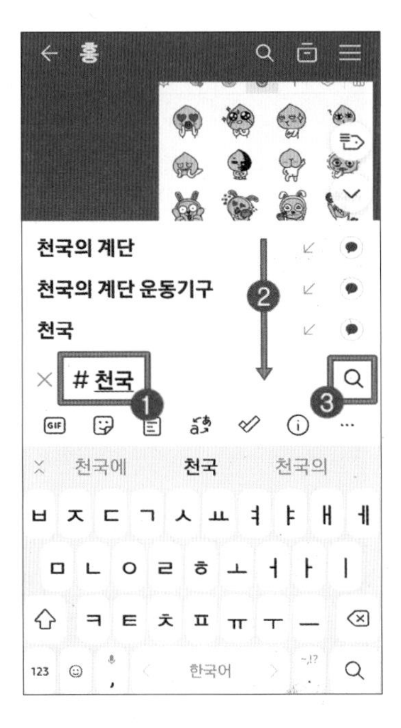

❶ ① [스마일]을 [터치]하시면, ② [좌, 우, 상, 하]에서 [이모티콘] 선택 후 [터치]하세요. [친구]에게 보낼 수 있습니다. ③ [더보기]입니다. ❷ ① [해시태그, 단어]를 입력하세요. ② [단어]에 대한 연관 [단어]입니다. ③ [검색]을 [터치]하세요. ❸ ① [# 단어]에 대한 ② [백과사전], ③ [단어에 대한 연관 단어]를 보여줍니다. ④ [공유하기]를 [터치]하시면 사용할 수 있습니다.

1 [앨범]을 [터치]하세요. ① [사진 선택], ② [왼쪽으로 밀기]하여, 선택을 하실 [사진]을 볼 수 있습니다. ③ [전체]를 [터치]하세요. 2 [전체보기]에서 ① [상하, 좌우]에서 ② [사진 선택]을 하세요. ③ [사진 묶어보내기]를 [터치] ④ [최대 30장을 묶음]으로 보낼 수도 있습니다. 3 ① [선택한 사진]을 ② [사진 묶어보내기]를 확인 후 ③ [전송]을 [터치]하세요.

1 ① [받으신 사진]에서 ② [사진]을 [선택]하신 후 [터치]하세요.

2 ① [선택한 사진] 또는 ② [받으신 사진]을 ③ [저장, 전달, 휴지통, 편집 등]을 하실 수 있습니다.

3 받으신 사진을 [묶은사진 전체, 이 사진만]으로 [저장], [전달]을 하실 수 있습니다.

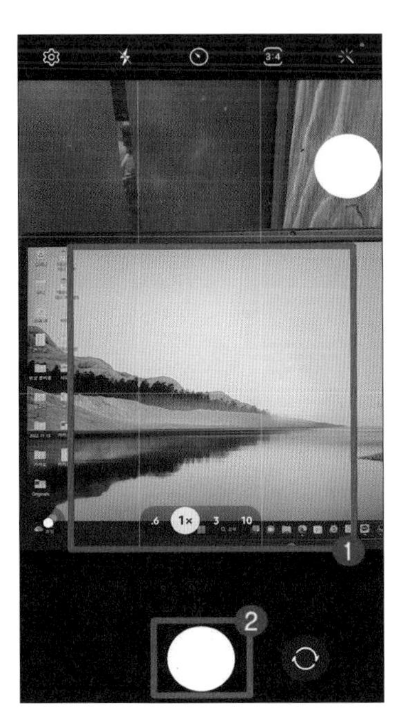

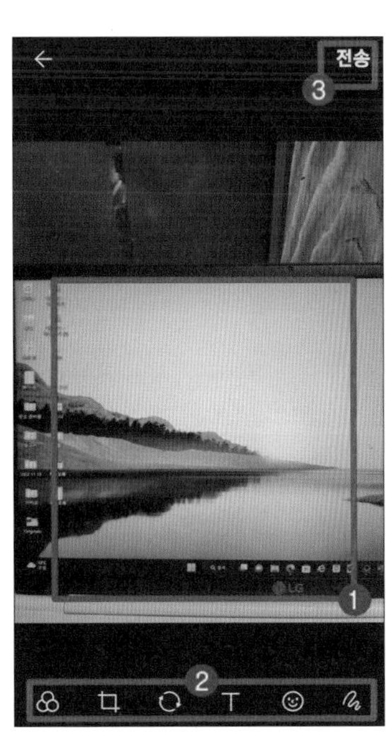

❶ [친구 채팅]에서 ① [카메라]를 [터치]하시면, ② [촬영 – 사진 촬영, 동영상 촬영], ③ [음성메시지], ④ [예약 메시지]입니다. ❷ 사진 촬영을 [터치]하시면, 촬영하실 ① [피사체]를 [선택]을 하신 후 ② [촬영]을 [터치]하세요. ❸ ① [촬영하신 사진]을 ② [편집]을 하시어 ③ [전송]을 [터치]하세요. [친구]에게 보낼 수 있습니다.

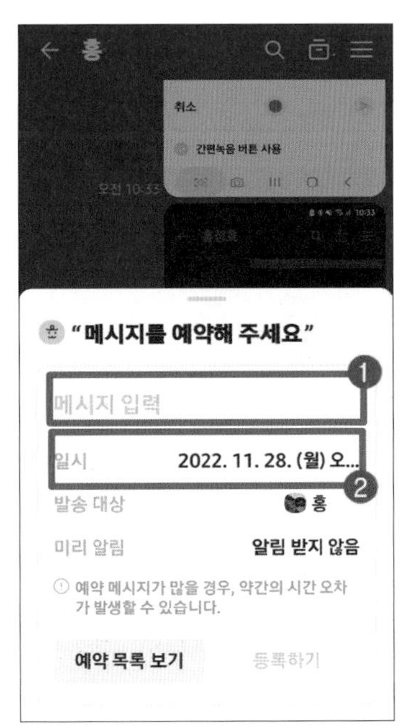

❶ [음성메시지]를 [터치]하시면, ① [음성메시지]에서 ② [녹음 버튼]을 [터치]하세요. ③ [음성이 녹음]이 됩니다. ❷ ① [녹음된 음성]을 ② [보내기]를 [터치]하세요. 음성을 보낼 수 있습니다. ❸ [예약 메시지]를 [터치]하시면, ① [메시지 입력]에 보내실 내용을 [입력]을 하시고, ② [보내실 일자, 시간]을 [입력]하시면 예약된 일자와 시간에 보내기 하실 수 있습니다.

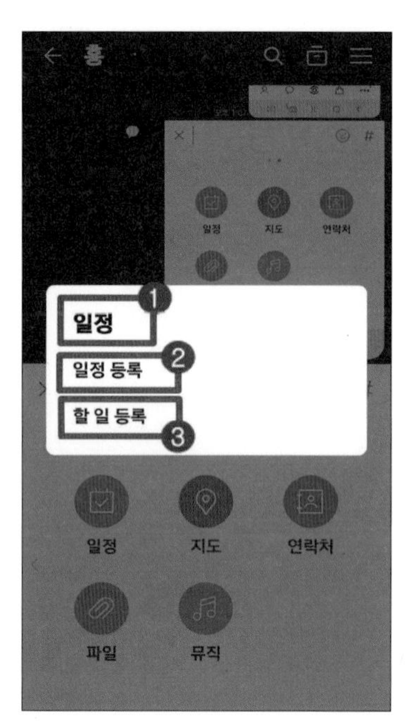

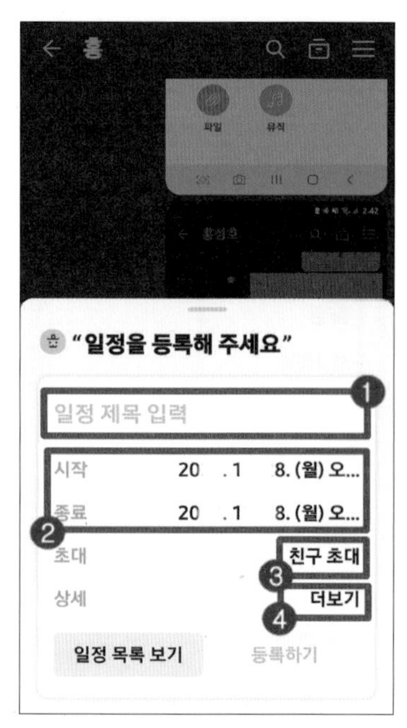

1 [친구 채팅] [더하기]에서 ① [일정], ② [지도], ③ [연락처], ④ [파일], ⑤ [뮤직]을 [친구]에게 보낼 수 있습니다. 2 일정을 [터치]하시면, ① [일정]에서 ② [일정 등록], ③ [할 일 등록]을 [만들어] 보낼 수 있습니다. ② [일정 등록]을 [터치]하세요. 3 일정 등록에서 ① [제목]을 [입력]하시고, ② [시작/ 종료 일자와 시간]을 [설정]하세요. ③ [친구 초대]를 하실 수 있고, ④ [더보기]를 [터치]하세요.

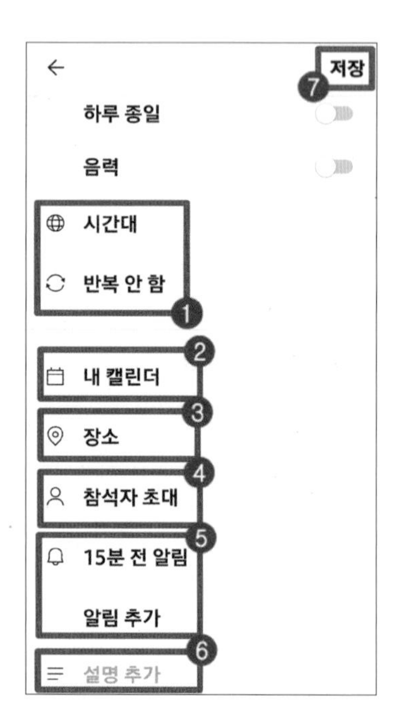

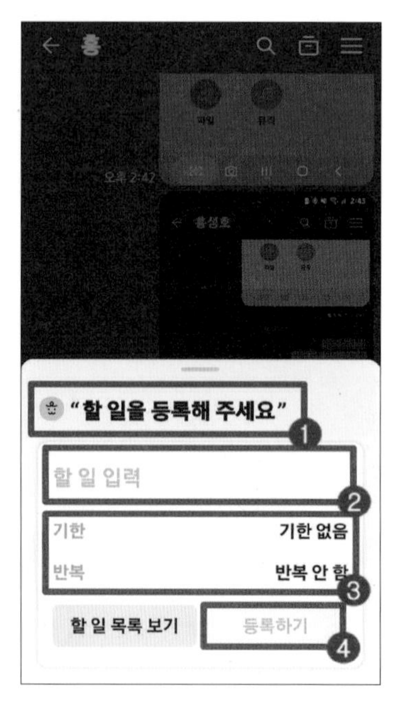

1 ① [시간대], ② [내 캘린더], ③ [장소], ④ [참석자 초대], ⑤ [알림 추가], ⑥ [설명 추가]를 [입력, 설정]을 하시고, ⑦ [저장]을 [터치]하세요. 2 ① [할 일 등록]에서 ② [할 일 입력]에 [입력]하시고, ③ [기한, 기한 없음], [반복, 반복 안 함] 중 [선택]하세요. [할 일 목록 보기]와 ④ [등록하기]입니다. 3 [등록하신 내용]을 [브리핑 보드]에서 ① [일정], ② [할 일], ③ [예약 메시지]를 확인할 수 있습니다. ④ [톡 캘린더 바…]에서 [일정]을 [확인]할 수 있습니다. ⑤ [일정 등록하기]를 [터치]를 하시면, 다시 시작합니다.

스마트폰 카메라(Camera) 제대로 활용하기

상황에 맞는 다양한 모드를 적용하여 사진 및 동영상을 촬영할 수 있습니다.
(삼성 갤럭시 S22 울트라 사용 설명서 참고)

- 촬영 에티켓

- 타인의 승낙 없이 함부로 사진 및 동영상을 촬영하지 마세요.
- 사진 및 동영상 촬영이 금지된 장소에서 촬영하지 마세요.
- 타인의 사생활을 침해할 수 있는 곳에서 사진 및 동영상을 촬영하지 마세요.

1. 카메라 앱을 실행하세요.

- 측면 버튼을 빠르게 두 번 누르거나 잠금 화면에서 왼쪽으로 드래그해서 실행할 수도 있습니다.
- 화면 잠금을 설정한 경우 잠금 화면 또는 화면이 꺼진 상태에서 카메라 앱을 실행 시 일부 기능을 사용할 수 없습니다.
- 실행 후 일정 시간 동안 사용하지 않으면 카메라가 자동으로 꺼집니다.

2. 촬영할 대상을 앞에 두고 초점을 맞출 부분을 누르세요.

- 사진의 밝기를 조절하려면, 원형 프레임 위 또는 아래의 조절바를 드래그하세요.

3. ○ 눌러 사진을 촬영하세요.

- 촬영 모드 목록을 좌우로 드래그하거나 촬영 화면을 좌우로 밀면 촬영 모드를 변경할 수 있습니다.

memo

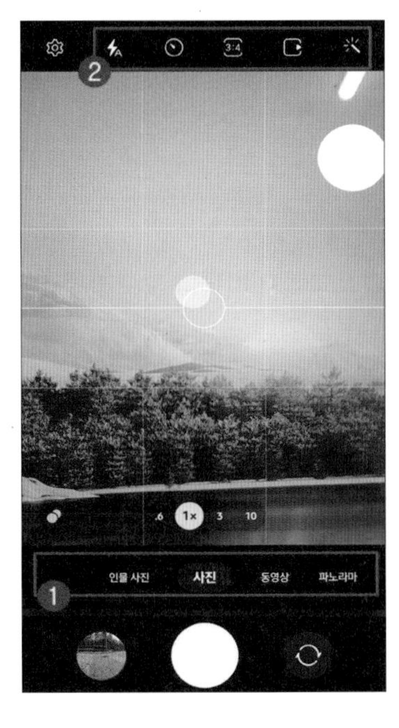

1 모바일에 설치된 [카메라] 앱 아이콘을 [터치]하여 실행합니다.
2 [카메라] 초기 화면에서 ① [촬영 모드 목록], ② [모드별 촬영 옵션]입니다.
3 ① [촬영 모드 목록]에 따라 다른 방식의 ② [줌]과 ③ [모드별 촬영 옵션]이 나옵니다.

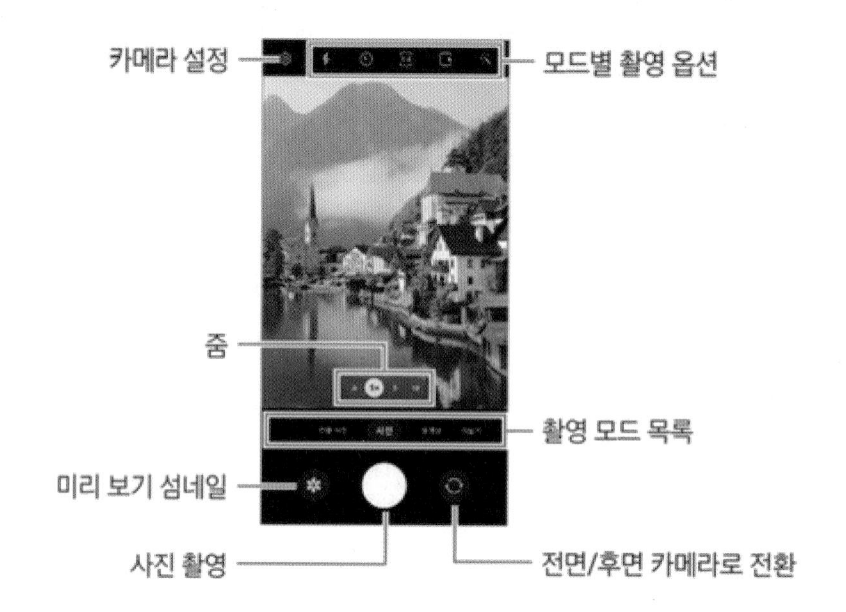

▶ 전면 / 후면 카메라 전환 및 선택한 모드에 따라 촬영 화면에 나타나는 항목이 달라집니다.
▶ 가까운 거리에서는 초점이 정확하지 않을 수 있습니다. 충분한 거리를 확보하여 촬영하세요.
▶ 사진 촬영 시 빛 번짐이 심하거나 뿌옇게 촬영되면 카메라 렌즈를 닦은 후 촬영하세요.
▶ 카메라의 렌즈가 파손되거나 이물질이 묻지 않도록 주의하세요. 렌즈가 파손되거나 이물질이 묻은 경우높은 해상도로 촬영하는 일부 모드가 제대로 동작하지 않을 수 있습니다.
▶ 제품의 카메라 렌즈는 넓은 화각으로 피사체를 촬영할 수 있는 광각 렌즈입니다. 촬영된 영상에서 원근감이 약간 과장되어 나타나는 왜곡이 발생할 수 있으나, 이는 광각 렌즈의 특성으로 제품의 고장이 아닙니다.
▶ 동영상 촬영이 가능한 최대 용량은 화질에 따라 다를 수 있습니다.
▶ 제품 내외부 간 온도 차가 있을 경우, 내부에 있는 공기가 카메라 부분에 응결되어 습기가 발생할 수 있으므로 갑작스러운 온도 변화에 노출되지 않도록 주의해 주세요. 만약, 이 상태에서 사진 및 동영상을 촬영할 경우, 결과물이 흐리게 보일 수 있으므로 상온에서 자연 건조 후 촬영하세요.

▣ 줌 기능 사용하기 : 화면을 확대하거나 축소하려면 .6/1/3/10을 선택하거나 좌우로 드래그하세요. 또는 촬영 화면을 두 손가락으로 누른 상태에서 펴거나 오므리세요. 화면 확대 배율이 일정 수치 이상이 되면 확대한 부분이 어디인지 알려 주는 줌 가이드 맵이 표시됩니다.
▶ .6 : 초 광각 카메라를 이용해 풍경 사진 등 넓은 화각의 사진 및 동영상을 촬영할 수 있습니다.
▶ 1 : 광각 카메라를 이용해 일반적인 사진 및 동영상을 촬영할 수 있습니다.
▶ 3 : 망원 카메라(3x)를 이용해 멀리 있는 피사체를 확대하여 촬영할 수 있습니다.
▶ 10 : 망원 카메라(10x)를 이용해 멀리 있는 피사체를 확대하여 촬영할 수 있습니다. (갤럭시 S22 울트라)
- 줌 기능은 후면 카메라 촬영 시에만 사용할 수 있습니다.

▣ 초점(AF) 및 노출(AE) 고정하기 : 피사체와 광원의 변화에 따라 카메라가 자동으로 초점과 노출을 변경하지 못하도록 선택한 영역의 초점과 노출을 고정하여 촬영할 수 있습니다. 촬영 화면에서 초점을 맞출 부분을 길게 누르세요. AF/AE 프레임이 나타나고 해당 영역에 초점 및 노출이 설정됩니다.
해당 설정은 사진을 촬영한 후에도 유지됩니다.
- 이 기능은 촬영 모드에 따라 지원되지 않을 수 있습니다.

■ 촬영 버튼 활용하기

- 촬영 버튼을 길게 누르면 동영상을 촬영할 수 있습니다.
- 고속 연속 사진을 촬영하려면 촬영 버튼을 가장자리로 민 채 손가락을 떼지 마세요.
- 촬영 버튼을 추가 및 원하는 위치로 드래그해서 편리하게 사진을 촬영할 수 있습니다. 촬영 화면에서 [설정] 후 촬영 방법을 선택한 후 플로팅 촬영 버튼의 스위치를 눌러 기능을 켜세요.

■ 촬영 옵션 : 촬영 화면에서 다음과 같은 촬영 옵션을 사용할 수 있습니다.

	: 플래시를 사용하거나 사용하지 않도록 설정합니다.
	: 자동으로 촬영할 타이머 시간을 설정합니다.
3:4	: 촬영할 사진의 비율 및 해상도를 선택합니다.
	: 모션 포토 기능을 켜거나 끕니다. 기능을 켜면 촬영 버튼을 누르기 전 몇 초간의 장면까지 같이 촬영됩니다.
	: 슈퍼 스테디 기능을 켜거나 끕니다.
FHD	: 하이퍼랩스 동영상 촬영 시 동영상의 해상도를 선택합니다.
	: 프레임 속도를 설정합니다.
9:16	: 촬영할 동영상의 비율을 선택합니다.
FHD 30	: 촬영할 동영상의 해상도를 선택합니다.
	: 필터 효과 또는 뷰티 효과를 적용합니다.
	: 측광 방식을 설정합니다. 화면에 분포되는 빛을 측정하는 방식을 변경할 수 있습니다.
	: 중앙 집중 측광은 중앙을 기준으로 주변의 빛을 측정합니다.
	: 스팟 측광은 중앙 부분의 빛만 측정합니다.
	: 다분할 측광은 화면 전체를 분할하여 빛을 측정한 후 평균값으로 전체 사진에 적용합니다.
	: 색감을 조절합니다.
	: 동영상의 빛 분포를 확인할 수 있는 그래프를 표시하거나 표시하지 않도록 설정합니다.
	: 음식 모드에서 선명하게 표현할 영역을 원형 프레임으로 선택하면 원형 프레임 영역 바깥 부분이 흐릿하게 변경됩니다.
	: 음식 모드에서 색감을 조절합니다.
	: 슈퍼 슬로우 모션 동영상 촬영 시 움직임 감지 기능을 켜거나 끕니다.
	: 디렉터스뷰 모드에서 저장 옵션을 변경합니다.
	: 디렉터스 뷰 모드에서 화면을 변경합니다.
	: 싱글 테이크 촬영 시 촬영 옵션을 설정합니다.

- 모델 및 선택한 모드에 따라 설정할 수 있는 옵션이 달라집니다.

카메라 설정하기

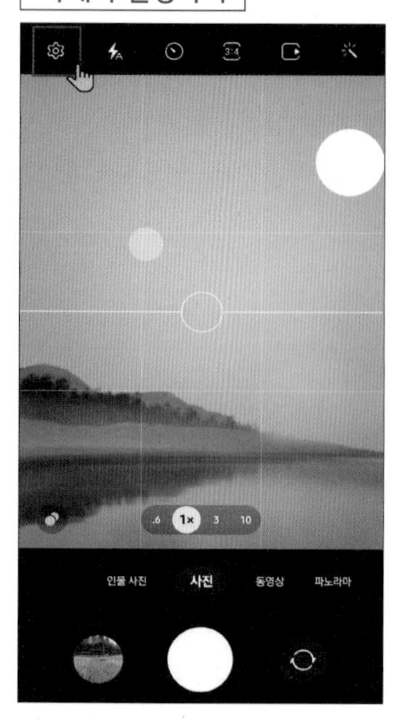

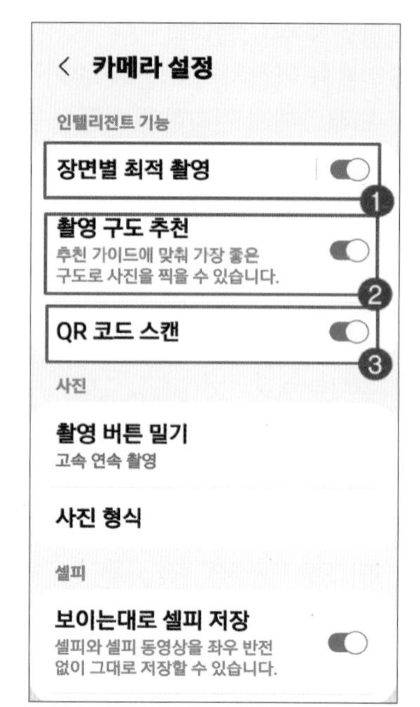

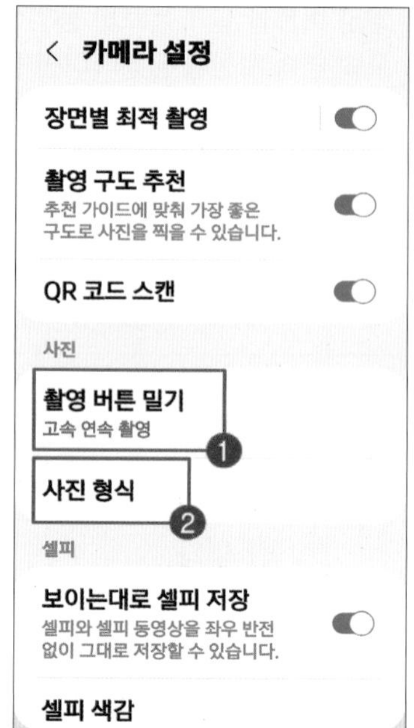

1 [촬영 모드]에서 [설정]을 [터치]하세요. 2 인텔리전트 기능에서 ① [장면별 최적 촬영] : 피사체 및 장면에 따라 색상을 자동으로 조정하고 최적화된 효과를 적용, ② [촬영 구도 추천] : 위치와 각도를 인식해 사진에 적합한 최적의 구도를 추천, ③ [QR 코드 스캔] : 카메라 촬영 화면에서 QR 코드를 스캔하도록 설정을 활성화하여 주세요. 3 사진에서 ① [촬영 버튼 밀기]와 ② [사진 형식]을 [터치]하세요.

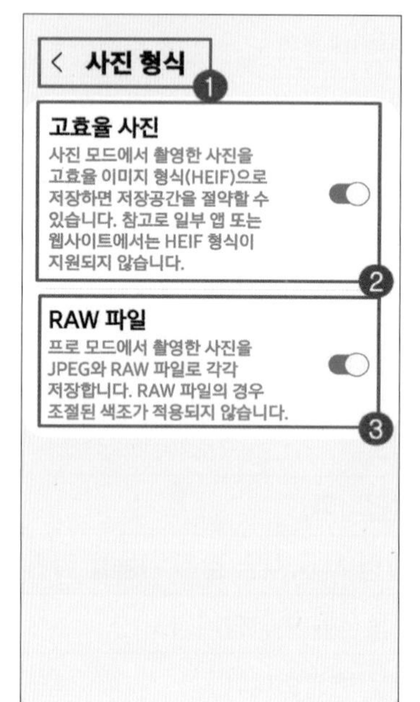

1 [촬영 버튼 밀기]에서 실행을 원하시는 ① [고속 연속 촬영, GIF 만들기] 중 선택합니다.
2 ① [사진 형식] : 사진을 저장할 방식을 설정을 [터치] 후 ② [고효율 사진] : 고효율 이미지 형식(HEIF)으로 저장하도록 설정, ③ [RAW 파일] : 프로 모드에서 사진을 압축하지 않고 RAW 파일(파일 확장자: DNG)로 저장하도록 설정을 활성화하여 주세요. 3 ① [보이는대로 셀피 저장] : 전면 카메라로 촬영 시 화면에 보이는대로 좌우 반전 없이 저장을 원하시면 활성화하시고, ② [셀피 색감]을 터치 후 [자연스럽게, 화사하게] 중 적용할 색감을 선택, 설정하여 셀프 샷 촬영을 하세요.

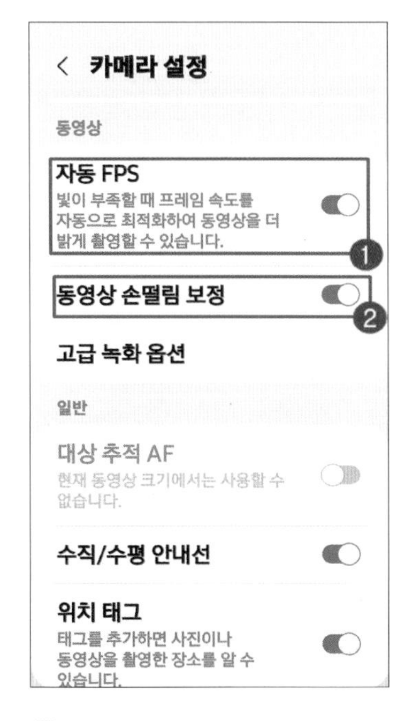

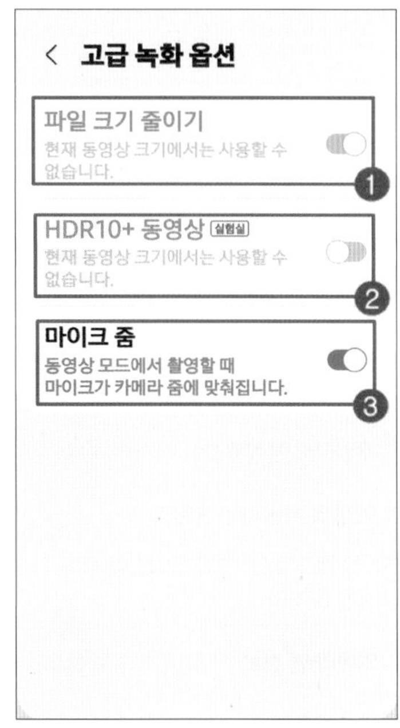

❶ [동영상]에서 ① [자동 FPS] : 빛이 부족한 곳에서 프레임 속도를 최적화하여 동영상을 더 밝게 촬영하도록 설정, ② [동영상 손떨림 보정] : 촬영 시 화면이 흔들리는 현상을 줄이거나 방지를 활성화합니다.
❷ ① [고급 녹화 옵션]을 [터치]하세요. ❸ ① [파일 크기 줄이기] : 고화질 동영상이 압축된 형식으로 저장, ② [HDR10+ 동영상] : 장면별로 색조 및 명암이 최적화된 동영상을 촬영 – 프로 동영상, ③ [마이크 줌] : 촬영 중 줌으로 화면을 확대하는 방향의 소리를 키워서 촬영을 활성화합니다.

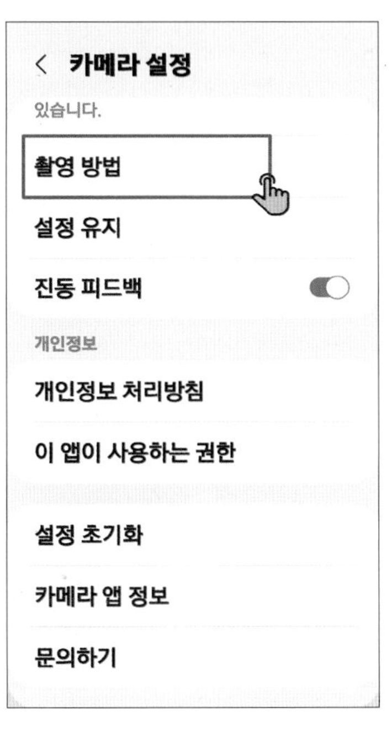

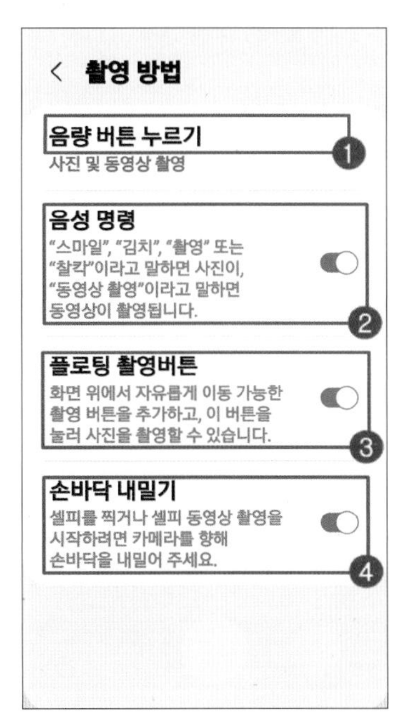

❶ ① [대상 추적 AF] : 초점을 맞추고 싶은 피사체를 누르면, 움직이거나 구도를 변경해도 초점이 자동으로 맞춰지도록 설정, ② [수직/수평 안내선] : 촬영 시 구도 설정에 도움이 되는 안내선을 표시하도록 설정, ③ [위치 태그] : 촬영지 위치 정보를 저장하도록 설정을 [활성화]하여 주세요. ❷ [촬영 방법]을 [터치]하세요. ❸ ① [음량 버튼 누르기]를 [터치]하면, [사진 및 동영상 촬영, 화면 확대/축소, 시스템 음량] 중에서 적용을 원하시는 것을 선택하여 촬영을 하세요. ② [음성 명령], ③ [플로팅 촬영버튼], ④ [손바닥 내밀기]를 원하시는 서비스를 선택하여 [활성화]하여 주세요.

사진 모드

카메라 설정
있습니다.
촬영 방법
설정 유지
진동 피드백
개인정보
개인정보 처리방침
이 앱이 사용하는 권한
설정 초기화
카메라 앱 정보
문의하기

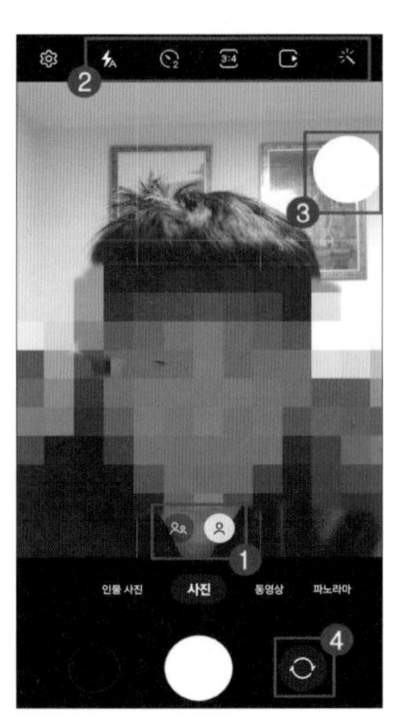

1 ① [설정 유지] : 카메라를 다시 실행할 때 이전에 사용했던 설정을 유지, ② [진동 피드백]을 원하시면 활성화하시고, ③ [설정 초기화] 사용도 가능합니다. 2 ① [사진 모드], ② [플로팅 촬영버튼] ③ [회전 화면]을 [터치]합니다. 3 더 넓은 배경을 담고자 하면 ① 누르세요. ② [모드별 촬영 옵션]을 조절하시어 ③ [플로팅 촬영버튼] 눌러 사진을 촬영하세요. ④ [회전 화면]을 [터치]합니다.

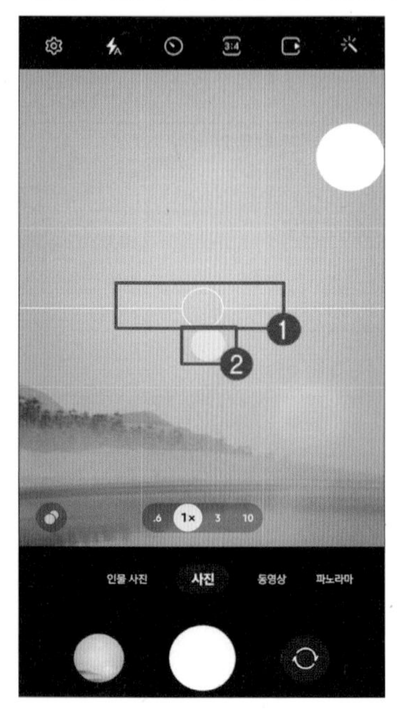

1 [촬영 구도 추천]을 활성화 상태로 카메라가 피사체의 위치와 각도를 인식해 ① [촬영 구도 가이드]와 ② [추천 구도]가 나옵니다. 2 촬영 구도를 맞추면 구도 가이드가 ① [노란색]으로 바뀝니다. 피사체에서 가까운 거리를 선명하게 촬영하려면 ③ [줌]에서 [1x]를 [선택]하시고, ② 가 나타나면, ○ 눌러 사진을 촬영하세요. 촬영 옵션에서 ④ 3:4 를 [터치]하세요. 3 고해상도 사진을 촬영하기 위해서 ① 3:4 50MP 또는 3:4 50MP 누른 후 촬영하세요. ② 눌러 디테일 향상 기능을 켜면 더욱 선명한 사진을 촬영할 수 있습니다. 촬영을 하기 전에 ③ 을 선택하시면, 필터 효과 또는 뷰티 효과를 적용할 수 있습니다.

동영상 모드

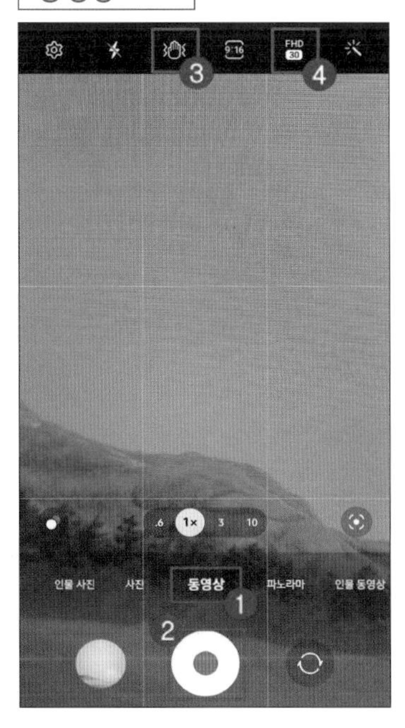

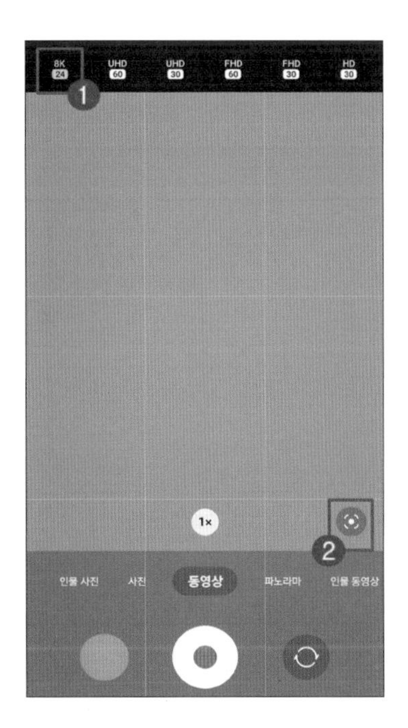

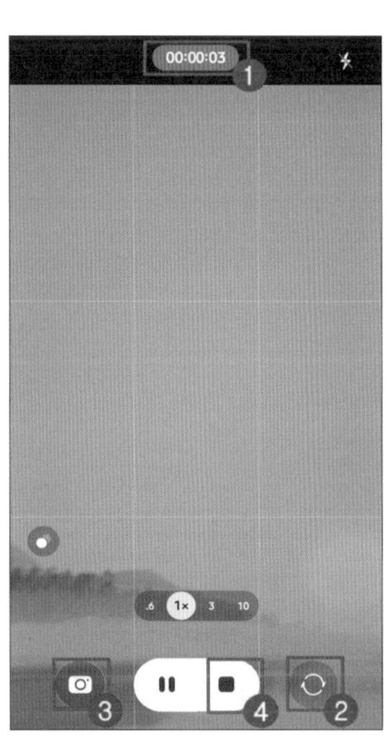

1 ① [동영상]에서 ② [동영상 촬영]을 [터치]하여 촬영을 하세요. 흔들림 보정하기를 위해 ③ [슈퍼스테디] [터치]하세요. 고화질 촬영을 위해 촬영 옵션에서 ④ FHD 30 [터치]하세요. 2 ① 8K 24 을 [터치] 후 마음에 드는 장면이 있을 때 ② 누르면 해당 장면이 고해상도 사진으로 저장됩니다. 3 ① [촬영 시간], ② [회전 화면], 동영상 촬영 중 ③ [화면 캡처], 동영상 촬영을 마치시려면 ④ [종료]를 [터치]하세요.

디렉터스 뷰 모드

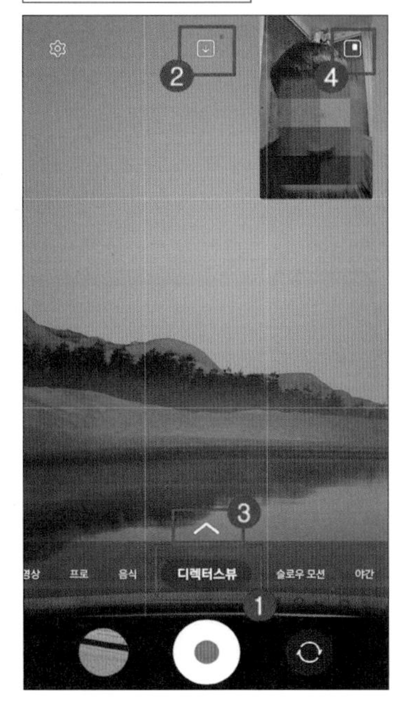

1 ① [디렉터스 뷰]에서 ② [저장 옵션 변경], ③ ∧ 를 [터치]하여 섬네일을 표시하여 촬영을 하세요. ④ [화면 변경]을 터치하셨습니다. 2 ① [섬네일], ② [화면 변경] 중 원하시는 화면을 [터치]하시고, ③ [동영상 촬영]을 [터치]하여 촬영하세요. 3 ① [촬영 시간], ② [회전 화면], 동영상 촬영을 마치시려면, ③ [종료]를 [터치]하세요.

싱글테이크 모드

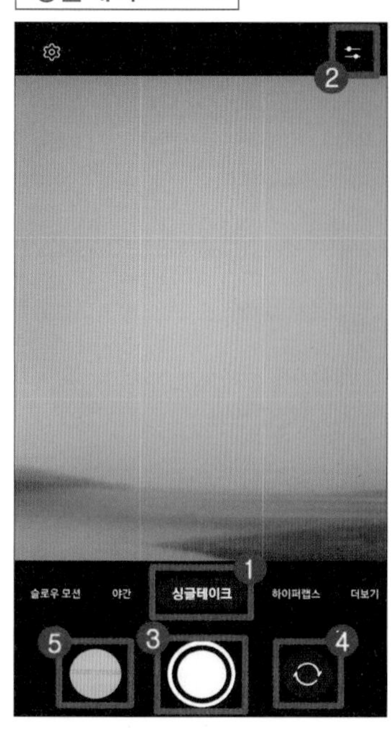

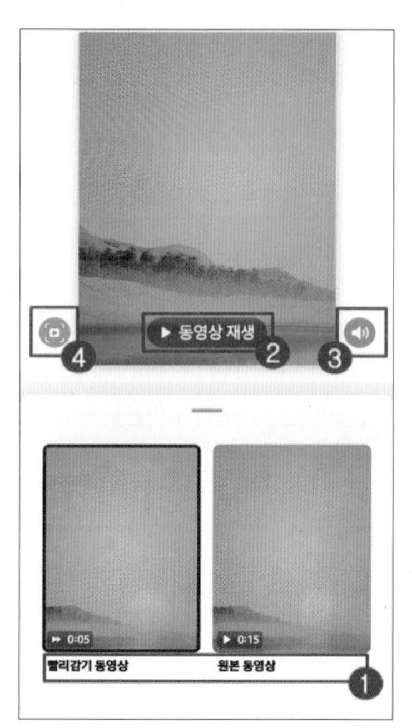

1 ① [싱글테이크]에서 ② [촬영 옵션 설정], ③ [촬영]을 [터치]하여 촬영하겠습니다. ④ [회전 촬영]도 가능하십니다. ⑤ ● 를 [터치]하세요. 2 ① [사진 선택, 편집, 공유, 휴지통, 메뉴], ② [Smart View, 빅스비 비전, 회전] 등을 사용하실 수 있습니다. ③ [아이콘]을 위로 드래그하세요. 3 ① [동영상] 하나를 선택하세요. ② [동영상 재생]을 ③ [소리] 듣기와 ④ [촬영]을 [터치] 기능을 사용하실 수 있습니다.

하이퍼랩스 모드

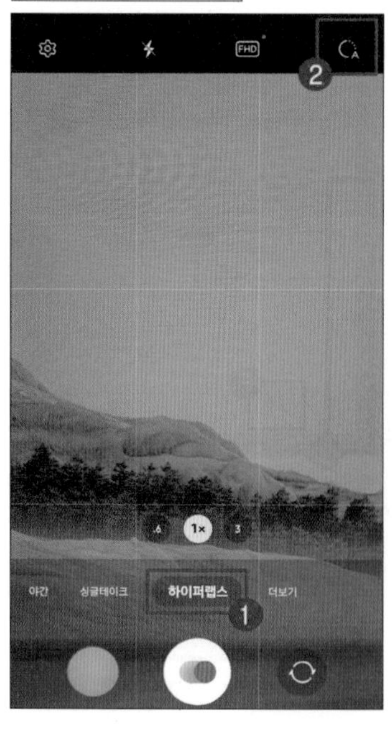

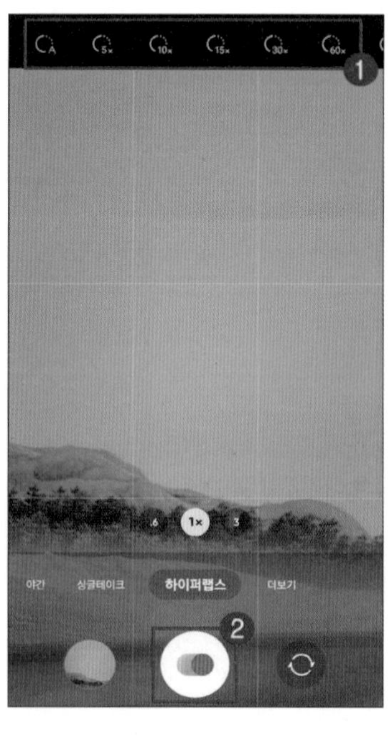

1 움직이는 장면을 실제보다 빠르게, 움직임을 역동적인 영상으로 담아 보기 위한 촬영 방법입니다. ① [하이퍼랩스]에서 ② C 을 [터치]하세요. 2 ① [프레임 속도]에서 원하시는 속도를 [선택] 후 [터치]하시고, ② [동영상 촬영]을 [터치]하여 동영상을 촬영하세요. 3 ① [촬영 시간], 어두운 곳에서 촬영 시 ② [플래시]를 [터치]하시고 촬영하세요. 동영상 촬영을 마치시려면, ③ [종료]를 [터치]하세요.

음식 모드

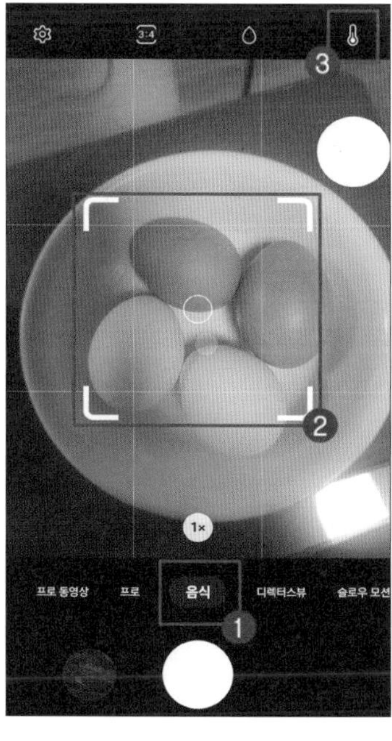

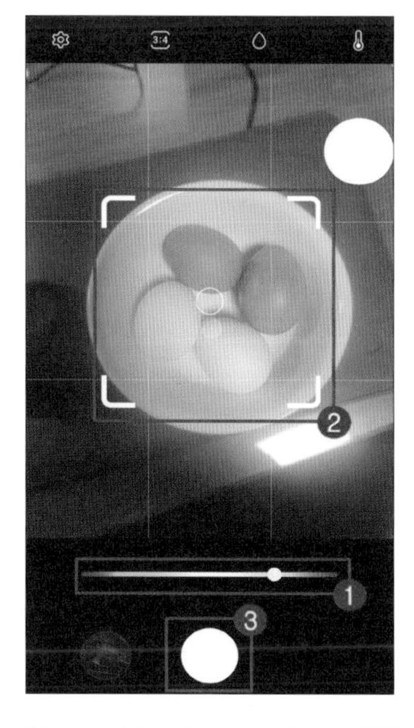

🅰 ① [음식]에서 원하시는 ② [프레임 영역]을 선택하시면, 바깥 부분이 흐릿하게 변경되며, 크기를 조절하려면 프레임의 모서리를 드래그하세요. ③ 🌡 [음식 모드 색감]을 [터치]하세요. 🅱 ① [조절바]를 드래그하여 ② [프레임 영역]의 색감을 조절하시고, ③ ○ [찍기]를 [터치]하여 [촬영]을 하세요. 🅲 ① [완성된 사진]을 ② [사진 선택, 편집, 공유, 휴지통, 메뉴], ③ [Smart View, 빅스비 비전, 회전] 등을 사용하실 수 있습니다.

야간 모드

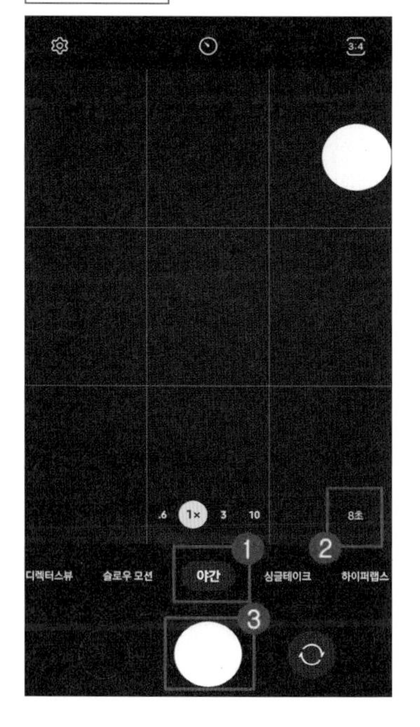

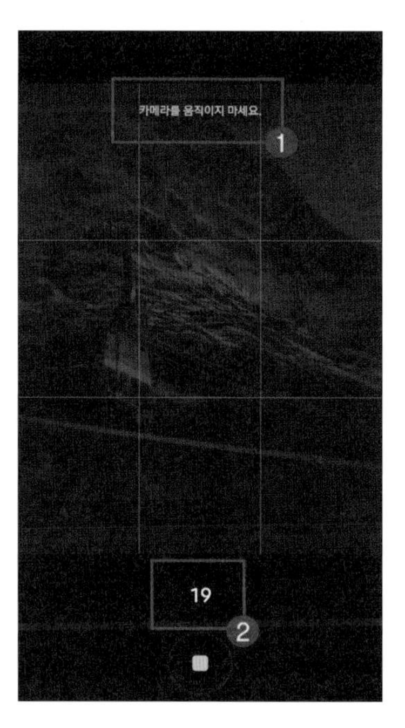

🅰 빛이 적은 환경에서 플래시 없이 거치대를 사용해 더 밝고 흔들림 없는 사진의 결과물을 얻을 수 있습니다. ① [야간]에서 ② [촬영 시간 옵션]을 최대로 설정하시고, ③ ○ [찍기]를 [터치]하여 [촬영]을 하세요. 🅱 ① [카메라를 움직이지 마세요.] ② [카운터]가 0이 될 때까지 움직이면 안 됩니다. 🅲 ① [완성된 사진]을 ② [사진 선택, 편집, 공유, 휴지통, 메뉴], ③ [Smart View, 빅스비 비전, 회전] 등을 사용하실 수 있습니다.

인물 사진 모드

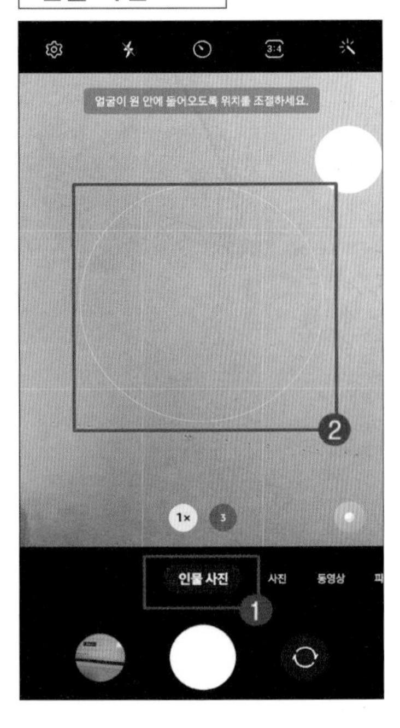

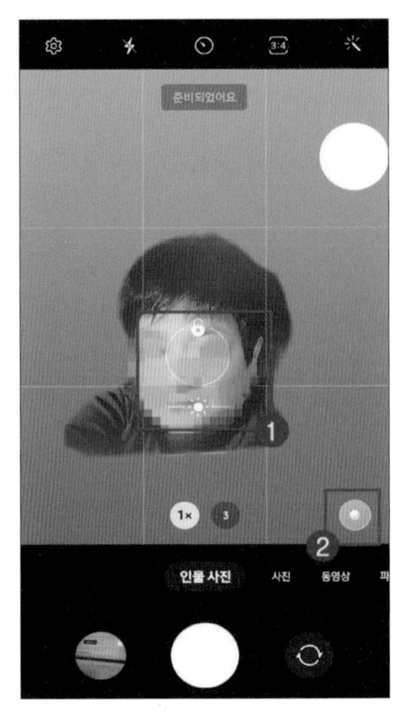

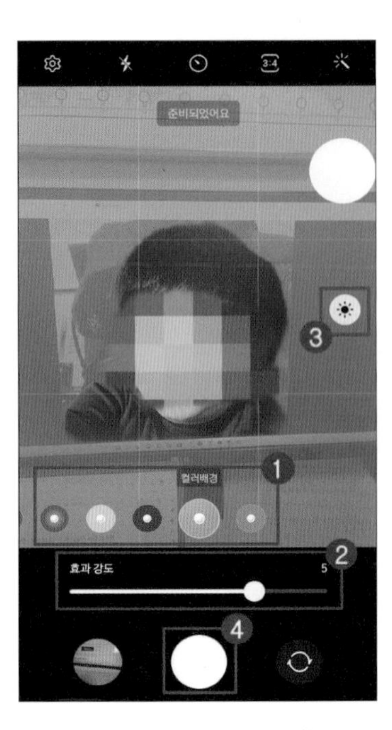

❶ 배경은 흐리고 피사체는 선명하고 돋보이게 사진을 촬영 후 다양한 배경 효과를 적용하고 편집할 수 있습니다. ① [인물 사진]에서 ② [원형] 안에 촬영하실 대상을 선택하세요. ❷ ① [선택할 인물] ② [배경 효과]를 [터치]하세요. ❸ ① [배경 효과]를 선택하시고, ② [배경 효과 강도 조절바] 드래그하세요. ③ [밝기]를 조절 후 ④ ○ [찍기]를 [터치]하여 [촬영]을 하세요.

인물 동영상 모드

❶ 배경은 흐리고 피사체는 선명하고 돋보이게 동영상을 촬영 후 다양한 배경 효과를 적용하고 편집할 수 있습니다. ① [인물 동영상]에서 ② [배경 효과]를 [터치]하세요. ❷ ① [배경 효과]를 선택하시고, ② [배경 효과 강도 조절바] 드래그하세요. ③ ⊙ [동영상 촬영]을 [터치]하여 [촬영]을 하세요. ❸ ① [촬영 시간]이 표시됩니다. 동영상 촬영을 마치려면, ② [동영상 종료]를 [터치]하세요.

슈퍼 슬로우 모션 모드

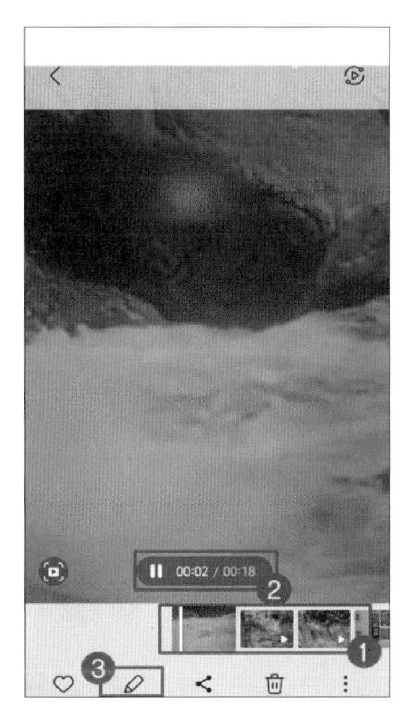

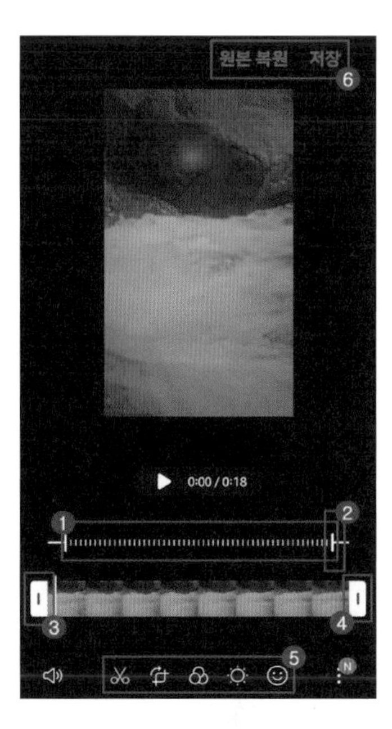

1 순식간에 지나가는 짧은 순간을 실제보다 느린 영상으로 촬영할 수 있는 기능 ① [슈퍼 슬로우 모션]에서 ② [ ]을 [터치]하면, ③ [사각 피사체] ④ [동영상 촬영]을 [터치], 촬영 후 ⑤ [섬네일]을 [터치]하세요. 2 ① [촬영 동영상], ② [촬영 시간 표시], ③ [편집]을 [터치]하세요. 3 ① [슈퍼 슬로우 모션 구간], ② [구간 설정바], ③ [시작 핸들], ④ [종료 핸들], ⑤ [편집 기능]을 선택 후 ⑥ [원본 복원, 저장]을 선택 사용하시면 됩니다.

슬로우 모션 모드

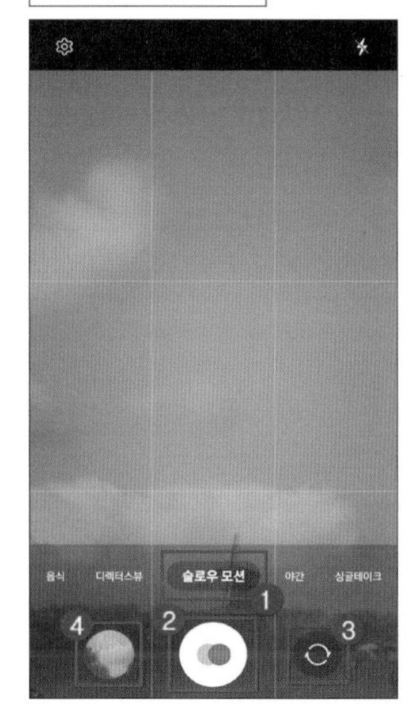

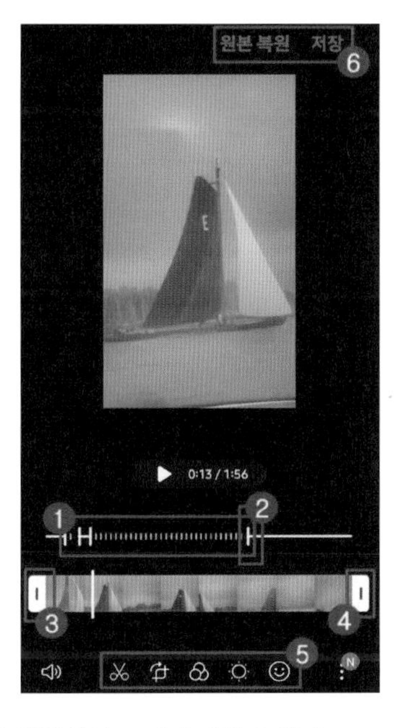

1 실제보다 느리게 움직이는 영상을 볼 수 있도록 촬영을 합니다. 원하는 구간을 선택하여 느리게 재생을 할 수 있습니다. (최대 두 구간이 자동으로 슬로우 모션 구간으로 설정) ① [슬로우 모션]에서 ② [동영상 촬영]을 [터치]하세요. ③ [회전 화면] 촬영도 가능합니다. 촬영 후, ④ [섬네일]을 [터치]하세요. 2 ① [촬영 동영상], ② [촬영 시간 표시], ③ [편집]을 [터치]하세요. 3 ① [슬로우 모션 구간], ② [구간 설정바], ③ [시작 핸들], ④ [종료 핸들], ⑤ [편집 기능]을 선택 후 ⑥ [원본 복원, 저장]을 선택 사용하시면 됩니다.

파노라마 모드

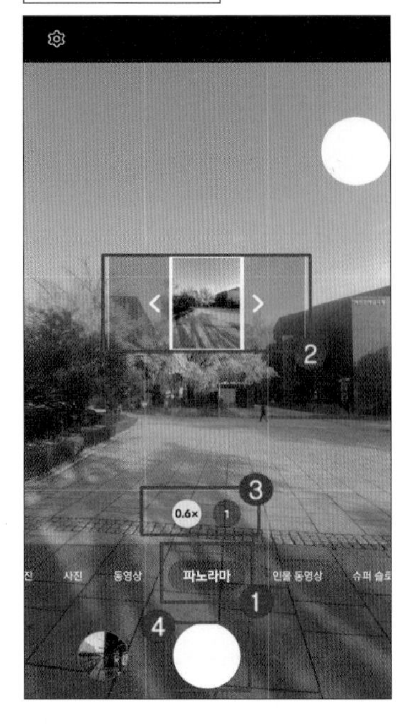

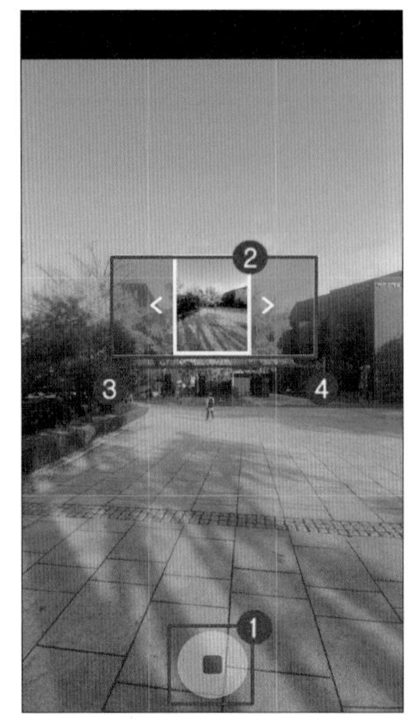

1 넓은 범위의 장면을 한 장의 사진으로 담을 수 있습니다. ① [파노라마]에서 ② [촬영 안내선] 안에 [피사체]를 확인하시고, ③ [줌]을 선택하시고, ④ ○ [찍기]를 [터치]하여 [촬영]을 하세요. 2 ① ◉ [촬영 종료] 상태이면, 촬영 중입니다. ② [피사체]가 ③에서 ④까지 안내선 밖으로 벗어나지 않도록 [촬영]을 하세요. 3 ① [피사체] 촬영이 마무리 되거나, [피사체]가 안내선 밖으로 벗어나거나, 카메라의 움직임이 멈출 경우 ② [촬영 종료]가 자동으로 종료됩니다.

※ 프로 모드 / 프로 동영상 모드에서 설정할 수 있는 옵션

- ⟳ : 사용자가 설정한 옵션을 초기화합니다.
- ISO : ISO는 이미지 센서가 빛에 반응하는 감도를 결정합니다. ISO가 높을수록 빛에 민감하게 반응하여 어두운 환경에서도 밝게 촬영할 수 있습니다. 단, ISO가 높아지면 노이즈가 증가합니다.
- SPEED : 셔터 속도는 카메라(이미지 센서)가 빛을 받아들이는 노출 시간을 결정합니다. 셔터 속도를 길게 설정하면 어두운 환경에서 밝게 촬영할 수 있으며, 셔터 속도를 짧게 설정하면 움직이는 피사체를 흔들림 없이 촬영할 수 있습니다.
- EV : 노출값을 조절하며, 카메라가 받는 빛의 양을 결정합니다. 어두운 곳에서는 노출값을 높게 설정하세요.
- FOCUS : 피사체의 거리에 따라 조절바를 드래그하여 피사체를 선명하게 초점 거리를 조절합니다.
- WB : 촬영 환경에 따른 화이트 밸런스를 선택하여 광원의 색온도에 따라 달라지는 피사체의 색상을 사람이 보는 것처럼 나타낼 수 있습니다.
- MIC : 녹음하려는 방향과 소리 크기를 설정할 수 있습니다. 별도의 USB 마이크 또는 블루투스 마이크를 연결해 사용할 수도 있습니다. (프로 동영상 모드)
- ZOOM : 줌 속도를 조절할 수 있습니다. (프로 동영상 모드)

프로 모드

초점(AF) 영역과 노출(AE) 영역 분리하기
: 초점 영역과 노출 영역을 분리하여 촬영할 수 있습니다. 촬영 화면을 길게 누르면 AF/AE 프레임이 나타납니다. 프레임을 원하는 위치로 드래그해 초점 및 노출 영역을 분리하세요.

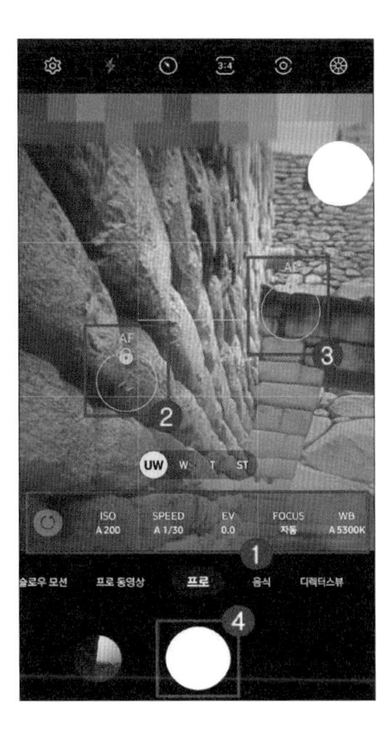

프로 모드 / 프로 동영상 모드에서 ISO 감도, 노출값 등을 수동으로 조절해 촬영할 수 있습니다.
1 촬영 모드에서 ① [프로]를 선택 ② [UW : 울트라 와일드 렌즈, W : 와일드 렌즈, T : 망원 렌즈, ST : 슈퍼 망원 렌즈]를 선택 사용할 수 있습니다. 3 ① [설정할 수 있는 옵션]을 선택 사용할 수 있습니다. ② [초점 (AF) 영역], ③ [노출 (AE) 영역]을 분리하여, ④ [찍기]를 [터치]하여 촬영할 수 있습니다.

프로 동영상 모드

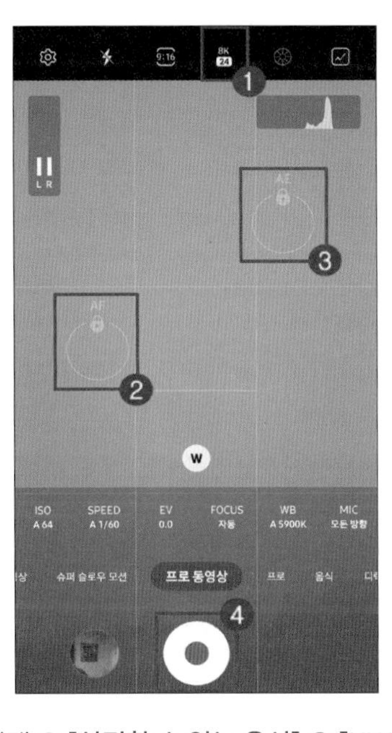

1 촬영 모드에서 ① [프로 동영상]을 선택 ② [설정할 수 있는 옵션] ③ [UW : 울트라 와일드 렌즈, W : 와일드 렌즈, T : 망원 렌즈, ST : 슈퍼 망원 렌즈] 중 원하시는 렌즈를 선택 사용하시고, 최대 8K 고화질로 촬영을 하려면, ④ FHD 30 를 [터치]하여 8K 24 로 사용하세요. 2 ① 8K 24 ② [초점 (AF) 영역], ③ [노출 (AE) 영역] ④ [동영상 촬영]을 [터치]하여 [촬영]을 하세요. 3 ① [촬영 시간]이 표시됩니다. 동영상 촬영을 마치려면, ② [동영상 종료]를 [터치]하세요.

스마트폰 갤러리(Gallery) 제대로 활용하기

갤러리(Gallery) 앱(App)은 스마트폰에 설치된 기본 기능으로
스마트폰에서 촬영, 캡처한 모든 자료 및 사진, 동영상을
갤러리 앱에서 볼 수 있습니다.
앨범별로 관리하거나 스토리를 만들 수도 있습니다.

- 원하는 사진을 선택하여 편집 또는 이미지 모아 보기 등으로 사진 보기를 하실 수 있습니다.
- 동영상 파일을 선택하여, 밝기 및 소리 등 추가 옵션을 사용, 편집하여 동영상을 볼 수 있습니다.
- 앨범을 만들어 사진 및 동영상을 분류할 수 있습니다.
- 사진 및 동영상을 갤러리 앱을 실행해 스토리를 선택한 후 원하는 스토리를 만들 수 있습니다.
- 갤러리 앱과 클라우드가 동기화하며, 내가 찍은 사진과 동영상이 클라우드에 동시에 저장됩니다.
- 갤러리 앱에서 삭제할 사진 및 동영상, 앨범, 스토리를 길게 눌러 선택한 후 삭제할 수 있습니다.
- 휴지통을 사용하여 일정 기간 삭제한 사진 및 동영상을 휴지통에 보관할 수 있습니다.

memo

1 스마트폰 앱에서 [갤러리]를 [터치]하세요. 2 ① [비슷한 이미지 갤러리], ② [검색], ③ [더보기]를 [터치]하여 사용하세요. ④ [사진, 앨범, 스토리]를 [터치]하세요. 정리된 [갤러리]로 보실 수 있습니다. ⑤ [메뉴]를 [터치]하겠습니다. 3 [메뉴]에서 ① [동영상], ② [즐겨찾기], ③ [최근 항목], ④ [추천], ⑤ [위치], ⑥ [공유 앨범], ⑦ [휴지통], ⑧ [설정]을 [터치]하시어 [기능]을 사용을 하실 수 있습니다.

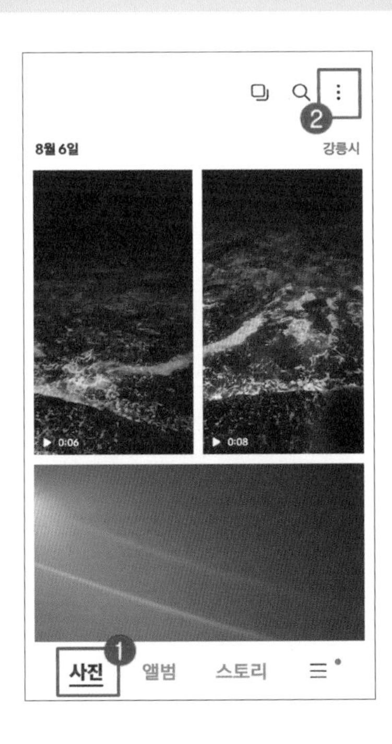

1 ① [사진]에서 ② [메뉴]를 [터치]하세요. 2 ① [사진], [메뉴]에서 ② [편집], ③ [모두 선택], ④ [만들기], ⑤ [슬라이드쇼]를 [터치]를 하여 사용하세요. ④ [만들기]를 [터치]하겠습니다.
3 ① [만들기]에서 ② [하이라이트 영상, 영화, GIF, 콜라주]의 [기능을 선택]하여, 만들어서 [저장], [공유]할 수 있습니다.

1 [사진]을 [터치]하시면, ① [Smart View 연결, 빅스비 비전, 회전], ② [이미지 동영상 미리보기], ③ [즐겨찾기], ④ [편집], ⑤ [공유], ⑥ [휴지통], ⑦ [더보기] 기능입니다. ④ [편집]을 [터치]를 하세요.
2 ① [잘라내기]에서 ② [각도 조절], ③ [회전, 좌우 반전, 사이즈 조절, 왜곡, 영역]을 선택하여 [편집]을 하세요.
3 ① [색상 필터]에서 ② [색상 조절], ③ [필터, 마이 필터]를 선택하여 [편집]을 하세요.

❶ ① [밝기]에서 ② [밝기 조절]과 ③ [라이트 밸런스, 밝기, 노출, 대비, 하이라이트, 그림자, 채도, 틴트, 색온도, 선명도]를 선택하여 [편집]하세요. ❷ ① [스마일]에서 ② [그리기]를 선택하시면, ③ [펜, 마커, 모자이크, 지우개, 뒤로 가기, 앞으로 가기]를 [선택]하여 [편집]하세요. ❸ ① [스마일]에서 ② [스티커]를 선택하세요.

❶ 여러 종류의 ① [카테고리] 중에 [선택]을 하신 후, ② [스티커]를 [선택]하세요.
❷ ① [텍스트]를 [입력]을 하신 후 ② [글을 - 왼쪽, 중앙, 오른쪽 맞춤], ③ [글씨체], ④ [글 테두리 색상], ⑤ [글 테두리 명암]을 [선택]하여 사용을 하세요.
❸ ① [텍스트]를 [두 손가락]으로 [크기 조절, 위치 변경]을 해 보세요. ② [더보기]를 [터치]하겠습니다.

🅰 ① [AI 지우개, 부분 색칠, 스타일, 색상 조정]과 ② [크기 변경, 실험실, 포토 에디터 정보]를 [선택]하여 [편집]하여 사용을 할 수 있습니다. 🅱 ① [앨범]에서 ② [메뉴]를 [터치]하세요. 🅲 ① [앨범]에서 ② [편집], ③ [모두 선택], ④ [보고 싶은 앨범 선택]을 [터치]하시어 사용하세요.

🅰 ① [스토리]에서 ② [메뉴]를 선택하여 [터치]하세요. 🅱 ① [스토리], [메뉴]에서 ② [편집], ③ [스토리 만들기]를 하며, ④ [콘텐츠 숨기기]를 [터치]하시면, [날짜 숨기기]에서 [+날짜 추가], 사람이나 [동물 숨기기]에서 [+ 숨길 사람이나 동물 선택]을 하시어 [편집]을 할 수 있습니다. ⑤ [메뉴]를 [터치]하세요. 🅲 [메뉴]에서 [동영상]을 [터치]하세요.

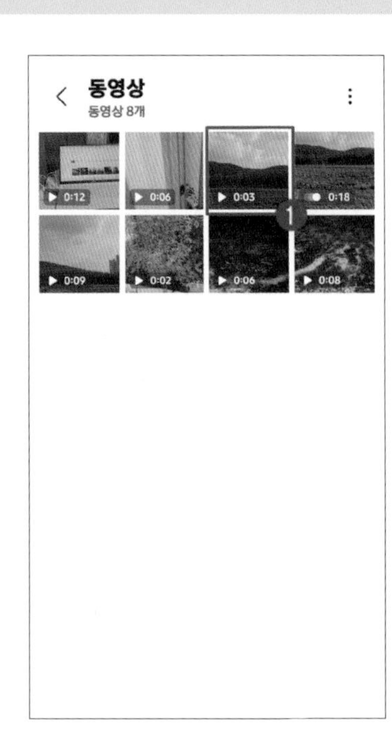

1 [동영상]에서 ① [동영상]을 [선택]하세요. 2 [동영상 화면]에서 ① [Smart View], ② [회전], ③ [화면 캡처], ④ [일시 정지/ 재생] 기능을 [터치]하여 사용할 수 있습니다. ⑤ [동영상] 중 좌우에서 [선택] 후 [터치]하시면, [메인 화면]으로 이동합니다. ⑥ [메뉴]를 [터치]하세요. 3 [동영상]의 [메뉴]에서 ① [상세정보], ② [비디오 플레이어에서 열기] ③ [배경화면으로 설정], ④ [보안 폴더 공간으로 이동]입니다.

동영상 보기

갤러리 앱을 실행해 원하는 동영상 파일을 선택하세요. 화면을 좌우로 스크롤 하면 다른 파일을 볼 수 있습니다.
재생 중 추가 옵션을 사용하려면 ⋮ → 비디오 플레이어에서 열기를 선택하세요.

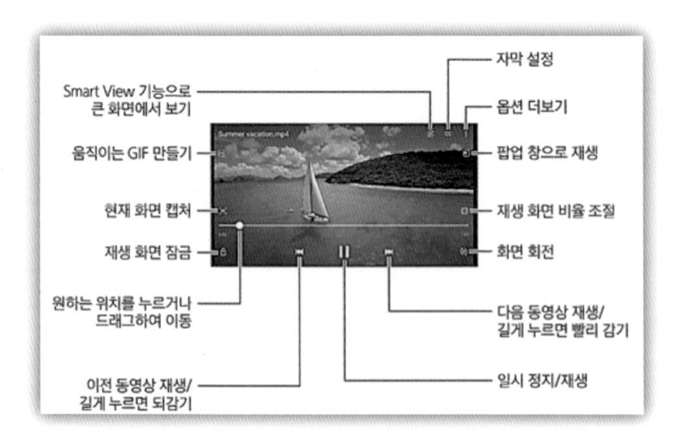

- 동영상 재생 화면의 왼쪽을 상하로 드래그하면 화면 밝기를 조절할 수 있으며, 화면 오른쪽을 상하로 드래그하면 소리를 조절할 수 있습니다.
- 화면을 좌우로 스크롤 하면 동영상을 되감기 하거나 빨리 감기 할 수 있습니다.

동영상 밝고 선명하게 보기 - 원본보다 더 밝고 선명한 색감으로 볼 수 있도록 동영상 화질을 향상시킵니다. : 설정 앱을 실행해 유용한 기능 → 동영상 밝기 → 밝게를 선택하세요.

* 이 기능은 일부 앱에서만 사용할 수 있습니다.

* 이 기능을 사용하면 배터리 사용량이 많아집니다.

1 갤러리 초기 화면에서 [메뉴]를 [터치]하세요. 2 [메뉴]에서 [설정]을 [선택]하신 후 [터치]하세요.
3 [갤러리 설정]에서 [One Drive에 동기화]를 [켜기]를 하세요. - **갤러리 앱과 클라우드가 동기화되면 내가 찍은 사진과 동영상이 클라우드에 동시에 저장됩니다.** (삼성 계정과 Microsoft 계정을 연결하면 클라우드 저장 공간을 Microsoft One Drive로 설정할 수 있습니다.)

1 필요 없는 사진을 폰에서 사라지게 하기 - [메뉴]에서 [휴지통]을 [선택]하신 후 [터치]하세요.
2 [휴지통]에 [삭제]된 [사진, 동영상]은 일정 기간 [휴지통에 보관]이 되며, 일정 기간 후 자동으로 [삭제]됩니다.
① [사진]을 [선택]하여, ② [편집]을 [터치]하세요.
3 [휴지통]에서 ① [선택하신 사진]을 ② [복원], ③ [삭제]를 하실 수 있습니다.

포토퍼니아(PhotoFunia) 이미지 합성 앱 활용하기

[포토퍼니아] (PhotoFunia) 앱(App)은 :
이미지를 합성하여 멋진 사진 콜라주를 만드는 앱입니다.

· 포토퍼니아는 스마트폰이나 태블릿에서 멋진 이미지를 활용할 수 있습니다.
· 다양한 카테고리별 테마를 제공하고 원하시는 효과를 선택하여, 사진과 합성할 수 있습니다.
· 사용 방법이 매우 간단하여 연령과 관계없이 누구나 쉽게 사용할 수 있습니다.
· 특별하고 독창적으로 빠른 시간안에 놀라운 사진 콜라주를 만들 수 있습니다.
· 이미지를 합성 후 소셜 사이트에 저장하고, 이메일 보내기 또는 친구들과 공유할 수 있습니다.

참고 : 모든 이미지 조작은 클라우드에서 수행되므로 응용 프로그램을 작동하려면 Wi-Fi 연결이 필요합니다.

memo

❶ Play 스토어 또는 앱 스토어에서 [포토퍼니아]를 [검색]하신 후 앱을 [설치]하세요.
❷ 설치하신 [포토퍼니아]를 앱에서 [열기]를 [터치]하여 실행합니다.
❸ 포토퍼니아(PhotoFunia) 첫 화면에서 좌측 상단에 위치한 가이드 메뉴 중 [카테고리] (Categories)를 [터치]하세요.

1 [카테고리] (Categories) [화면]에서 [기타]를 선택하겠습니다.
2 [기타] 화면에서 [라떼 아트]를 [선택]하겠습니다.
3 [라떼 아트]에서 [사진을 선택하십시오]를 [터치]하세요.

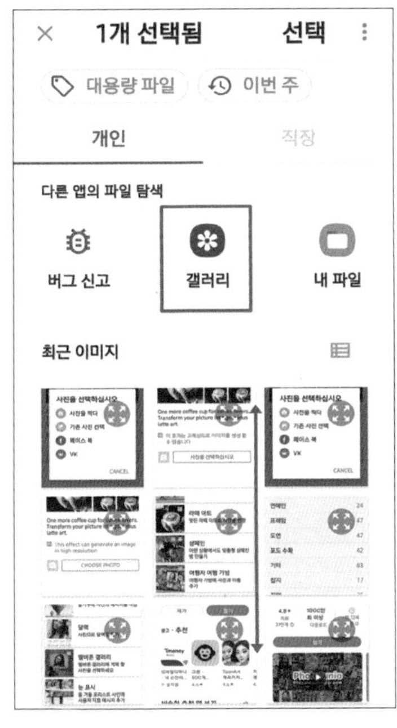

1 [사진을 선택하십시오]에서 원하시는 [자료]를 선택하세요. [기존 사진을 선택] 후 [터치]하겠습니다.
2 선택하신 화면이 나오면 [갤러리]를 [선택]하시고, 원하시는 [사진]을 [선택] 후 [터치]하세요.
3 선택하신 [사진]에서 원하시는 부분을 잘 [선택]하신 후 위 우측에 [확인]을 [터치]하시면 됩니다.

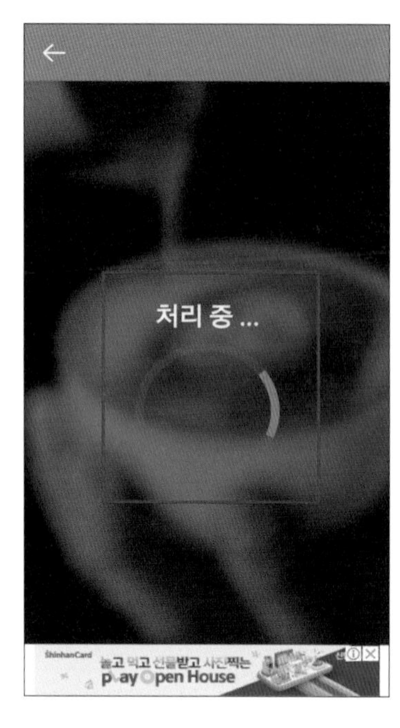

1 합성하고자 하는 사진이 ①에 [첨부]되었는지 확인을 하신 후 ② [확인]을 [터치]하세요.
2 이미지 합성을 하기 위해서 [다운로드] 중입니다.
3 상단에 ① [사이즈]를 [선택] 후 [터치]하시면, 변화된 사진 ②를 보실 수 있습니다. ③ [저장] 아이콘을 [터치]하시면, [갤러리]에 저장이 됩니다. ④ [공유] 아이콘을 [터치]하시면, 여러 곳으로 [공유]를 하실 수 있습니다.

카테고리	
빌보드	61
연예인	24
프레임	47
도면	47
포도 수확	42
기타	83
잡지	17
직업	25
영화 산업	20
TV	8
서적	15

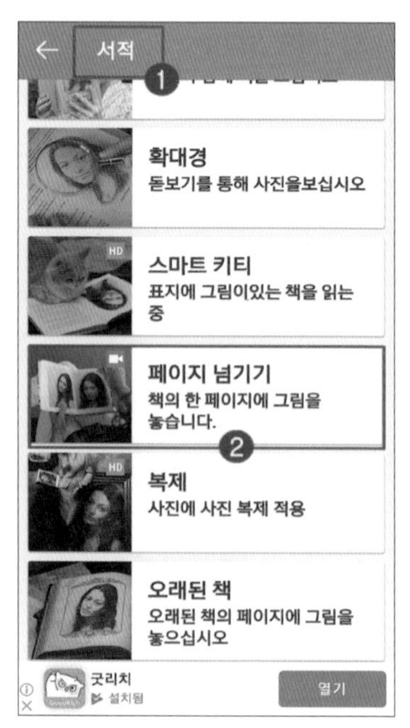

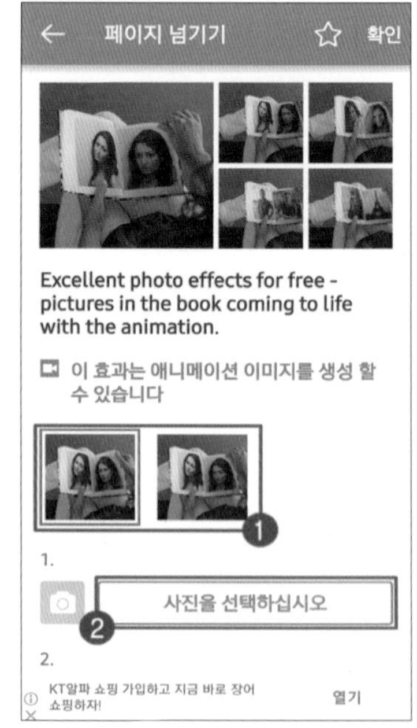

1 ① [카테고리] (Categories) [화면]에서 ② [서적]을 선택하겠습니다.
2 ① [서적] 화면에서 ② [페이지 넘기기]를 [선택]하겠습니다.
3 ① [사진 보시는 방식] 중 하나를 [선택]을 하시고, ② [사진을 선택하십시오]를 [터치]하세요.

1 [사진을 선택하십시오]에서 원하시는 [자료]를 선택하세요. [기존 사진을 선택] 후 [터치]하겠습니다.
2 ① 선택하신 화면이 나오면 원하시는 [사진]을 [선택]하신 후 [터치]하세요.
3 선택하신 [사진]의 원하시는 부분을 잘 [선택]을 하신 후, 위쪽 우측에 [확인]을 [터치]하세요.

1 합성하고자 하는 사진이 ①에 [첨부]되었는지 [확인]을 하신 후 ② [사진을 선택하십시오]를 [터치]하세요.
2 [사진을 선택하십시오]에서 원하시는 [자료]를 선택하세요. [기존 사진을 선택]을 선택하여 [터치]하겠습니다.
3 선택하신 [사진]의 원하시는 부분을 잘 [선택]을 하신 후, 위쪽 우측에 [확인]을 터치하세요.

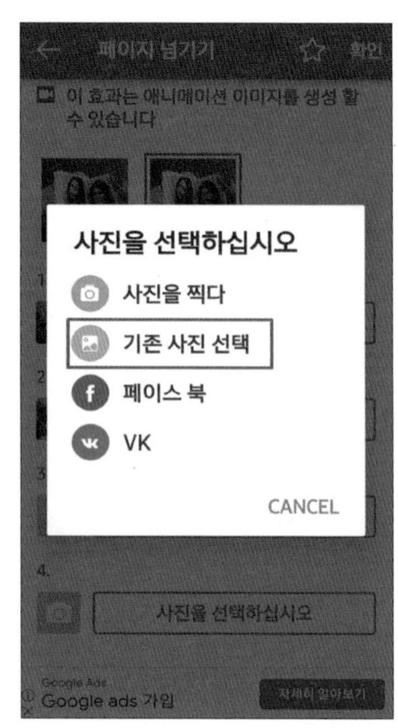

1 두 번째 합성하고자 하는 사진이 ①에 [첨부]되었는지 [확인]을 하신 후 ② [사진을 선택하십시오]를 [터치]하세요.
2 [사진을 선택하십시오]에서 원하시는 [자료]를 선택하세요. [기존 사진을 선택]을 선택하여 [터치]하겠습니다.
3 선택하신 [사진]의 원하시는 부분을 잘 [선택]을 하신 후, 위쪽 우측에 [확인]을 [터치]하세요.

1 세 번째 합성하고자 하는 사진이 ①에 [첨부]되었는지 [확인]을 하신 후 ② [사진을 선택하십시오]를 [터치]하세요.
2 [사진을 선택하십시오]에서 원하시는 [자료]를 선택하세요. [기존 사진을 선택]을 선택하여 [터치]하겠습니다.
3 선택하신 [사진]의 원하시는 부분을 잘 [선택]을 하신 후, 위쪽 우측에 [확인]을 [터치]하세요.

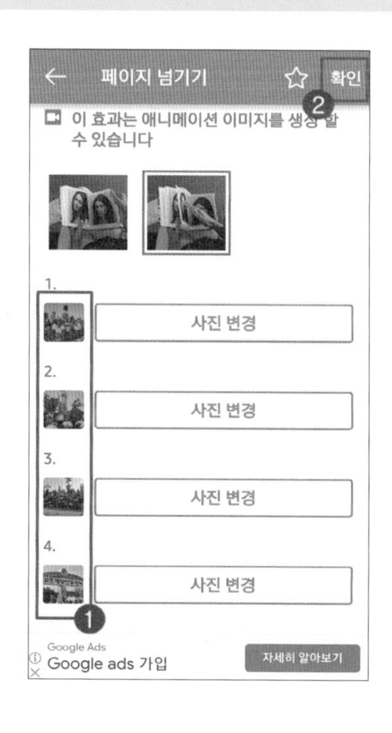

❶ 합성하고자 하는 사진 전체가 ①에 [첨부] 되었는지 확인을 하신 후 ② [확인]을 [터치]하세요.
❷ 이미지 합성을 하기 위해서 [다운로드] 중입니다.
❸ 상단에 [사이즈]를 [선택] 후 [터치]하세요.

❶ 상단에 ① [사이즈]를 [중]으로 선택 후 [터치]하시면, 변화된 사진 ②를 보실 수 있습니다. ③ [저장] 아이콘을 [터치]하시면, [갤러리]에 저장이 됩니다. ④ [공유] 아이콘을 [터치]하겠습니다. ❷ [공유]하실 앱이 나오면, [선택] 하시고 [터치]하신 후 보내시면 됩니다. [카카오톡]을 [선택]하겠습니다. ❸ 받는 분에게 보낼 수 있습니다.

글그램(Geulgram) 카드뉴스 앱 활용하기

나만의 멋진 카드뉴스 만들기를 할 수 있는 앱(App) :
글그램은 사진에 글쓰기 어플로서 감성 글, 사랑 글, 안부 인사, 응원 글,
썸네일 등 다양한 사진 글귀를 만드는 최적화된 어플입니다.

- 글쓰기에 어울리는 아름다운 고품질의 사진 배경을 제공받아 사용할 수 있습니다.
- 글쓰기에 어울리는 무료 한글 글꼴을 제공합니다.
- 글쓰기 후 저작자의 서명을 할 수 있는 작성자의 서명 기능을 제공합니다.
- 나만의 카드뉴스에 다양한 스타일의 날짜 입력 기능을 제공합니다.
- 카드뉴스는 모바일의 가독성을 높이기 위해 이미지 위에 텍스트를 첨부하는 뉴스포맷입니다.

참고 : 글그램에서 제공하는 모든 기능은 무료입니다. 부담 없이 편하게 사용하세요.

memo

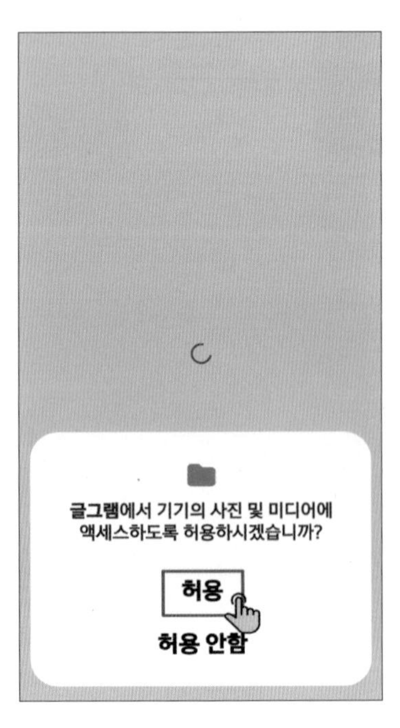

1 Play 스토어에서 [글그램]을 [검색]하신 후 앱을 [설치]하세요.
2 설치하신 [글그램]을 앱에서 [열기]를 [터치]하여 실행합니다.
3 글그램 (Gulgram) 첫 화면이 나오면 [허용]을 [터치]하세요.

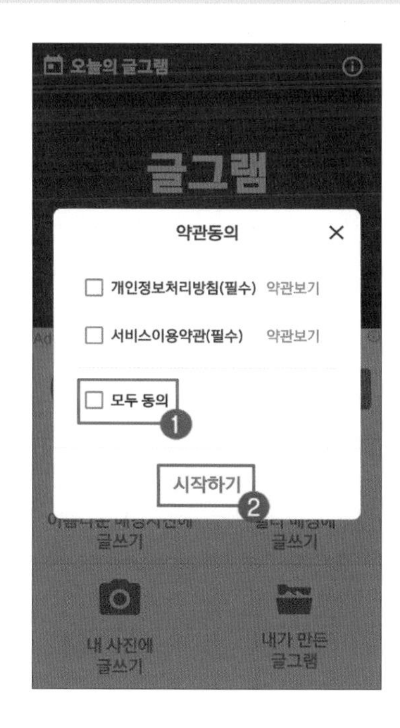

❶ [글그램]을 [약관동의]에 ① [모두 동의]에 [체크]하시고, ② [시작하기]를 [터치]하세요.
❷ ① [아름다운 배경사진에 글쓰기], ② [컬러 배경에 글쓰기], ③ [내 사진에 글쓰기], ④ [내가 만든 글그램]을 편집하거나 공유할 수 있습니다. ❸ [아름다운 배경사진에 글쓰기]를 터치하면, [검색] 아래로 원하시는 배경 화면을 [선택]을 하실 수 있습니다. [인기]를 터치하겠습니다.

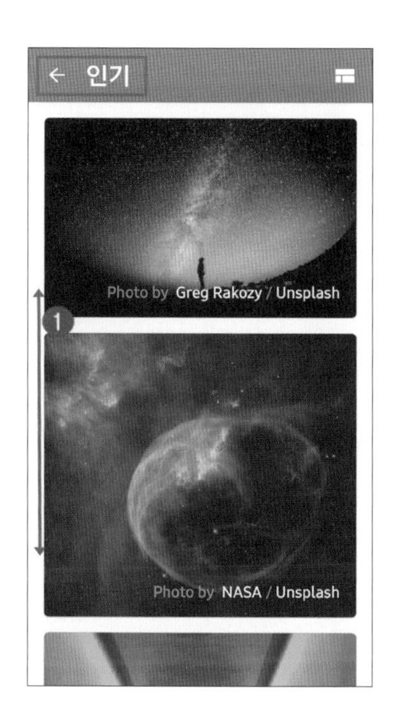

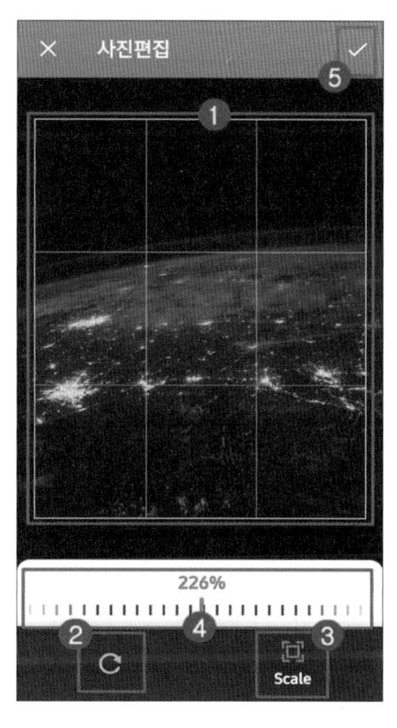

❶ [인기]에서 그림을 ① 위로 밀어 올리면 원하시는 [배경 사진]을 [선택]하실 수 있습니다. ❷ ① [1:1] 정사각형 사진 자르기, ② [4:5] 인스타그램 세로 사이즈 최적화, ③ [사용자 지정] 원하는 사진 사이즈 편집, ④ [다운로드] 스마트폰에 사진 저장하기를 할 수 있습니다. [4:5]를 선택하겠습니다. ❸ ① [사진화면]을 ② [회전 : rotate] 또는 ③ [범위 : scale]을 하실 수 있습니다. ④ 크기 조절을 하신 후 완성이 되었으면, ⑤ [∨]을 [터치]하세요.

1 [터치하여 글자를 입력하세요.]를 [터치]합니다.
2 ① 입력하고자 하는 [글]을 입력하시고, ② [∨] 터치하세요.
3 글의 [스타일]을 선택하기 위해 [스타일]을 [터치]하세요.

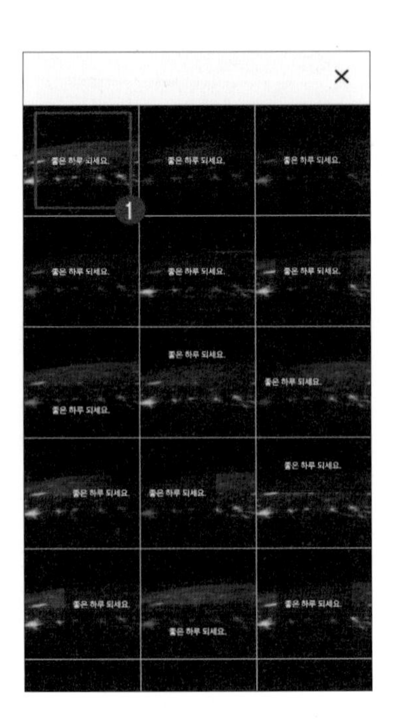

1 배경 사진의 ① [Blur : 희미해지다.] 효과 적용 여부를 결정하시고 ② 스타일의 배경 색상을 선택을 하신 후 ③ [전체보기]를 [터치]하세요. 2 [스타일]을 위로 올려서 ① 원하시는 [스타일]을 선택하신 후 [터치]하세요.
3 글의 글꼴을 선택하기 위해 [글꼴 & 크기]를 [터치]하세요.

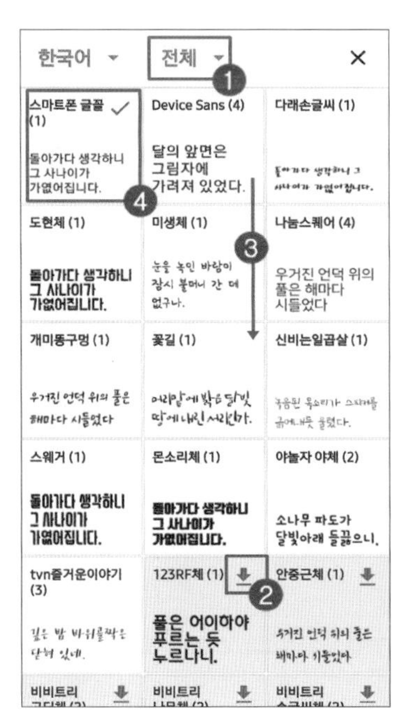

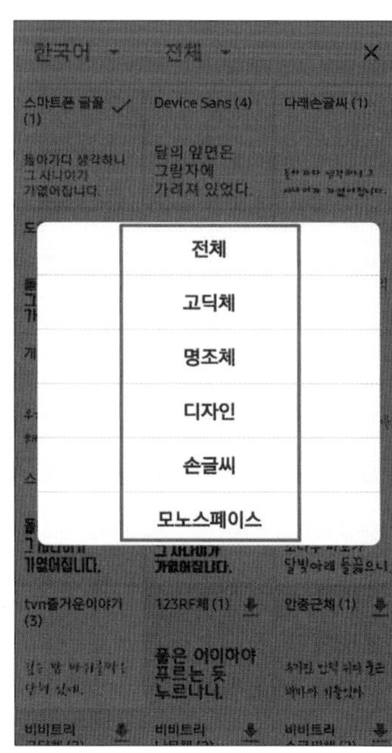

❶ ① 크기 조절을 위해 [드래그]하여 글씨 크기를 조절하신 후, ② [전체보기]를 [터치]하세요.
❷ ① [전체] 화면에서 ② 적용하고자 하는 글꼴을 찾아 [화살표]를 [터치]하여 [다운로드]하시거나 ③ 화면을 위로 올려서 원하시는 [글꼴]을 ④ [선택]하여 [터치]하세요. ❸ [고딕체, 명조체, 디자인, 손글씨, 모노스페이스]를 찾아서 선택할 수도 있습니다.

❶ 글의 글자 색을 선택하기 위해 [글자 색 & 정렬]을 [터치]하세요. ❷ ① [정렬]에서 왼쪽, 가운데, 오른쪽 중에 [선택], [터치]하시고, ② 원하시는 [글자 색]이나 ③ [전체보기]를 [터치]하여 원하시는 [글자 색]을 [선택]하시고, ④ [X]를 [터치]하세요. ❸ 글에 효과를 적용하기 위하여 [글 효과]를 [터치]하세요.

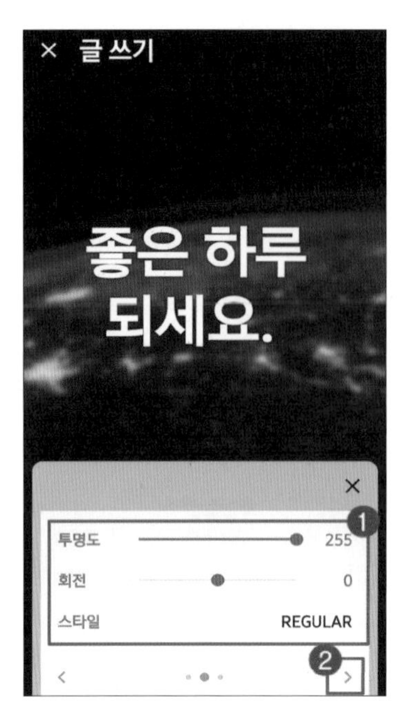

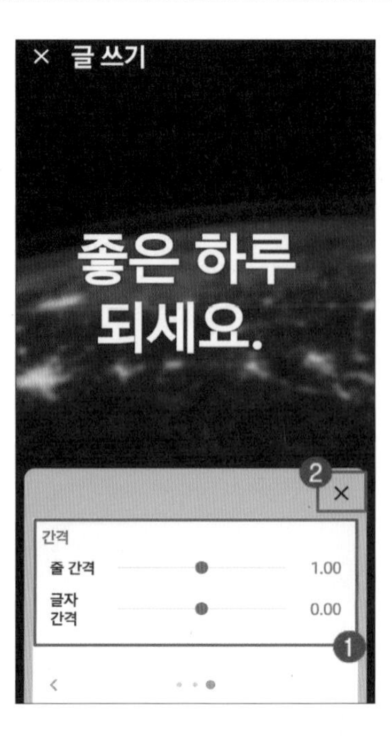

❶ 글에서 ① [그림자]를 적용하기 위해서 [반경, 위치, 색상]을 적용합니다. 글에 다음 효과를 적용하기 위해서 ② [>]을 [터치]합니다. ❷ 글의 투명도, 회전, 스타일을 설정하기 위해서 ① [투명도, 회전, 스타일] 메뉴를 [드래그]하여 설정합니다. 글에 다음 효과를 적용하기 위해서 ② [>]을 [터치]합니다. ❸ 글의 간격을 조절하기 위해 ① [간격]에서 [줄 간격, 글자 간격]을 [드래그]하여 설정합니다. [설정] 완료 후 ② [X]를 [터치]합니다.

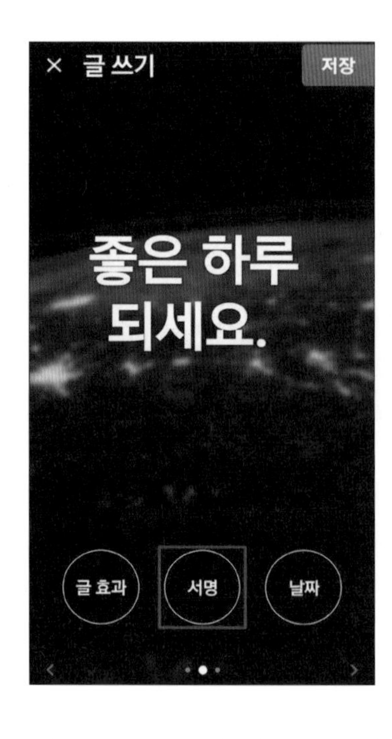

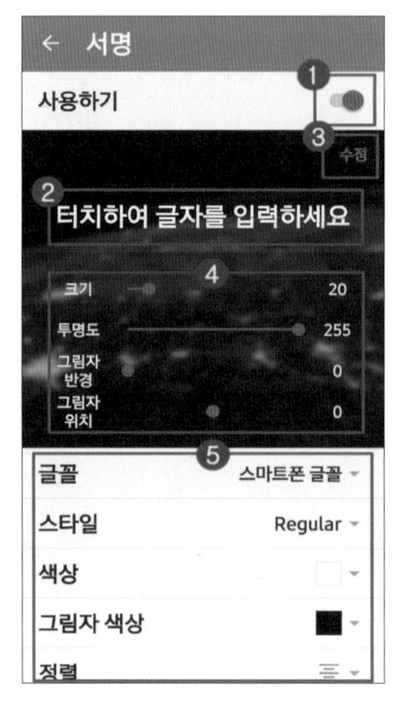

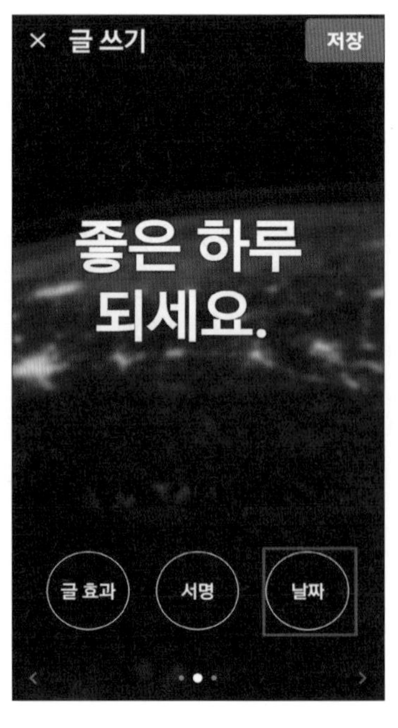

❶ 글의 서명을 하기 위해 [서명]을 [터치]하세요. ❷ ① [사용하기]를 [터치]하시고 ②, ③을 [터치]하여 원하시는 [문구]를 [수정], [입력]합니다. ④ [크기, 투명도, 그림자 반경, 그림자 위치]를 [드래그]하여 선정하시고, ⑤ [크기, 스타일, 색상, 그림자 색상, 정렬]을 선택합니다. ❸ 글의 날짜를 선택하기 위해 [날짜]를 [터치]하세요.

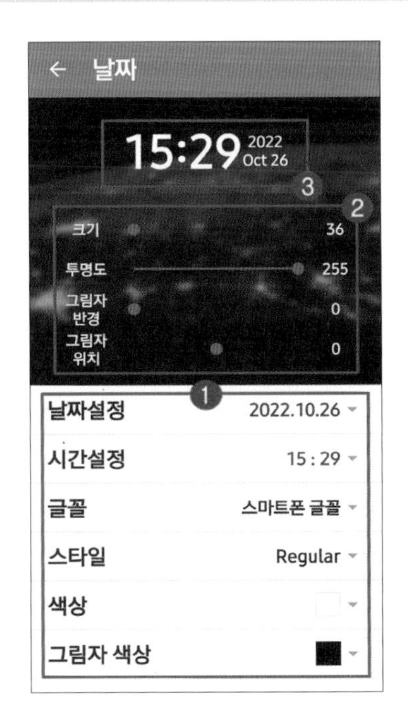

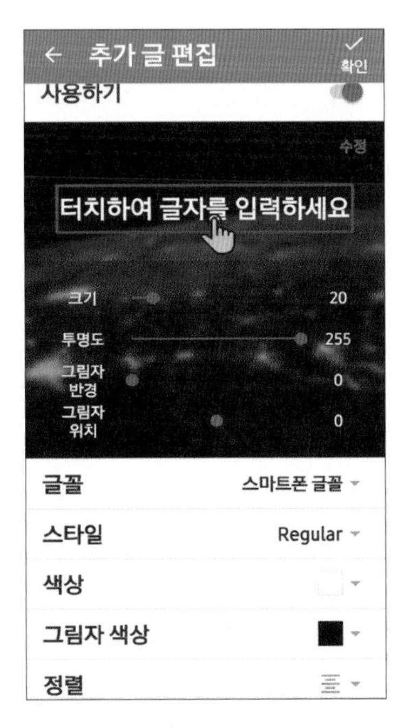

1 날짜와 시간을 선택하기 위해 ① [날짜설정, 시간설정, 글꼴, 스타일, 색상, 그림자 색상]을 [선택]하시고 글의 ② [크기, 투명도, 그림자 반경, 그림자 위치]를 [드래그]하여 [선택]을 하시면, 선택하신 ③ [날짜와 시간]을 나옵니다. 2 글을 추가하기 위해 [글 추가]를 [터치]하세요. 3 사용하기를 [확인]하시고, [터치하여 글자를 입력하세요.]에 추가를 하실 글을 [입력]하세요.

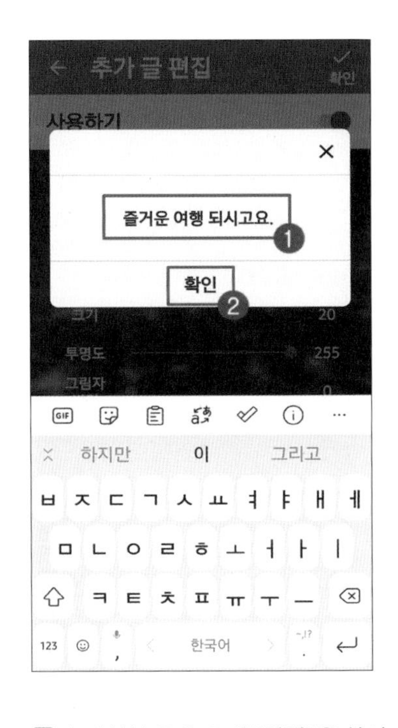

1 추가하실 글을 ①에 [입력]을 하시고, ② [확인]을 [터치]하세요.
2 [저장]을 [터치]하시면 [내가 만든 글그램]에 저장됩니다.
3 [내가 만든 글그램]에서 ① [삭제], ② [편집], ③ [공유]를 하실 수 있습니다. 완성하신 글그램을 ④ [썸네일] 형식으로 보고자 할 때 [터치]하시면 됩니다.

감성공장 카드뉴스 앱 활용하기

캘리그라피(Calligraphy) 합성을 쉽고 간편하게 하여 주는 앱(App) :
감성이 넘치는 사진 편집, 사진 필터 적용, 캘리 색상 변경, SNS 공유 기능을
쉽고 편안하게 사용할 수 있는 앱입니다.
감성공장을 통해 당신의 따뜻한 마음을 글씨로 담아 가족, 친구들에게 마음을 전하세요.

- 본인의 캘리그라피, 그림을 사진에 입혀 감성 넘치는 멋진 작품을 만들 수 있습니다.
- 기본 배경 사진과 캘리그라피 샘플 이미지는 공식 인스타그램 (@factory_managers)에서 제공하여 캡처하여 자유롭게 사용할 수 있습니다. 가입, 로그인, 인터넷 연결 모두 필요 없습니다.
- 갤러리에 저장되어 있는 사진만으로 작품을 만들 수 있습니다.
- 만든 작품들을 SNS로 소중한 사람들과 공유를 하실 수 있습니다.

memo

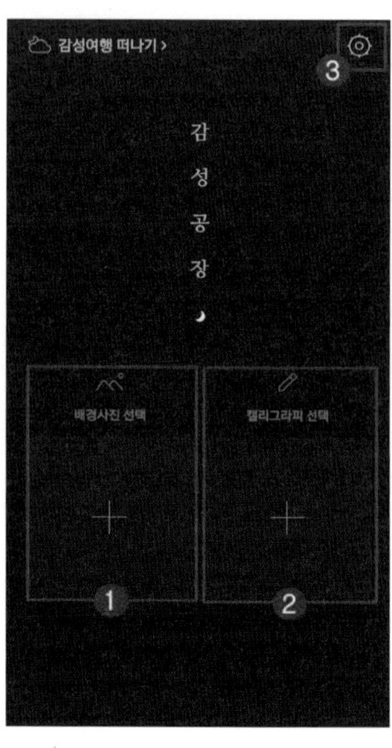

1 Play 스토어 또는 앱 스토어에서 ① [감성공장]을 [검색]하신 후 앱을 ② [설치]하세요.
2 설치하신 ① [감성공장]을 ② [열기]를 [터치]하세요.
3 [감성공장] 첫 화면에 ① [배경사진 선택] ② [캘리그라피 선택], ③ [설정]을 [터치]하세요.

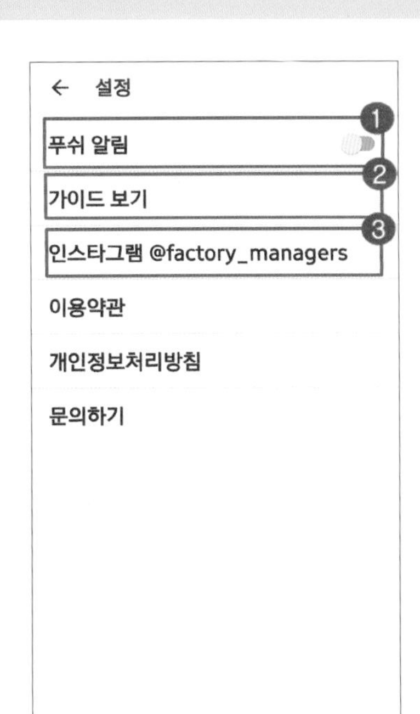

1 설정에서 ① [푸쉬 알림]- 알림을 받으시려면 [켜기]를 하세요. ② [가이드 보기], ③ [인스타그램]입니다. ③ [인스타그램]을 [터치]하세요. 2 감성공장의 완성된 [게시물]을 ① [위로 아래]에서 [감상]을 하시고, 원하시는 [캘리그라피]를 선택 공유할 수 있습니다. 3 [가이드 보기]를 [터치]하시면, 사용 방법 안내를 보실 수 있습니다. 첫 번째 화면 - [배경사진과 그 위에 합성할 캘리사진 선택]이 나옵니다.

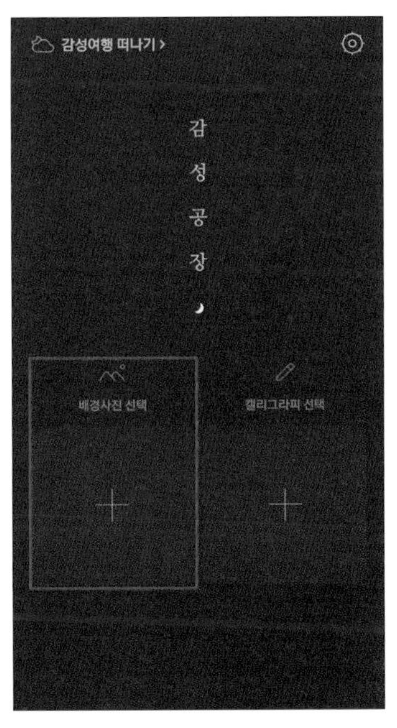

1 두 번째 화면 - [사진들의 필요한 부분만 자르고, 필터를 적용하고, 원하는 색상으로 변경]
2 세 번째 화면 - [손쉽게 완성한 나만의 작품 SNS에 공유하기] 설명을 이해되시면 [나가기]를 [터치]하세요.
3 작업을 시작하겠습니다. [감성여행] 화면에서 [배경사진 선택]을 [터치]하세요.

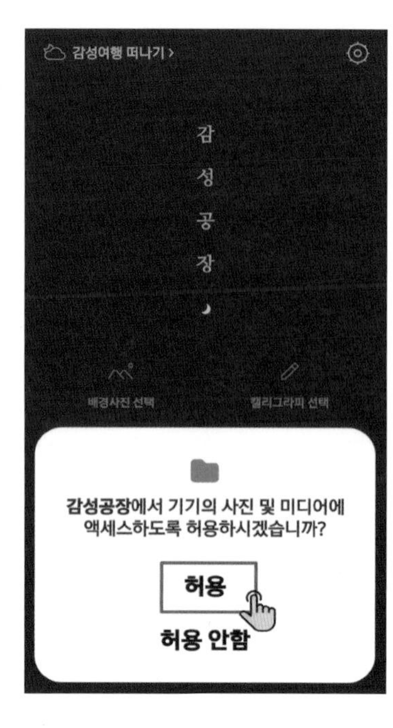

1 [사진 파일을 읽고 쓰기 위해 갤러리에 접근 권한을 요청합니다.] [확인]을 [터치]하세요.
2 [감성공장에서 기기의 사진 및 미디어에 액세스하도록 허용하시겠습니까?], [허용]을 [터치]하세요.
3 [배경사진 선택] ① [다른 앱의 파일 탐색]에서 ② [갤러리]를 [선택] ③ [위, 아래, 좌, 우]에서 [사진]을 [선택] 하시고, [터치]하세요.

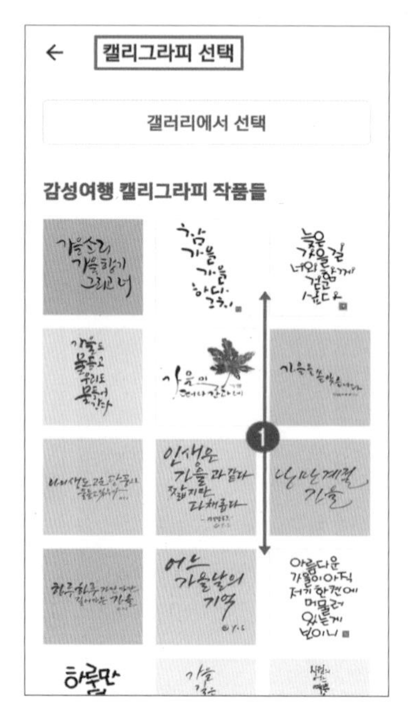

1 선택하신 ① [사진]인지 [확인]하시고, ② [캘리그라피 선택]을 [터치]하세요.
2 [캘리그라피 선택], [감성여행 캘리그라피 작품들]에서 화면을 ① [위, 아래]에서 원하시는 [캘리그라피]를 [선택]을 하시고, [터치]하세요. 3 선택하신 ① [캘리그라피]인지 [확인]하시고, ② [합성하기]를 [터치]를 하세요.

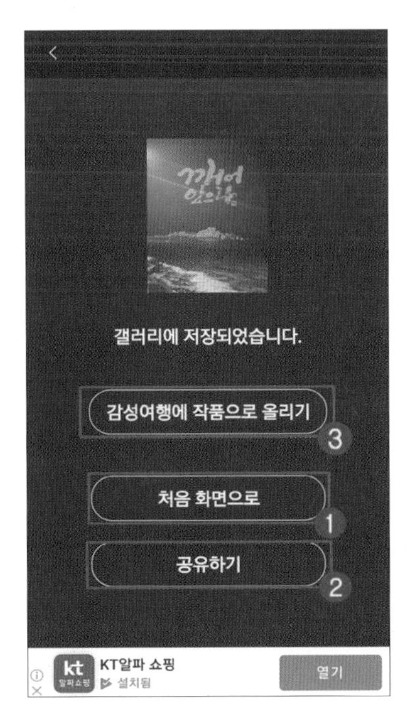

1 ① [캘리그라피]를 두 손가락으로 축소, 확대, 이동 등 사용이 가능하며, ② [자르기, 투명도, 지우개], ③ [원본, 검정, 하양, 컬러, 반전 ON/OFF]를 [터치]로 사용을 할 수 있습니다. ④ [√] 터치하면 [저장]됩니다. 2 갤러리에 저장된 [사진]을 ① [처음 화면으로], ② [공유하기]를 하실 수 있습니다. ③ [감성여행에 작품으로 올리기]를 [선택] 후 [터치]하겠습니다. 3 ① [프로필 등록이 필요해요. 프로필 설정 화면으로 이동합니다.] ② [확인]을 [터치]하세요.

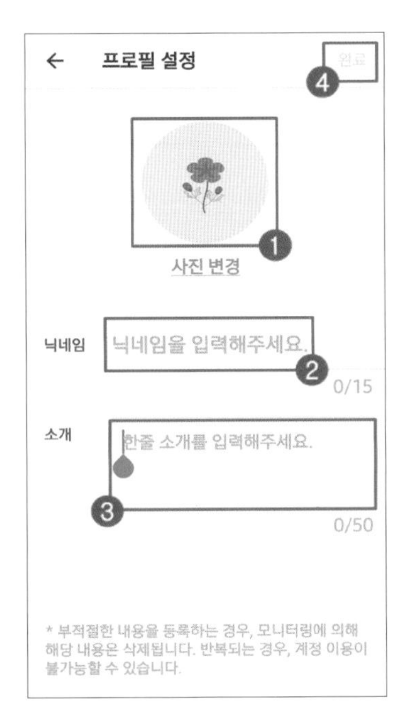

1 프로필 설정에서 ① [사진 변경], ② [닉네임을 입력해 주세요.], ③ [한줄 소개를 입력해 주세요.]를 [입력]하시고, ④ [완료]를 [터치]하세요. 2 ① [완성된 작품]을 확인하시고 ② [완료]를 [터치]하세요.
3 ① [감성여행]에 ② [완성하신 작품] 사진이 올라갑니다.

키네마스터(KINEMASTER) - 동영상 편집기

다양한 종류의 비즈니스 유형에 최적화된 템플릿 라이브러리를 통해 몇 분 만에 프로페셔널 영상을 손쉽게 제작할 수 있습니다. 키네마스터를 다운로드하시고 자신만의 놀라운 영상을 편집하고 공유하세요!

· 홈 화면에서 영상 템플릿을 바로 찾을 수 있도록 개선하였습니다.
· 16가지 새로운 음성 변환기 옵션이 있습니다.
· 제작 화면에서 다중선택을 통해 영상을 정렬할 수 있도록 개선하였습니다.
· 매직 리무버 기능 개선되었습니다.

* **다양한 에셋 (Asset : 유용한 것)** : 효과, 음악, 스티커, 폰트 등 다양한 에셋을 사용을 하실 수 있습니다.

* **템플릿 (Template : 기본 골격) 받기** : 키네마스터 템플릿을 단말기에 저장하여, 내 사진과 비디오를 편집할 수 있습니다.

* **백업 및 공유** : 열심히 편집한 키네마스터 프로젝트를 .Kine 파일로 저장하고 친구에게 공유할 수 있습니다.

* **블렌딩 (Blending : 융합) 모드** : 동영상과 이미지에 마법 같은 효과를 적용할 수 있는 여덟 개의 블렌딩 옵션을 제공합니다.

* **리버스(Reverse)** : 리버스 기능을 이용해서 동영상의 시간을 쉽게 돌릴 수 있습니다.

* **크로마-키 (Chroma-key : 영상 촬영 시 화면 합성 기술)** : 크로마-키 기능과 함께 알파 마스크, 프리뷰, 미세 조정 기능까지 제공을 합니다.

* **고화질** : 하이엔드 카메라로 촬영된 동영상을 편집하여 4K 해상도의 60fps로 내보내기를 할 수 있습니다.

* **비디오 레이어** : 동시에 여러 개의 동영상을 재생할 수 있습니다. 기기 성능과 동영상 해상도에 따라 최대 9개의 동영상을 레이어로 추가할 수 있습니다.

[서비스 접근 권한 안내]

*** 선택 접근 권한 - 파일 및 미디어, 마이크, 카메라의 사용 및 편집을 위한 접근 권한은 해당 기능을 사용할 때 허용이 필요하며, 비허용 시에도 해당 기능 외 서비스 이용이 가능합니다.**

- 키네마스터 시작하기

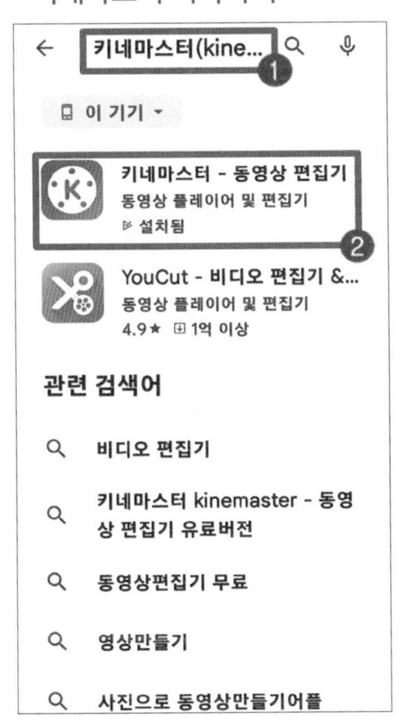

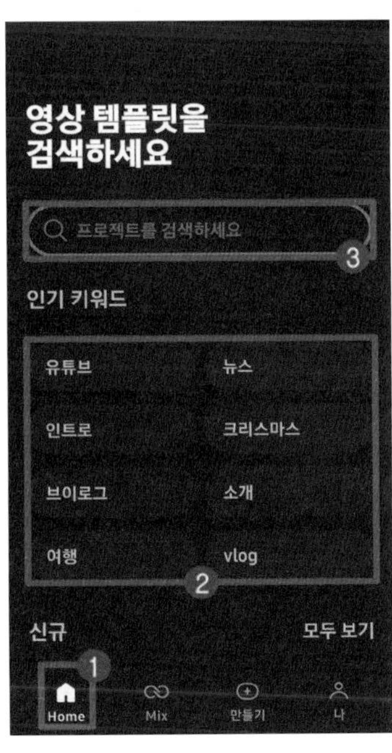

❶ Play 스토어 또는 앱 스토어에서 ① [키네마스터]를 [검색]하신 후 ② [검색하신 앱]을 [터치]하세요. ❷ 설치하신 [키네마스터]를 앱에서 [열기]를 [터치]하세요. ❸ [키네마스터] ① [홈]에서 [인기 키워드] 중 ② [유튜브, 인트로, 브이로그, 여행, 뉴스, 크리스마스, 소개, vlog]에서 [선택] 또는 ③ [검색]에서 사용을 하실 [키워드]를 [입력]하시어 [선택]을 하세요.

❶ ① [선택한 키워드]에서 ② [아래로 내리기]를 하시면, 여러 [동영상]에서 ③ [동영상]을 [선택]하세요. ❷ 선택한 동영상을 ① [좋아요, 댓글, 공유]를 하실 수 있습니다. ② [Mix]를 [터치]하여 [동영상]을 [다운로드]를 하여 사용하실 수 있습니다. ❸ 모든 기능을 사용하시기 전에 ① [회원가입] 또는 ② [Google, Apple로 계속하기]를 [선택]하세요. 회원가입하신 분은 ③ [이메일로 로그인]을 [터치]하세요.

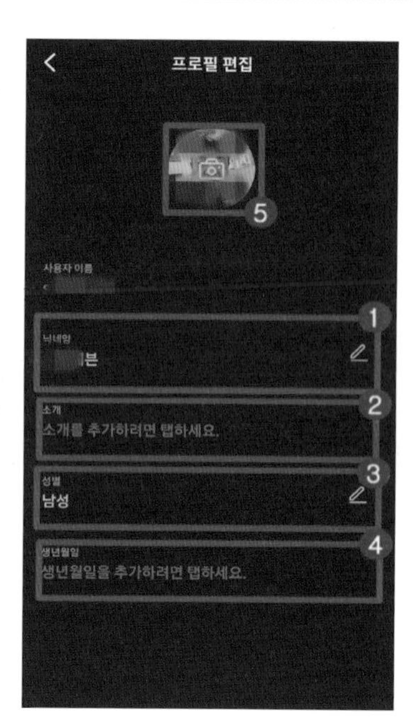

1 ① [이메일] 주소, ② [비밀번호]를 [입력]하세요. ③ [로그인]을 [터치]하세요.
2 [키네마스터] ① [나]에서 ② [프로필 편집]을 [터치]하세요. 3 프로필 편집에서 ① [닉네임], ② [소개], ③ [성별], ④ [생년월일], ⑤ [프로필 사진]을 [선택, 수정, 입력]하시어 사용하실 수 있습니다.

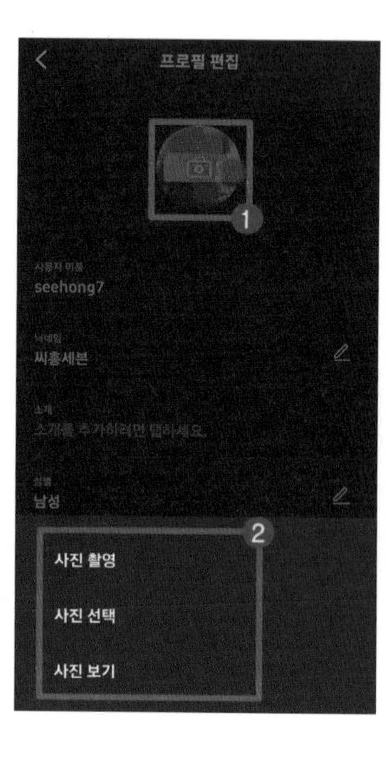

1 [프로필 편집]에서 ① [사진]을 [터치]하시면, ② [사진 촬영, 사진 선택, 사진 보기] 중에서 [선택]하여 사용하실 수 있습니다. 2 ① [만들기]에서 ② [왕관], ③ [새 프로젝트]를 [터치]하겠습니다.
3 [왕관]을 [터치]하시면, [키네마스터 프리미엄] 가입 조건이 나옵니다. 가입을 안 하시려면, ① [X]를 [선택]하세요. ② [구독]을 하시면, ③ [워터마크 제거, 광고 제거, 무제한 프리미엄 에셋 이용] 혜택이 있습니다.

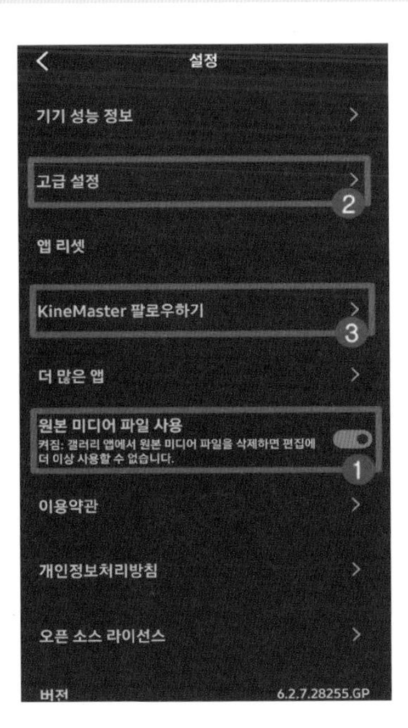

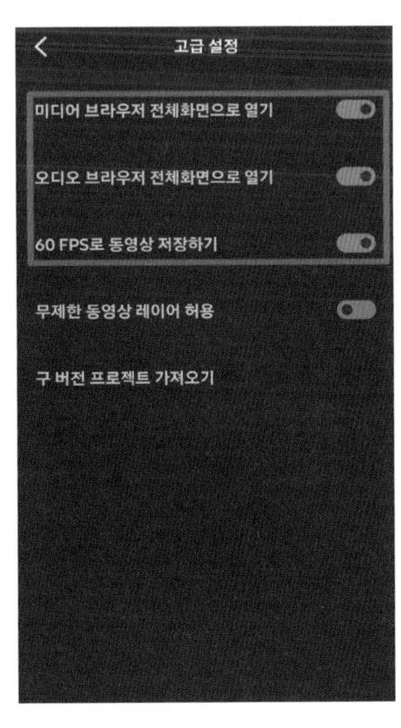

❶ [만들기]에서 ① [동영상 보기, 자주 하는 질문, 새로운 소식]을 [터치]하시어 사용을 하실 수 있습니다. ② [설정]을 [터치]합니다. ❷ [설정]에서 ① [원본 미디어 파일 사용]을 활성화합니다. ② [고급 설정], ③ [키네마스터 팔로우하기]를 [터치]하시어 사용하실 수 있습니다. ❸ [고급 설정]에서 [미디어 브라우저 전체화면으로 열기, 오디오 브라우저 전체화면으로 열기, 60 FPS로 동영상 저장하기] 등을 [선택]하시어 활성화하여 사용하실 수 있습니다.

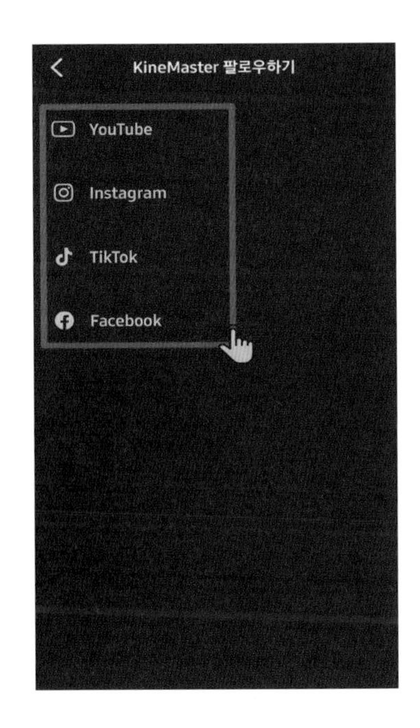

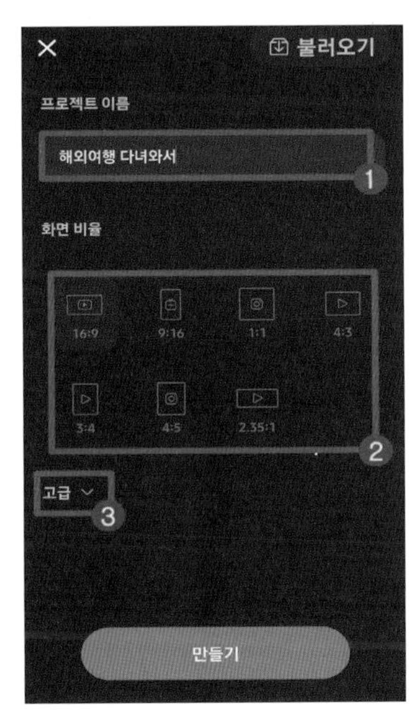

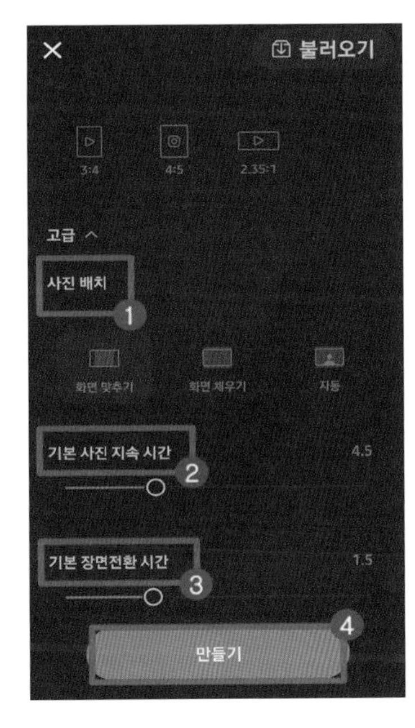

❶ [키네마스터 팔로우하기]에서 [유튜브, 인스타그램, 틱톡, 페이스북]을 [터치]하시어 [팔로우]를 하실 수 있습니다. ❷ [새 프로젝트]의 프로젝트 이름을 ① [입력]을 하세요. 화면 비율에서 ② [화면 비율을 선택]하세요. ③ [고급]을 [터치] 합니다. ❸ [고급]에서 ① [사진 배치 – 화면 맞추기, 화면 채우기, 자동] 중 선택을 하세요. ② [기본 사진 지속 시간], ③ [기본 정면전환 시간]을 [조정]하시어 사용하실 수 있습니다. ④ [만들기]를 [터치]하세요.

- 키네마스터 에셋 스토어

화면 비율 선택 메뉴		1 : 1	인스타그램, 페이스북
16 : 9	유튜브 등 (가장 많이 사용 중)	4 : 3	아날로그 시대 화면 비율
9 : 16	유튜브, 인스타그램, 틱톡	3 : 4	아날로그 세로 영상 화면 비율
4 : 5	인스타그램 세로 영상 화면 비율	2.35 : 1	시네마스코프 영화 스크린 화면

[미디어 브라우저] ① [위치 변경 / 앨범 묶음, 사진, 동영상], ② [에셋 스토어], ③ [나가기]입니다.
② [에셋 스토어]를 [터치]를 하겠습니다.

[키네마스터 에셋 스토어]에서 [사진, 음원 등]을 [다운로드] 시 무료, 프리미엄 (유료)입니다.

[키네마스터 에셋 스토어] ① [하우스]에서 ② [위, 아래, 좌, 우]에서 [사진, 그림 등]을
[선택]하시고 [터치]하세요. [다운로드]를 [터치]하시면 [저장]하여 사용을 하실 수 있습니다.

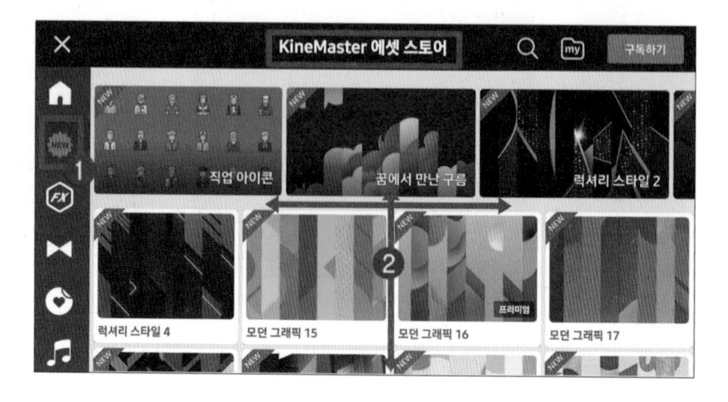

[키네마스터 에셋 스토어] ① [새로운 에셋]에서 ② [위, 아래, 좌, 우]에서
[사진, 그림 등]을 [선택]하시고 [터치]하세요. [다운로드]하여 사용하실 수 있습니다.

<장르>
예술적
블러
컬러
왜곡

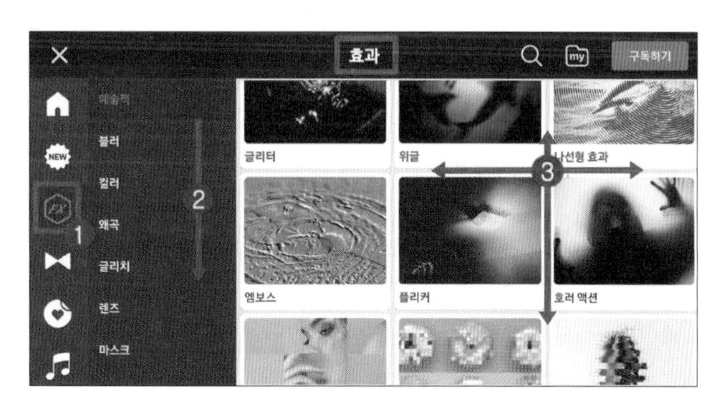

글리치
렌즈
마스크
노이즈
변형

[화면 효과] ① [효과]에서 ② [아래로 내리기]를 하여 [장르]를 선택하시고, [장르]에서
③ [위, 아래, 좌, 우]에서 [사진, 그림 등]을 [선택]하시고 [터치]하세요. [다운로드]하여 사용하실 수 있습니다.

<장르>
3D
액션
아날로그
컬러

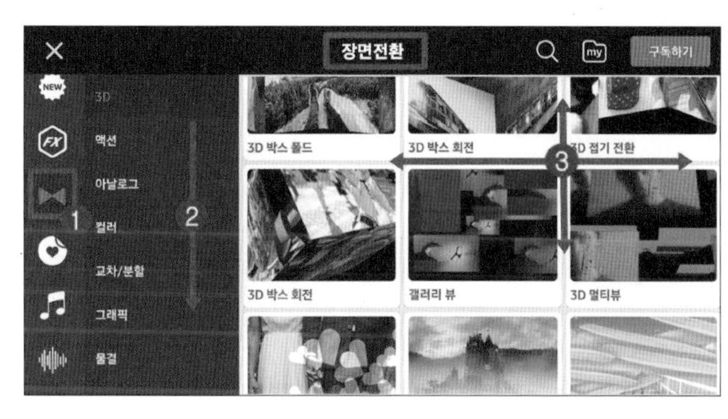

교차 / 분할
그래픽
물결
픽셀
슬라이드

[장면전환] ① [장면전환]에서 ② [아래로 내리기]를 하여 [장르]를 선택하시고 [장르]에서
③ [위, 아래, 좌, 우]에서 [사진, 그림 등]을 [선택]하시고 [터치]하세요. [다운로드]하여 사용하실 수 있습니다.

텍스트
모션
액션
기념일
꾸미기
프레임
사랑

아이콘
라인 드로잉
리액션
여행 & 레저
계절
특수효과
텍스트 라벨

[스티커] ① [스티커]에서 ② [아래로 내리기]를 하여 [장르]를 선택하시고, [장르]에서
③ [위, 아래, 좌, 우]에서 [사진, 그림 등]을 [선택]하시고 [터치]하세요. [다운로드]하여 사용하실 수 있습니다.

월드
아티스트
어쿠스틱
어린이, OST
클래식, 댄스
EDM
일렉트로니카

힙합, 캐롤
재즈 / 블루스
Lo-Fi
뉴에이지
팝
알앤비 / 소울
락, 테마

[음악] ① [음악]에서 ② [아래로 내리기]를 하여 [장르]를 선택하시고, [장르]에서
③ [아래로 내리기]에서 [음원]을 [선택]하세요. ④ [다운로드]하여 사용하실 수 있습니다.

<장르>
앰비언스
관중 반응, 자동차
만화 & 재미
문, 판타지 필름
발자국, 일반
기타 악센트, 쿵

휘익, 도서관
기계 & 도구
음악 효과
때리기 & 부수기
스포츠, 천둥
TV & 전자제품
성우, 물

[효과음] ① [효과음]에서 ② [아래로 내리기]를 하여 [장르]를 선택하시고,
[장르]에서 ③ [아래로 내리기]에서 [효과 음원]을 [선택]하세요. ④ [다운로드]하여 사용을 하실 수 있습니다.

<장르>
애니메이션
기념일,
시네 마틱
그런지
인트로
모던 / 심플

프로모션
레트로
로맨틱
스타일리시
밀리터리
여행

[클립 그래픽] ① [클립 그래픽]에서 ② [아래로 내리기]를 하여 [장르]를 선택하시고, [장르]에서
③ [위, 아래, 좌, 우]에서 [사진, 그림 등]을 [선택]하시어 [터치]하세요. [다운로드]하여 사용하실 수 있습니다.

<장르>
3D 배경
매직 오버레이
그래픽 배경
크로마키

인트로
소셜
여행 & 풍경
특수 효과
혼합 배경

[비디오] ① [비디오]에서 ② [아래로 내리기]를 하여 [장르]를 선택하시고, [장르]에서
③ [위, 아래, 좌, 우]에서 [사진, 그림 등]을 [선택]하시어 [터치]하세요. [다운로드]하여 사용하실 수 있습니다.

<장르>
기업
교육
일러스트
패턴
심플

[이미지] ① [이미지]에서 ② [아래로 내리기]를 하여 [장르]를 선택하시고, [장르]에서
③ [위, 아래, 좌, 우]에서 [사진, 그림 등]을 [선택]하시어 [터치]하세요. [다운로드]하여 사용하실 수 있습니다.

<장르>
고딕체
명조체
디스플레이
필기체
한국어
일본어
아랍어
중국어 (간체)
중국어 (번체)
태국어

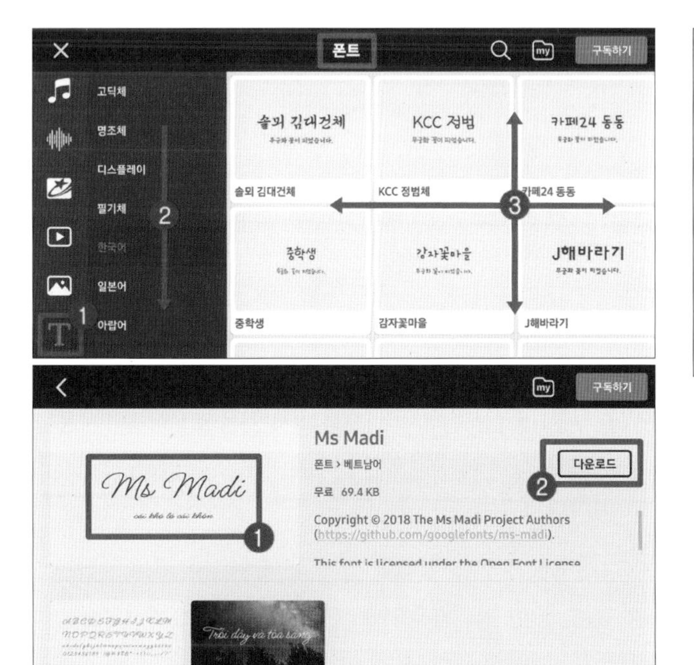

타밀어
데바나가리 문자
크메르어
키릴 문자
베트남어
말라얄람어
우르두어
텔루구어
뱅골어
칸나다어

[폰트 (글꼴)] 1 ① [폰트]에서 ② [아래로 내리기]를 하여 [장르]를 선택하시고,
[장르]에서 ③ [위, 아래, 좌, 우]에서 [폰트]를 [선택]하여 [터치]하세요.
2 ① [선택]하신 [폰트]를 ② [다운로드]를 [터치]하세요. [저장]하여 사용하실 수 있습니다.

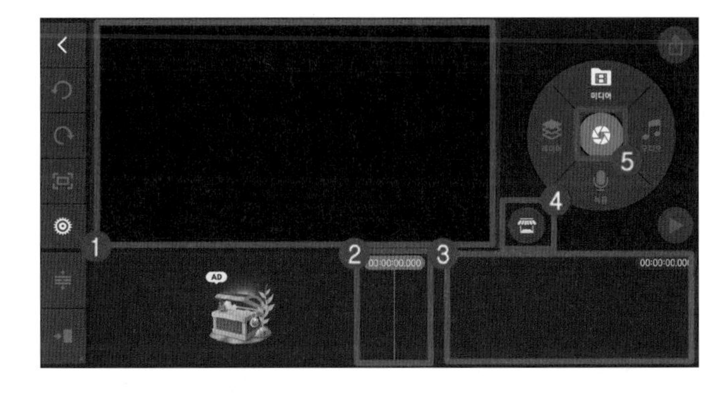

[프로젝트 편집 화면] ① [미리보기 화면], ② [플레이 헤드], ③ [타임라인 패널],
④ [에셋 스토어]입니다. ⑤ [촬영하기]를 터치하겠습니다.

① [사진 촬영] ② [동영상 촬영]을 [터치]하시면 바로 [촬영]을 하실 수 있습니다.
③ [다시 돌아가기]를 [터치]하시면, [프로젝트 편집 화면]이 나옵니다. ④ [속성 설정]을 [터치]하세요.

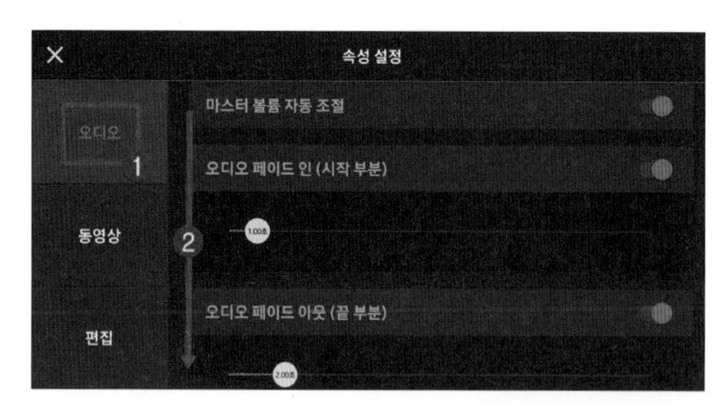

[속성 설정] ① [오디오]에서 ② [마스터 볼륨 자동 조절], [오디오 페이드 인 (시작 부분)],
[오디오 페이드 아웃 (끝 부분)]을 [선택]하시어 [볼륨과 시간]을 조절하시어 사용을 하실 수 있습니다.

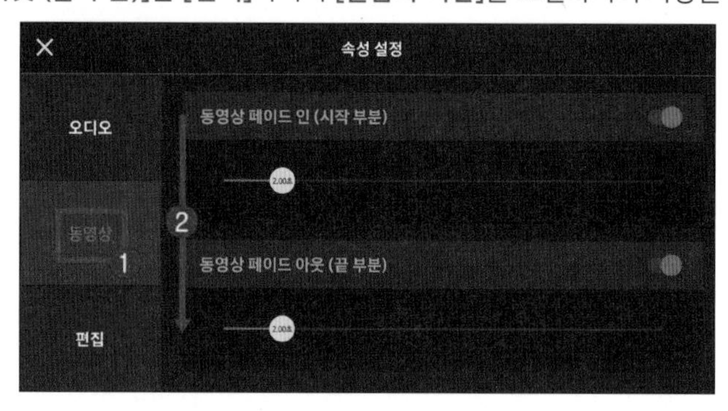

[속성 설정] ① [동영상]에서 ② [동영상 페이드 인 (시작 부분)],
[동영상 페이드 아웃 (끝 부분)]을 [선택]하시어 [시간]을 조절하시어 사용을 하실 수 있습니다.

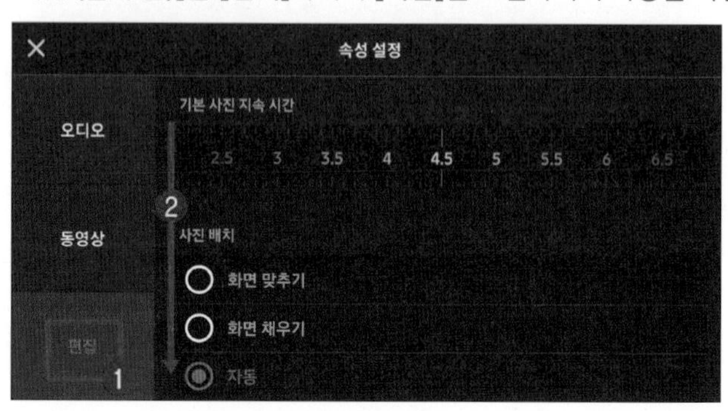

[속성 설정] ① [편집]에서 ② [기본 사진 지속 시간]을 [시간]을 조절하시어 사용을 하실 수 있습니다.
[사진 배치]에서 [화면 맞추기, 화면 채우기, 자동] 중에서 [선택]을 하신 후 [터치]하여 사용을 하세요.

액션 바구성

① 초기 화면으로 이동
② 실행 취소
③ 다시 실행
④ 캡처 후 저장 캡처 후 클립, 레이어로 추가
⑤ 속성 설정 (프로젝트 설정) 오디오, 비디오 편집
⑥ 타임라인 확장 및 축소
⑦ 건너뛰기 (맨 앞 또는 맨 뒤) 프로젝트 편집 창에서 클립을 앞뒤로 이동

미디어 패널 구성

① 사진이나 동영상 선택하여 추가
② 미디어에 추가하여 겹쳐지는 효과 (PIP) 미디어, 효과, 스티커, 텍스트, 손글씨
③ 음성 녹음
④ 오디오 삽입 (오디오, 브라우저) 음악 에셋, 효과음 에셋, 녹음, 곡 앨범 추가
⑤ 내보내기 (프로젝트 편집 끝난 후 동영상으로 저장, 공유)
⑥ 에셋 스토어 (사진, 그림, 음원, 글자체 다운받기)
⑦ 미리보기 재생
⑧ 촬영 (사진, 비디오)

미디어 - 레이어

[미디어 브라우저]에서 [이미지 에셋, 동영상 에셋, 즐겨찾기 등] 중 ① [위, 아래, 좌, 우]에서 [선택]하시어 [터치]하시어 사용하실 수 있습니다. ② [이미지 에셋]을 [터치]하겠습니다.

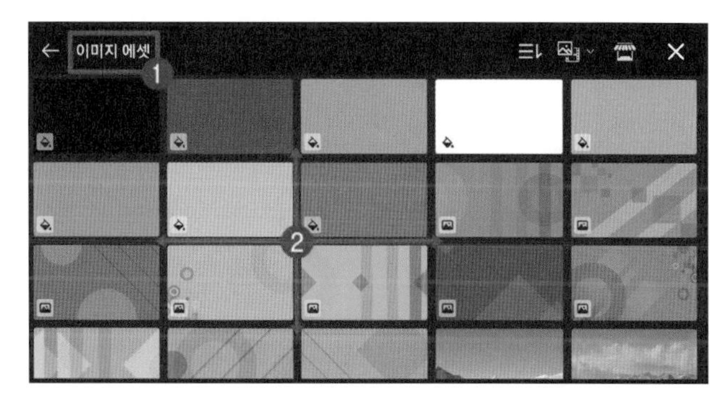

① [이미지 에셋]에서 ② [위, 아래, 좌, 우]에서 사용을 하실 [그림]을 [선택]하시어 [터치]하세요.

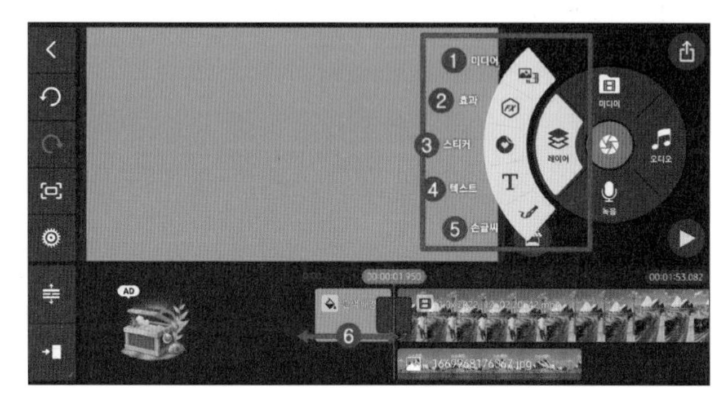

[레이어]에서 ① [미디어], ② [효과], ③ [스티커], ④ [텍스트], ⑤ [손글씨] 중에서 사용을 하실 기능을 [선택]하시어 [터치]하세요. 손가락을 이용하여 ⑥ [미디어]의 길이를 조절하시어 사용을 할 수 있습니다.

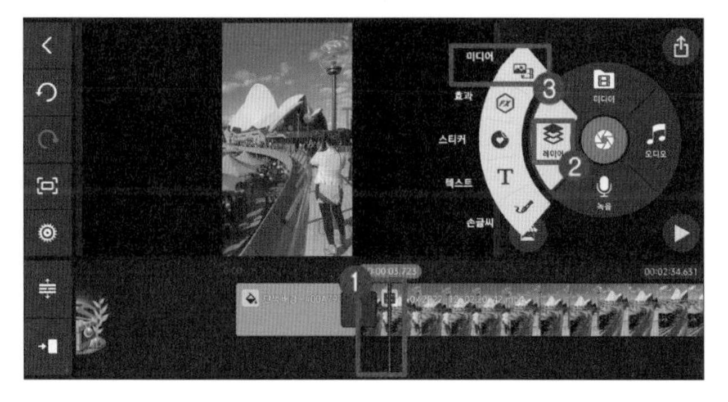

[다운받은 동영상, 사진]에서 ① [동영상 사진]을 [선택]을 하시고,
② [레이어]에서 ③ [미디어]를 [터치]하겠습니다.

[미디어 브라우저]에서 ① [위, 아래, 좌, 우]에서 ② [사진]을 [선택]하시고 [터치]를 하세요.

<기능>
인 애니메이션
애니메이션
아웃 애니메이션
크롭
회전 / 미러링

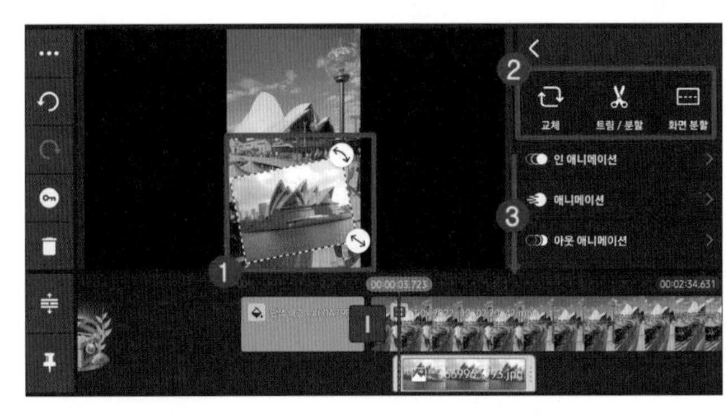

필터
조정
알파 (불투명도)
혼합
크로마키
매직 리무버

동영상 안에 ① [사진]을 크기조정, 360도 회전을 사용을 하실 수 있습니다. ② [교체, 트림/분할, 화면 분할], ③ [인 애니메이션, 애니메이션 … 등]을 [터치]하시어 [기능]을 사용하실 수 있습니다.

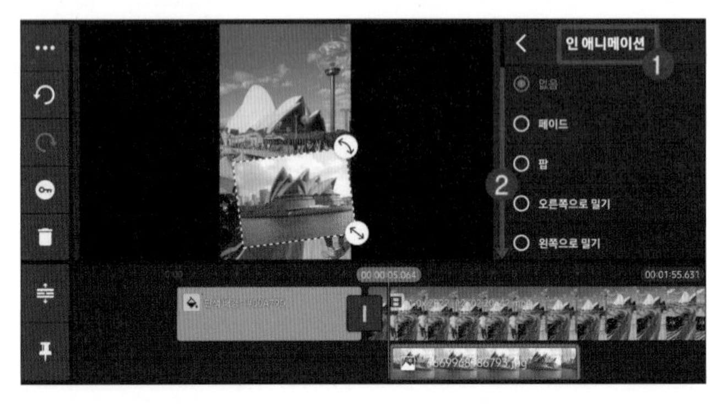

인 애니메이션 ① [인 애니메이션]에서 ② [없음, 페이드, 팝, 오른쪽으로 밀기, 왼쪽으로 밀기, 위로 밀기, 아래로 밀기, 시계방향, 반시계 방향 … 등 총 26가지]를 시행을 하실 수 있습니다.

애니메이션 ① [애니메이션]에서 ② [없음, 느리게 깜박이기, 점멸, 펄스, 진동, 분수, 회전, 플로팅, 드리프링, 댄싱, 비 내림 효과… 등 총 13가지]를 시행을 하실 수 있습니다.

아웃 애니메이션 ① [아웃 애니메이션]에서 ② [없음, 페이드, 팝, 오른쪽으로 밀기, 왼쪽으로 밀기, 위로밀기, 아래로 밀기, 시계방향, 반시계방향 등 총23가지]를 시행을 하실 수 있습니다.

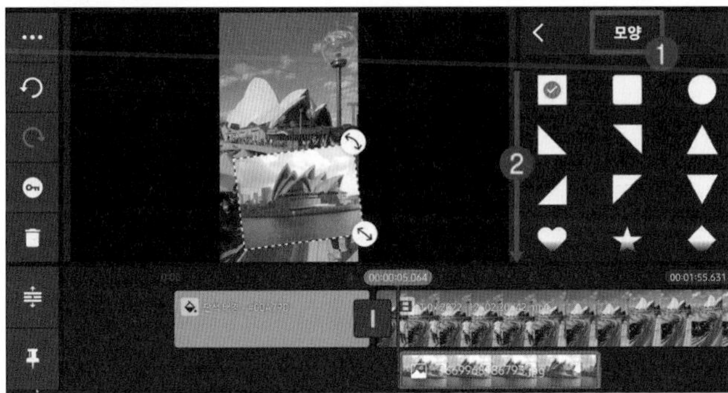

크롭 1 ① [크롭]에서 ② [마스크]를 [켜시고] ③ [모양], ④ [페더]를 [0~50]까지 [조절]하시어 사용을 하실 수 있습니다. ③ [모양]을 [터치]하세요. 2 ① [모양]에서 ② [아래로 내리기]를 하시면 여러 종류의 모양이 나옵니다. 사용을 하실 [모양]을 [선택]을 하시어 [사진]의 [모양]을 변경하시어 사용을 하실 수 있습니다.

회전/미러링 ① [회전/미러링]에서 [사진]을 ② [좌에서 우로, 우에서 좌로] 이동하여, ③ [좌측으로, 우측으로] 회전을 하여 [변경] 사용하실 수 있습니다.

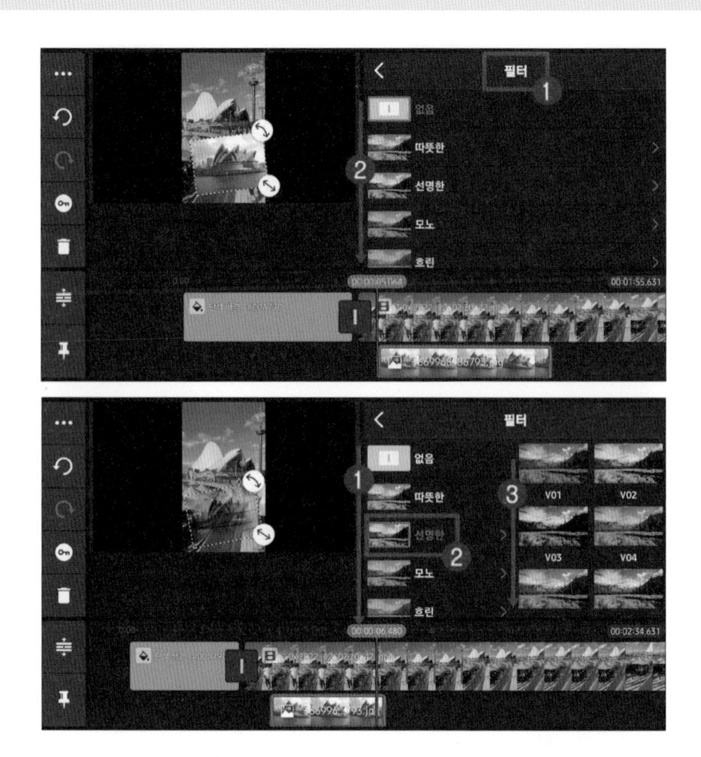

필터 1 ① [필터]에서 ② [여러 종류의 장르] 중 [선택]을 하세요. 2 ① [여러 종류의 장르] 중 ② [선명한]을 선택을 하겠습니다. ③ [아래로 내리기]에서 여러 종류의 색상의 [사진] 중에서 [선택]하시어 사용을 하실 수 있습니다.

조정 ① [조정]에서 ② [밝기, 대비, 채도, 활기, 온도, 하이라이트, 그림자, 게인, 감마, 리프트, 색조]를 ③ [-180 / -100 ~ 0 ~ 100 / 180]으로 [좌, 우]로 [조절]을 하시어 [선택]하신 후 [전체 적용하기] 또는 [초기화]를 [터치]하시어 사용하실 수 있습니다.

알파 (불투명도) ① [알파 (불투명도)]에서 ② [위, 아래]로 [조절]을 하시어 사용하실 수 있습니다.

혼합 ① [혼합]에서 ② [보통, 오버레이, 곱하기, 스크린, 소프트 라이트, 하드 라이트, 밝게, 어둡게, 색상 번] 중 [선택]을 하시고, [불투명도]를 ③ [좌, 우]로 [조절]하시어 사용하실 수 있습니다.

크로마키 ① [크로마키]를 사용하려면, [적용]을 ② [켜기]를 하세요. 사진의 ③ [비율 조정], ④ [키 색상], ⑤ [미세조정], ⑥ [마스크 모드]를 [조절, 터치]하시어 사용하실 수 있습니다.

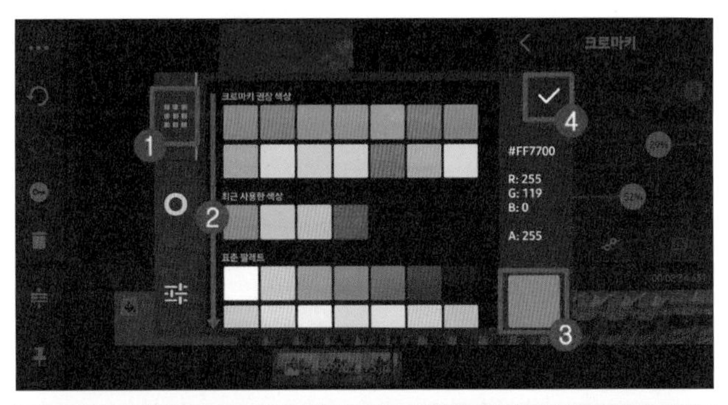

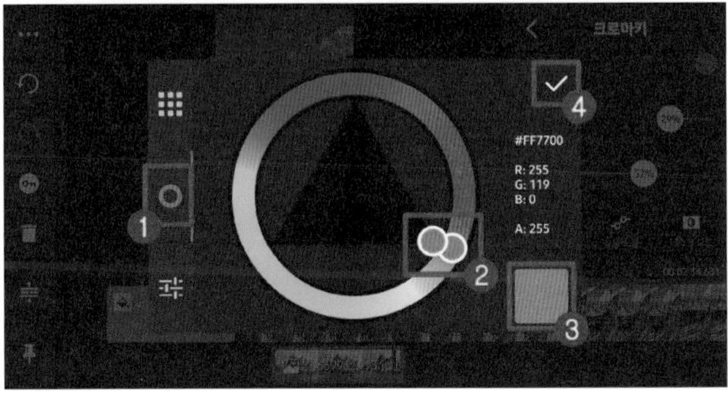

[키 색상] 1 ① [가로, 세로 배열]에서 ② [크로마키 권장 색상, 최근 사용한 색상, 표준 팔레트] 중에서 사용하실 색상을 [선택]을 하세요. ③ [선택한 색상]을 [확인]하시고, ④ [체크]를 [터치]하세요.
2 ① [원형 배열]에서 ② [원형 아이콘 2개]를 사용을 하실 [색상]으로 이동하시어 [선택]을 하세요. ③ [선택한 색상]을 [확인]하시고, ④ [체크]를 [터치]하세요.

R : red
G : green
B : blue

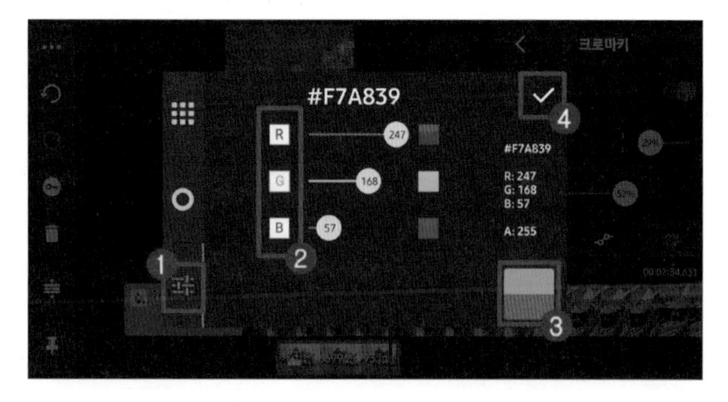

키 색상 ① [RGB 배열]에서 ② [R, G, B]에서 0 – 255까지 [조절]을 하시어 [선택]을 하세요. ③ [선택한 색상]을 [확인]하시고, ④ [체크]를 [터치]하세요.

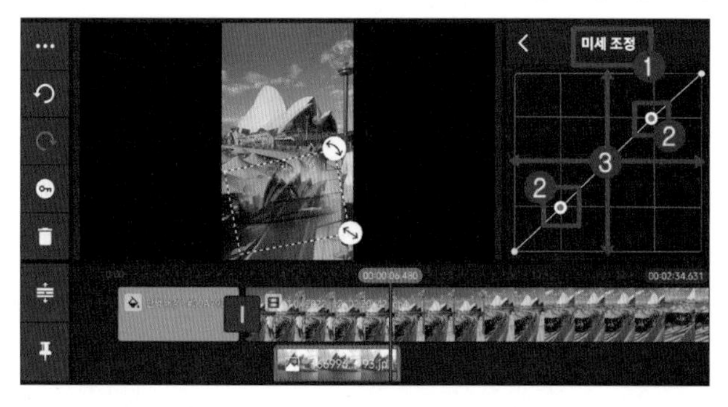

미세 조정 ① [미세 조정]에서 ② [원형 아이콘]을 ③ [위, 아래, 좌, 우]로 이동을 하시어, [교차점 부분]으로 [이동]하시면서 [조절], [선택]하시면서 사용을 하세요.

매직 리무버 ① [매직 리무버]를 사용하시려면 [켜기]를 하세요. [배열 방식]에서 ② [사각 객체 배열 / 가로줄 배열] 중 [선택]을 하시어 보실 수 있습니다.

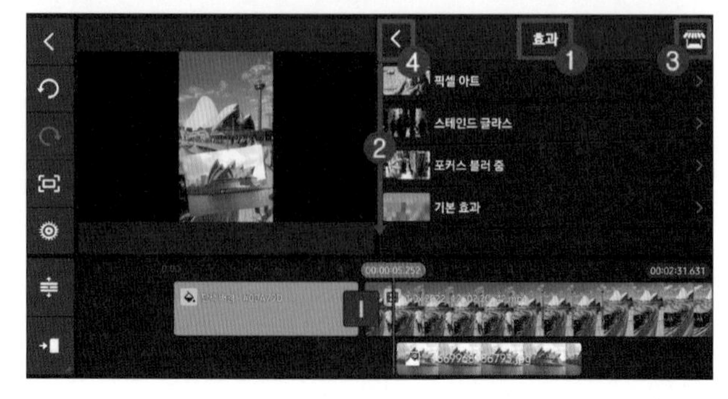

[레이어]에서 효과를 [터치]하세요. ① [효과]에서 ② [아래로 내리기]하시면 [저장된 효과]입니다. ③ [스토어]를 [터치]하시면, 여러 종류의 [효과]를 [선택]하신 후 [다운로드]를 [터치]하세요. [저장된 효과]에서 사용을 할 수 있습니다. ④ [나가기]입니다.

[레이어]에서 스티커를 [터치]하세요. ① [스티커]에서 ② [아래로 내리기]하시면 [저장된 스티커]입니다.
③ [스토어]를 [터치]하시면, 여러 종류의 [스티커]를 [선택]하신 후 [다운로드]를 [터치]하세요.
[저장된 스티커]에서 사용을 할 수 있습니다. ④ [나가기]입니다.

[레이어]에서 텍스트를 [터치]하세요. 내용을 ① [입력]을 하시고 ② [확인]을 [터치]하세요.

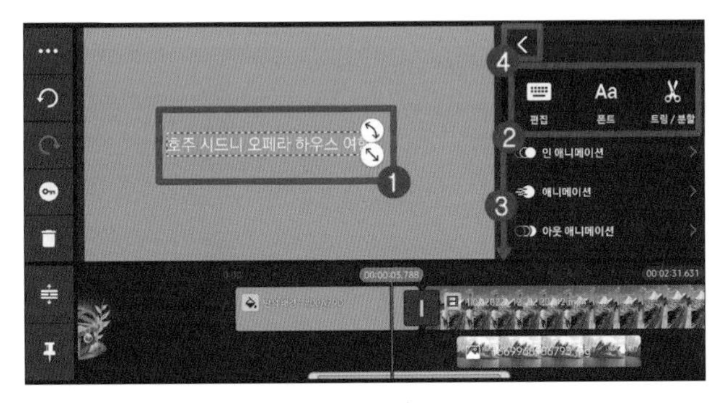

① [내용]을 [크기 조절, 360도 회전]을 할 수 있습니다. ② [편집, 폰트, 트림/분할], ③ [아래로 내리기]에서 [애니메이션… 등]을 이용하여 [변형]하여 사용하실 수 있습니다. ④ [나가기]를 [터치]하세요.

[레이어]에서 손글씨를 [터치]하세요. ① [편집]에서 ② [펜, 색상, 부분 지우기, 전체 지우기, 크기 조절]을 사용하실 수 있습니다. [펜]을 [터치]하겠습니다.

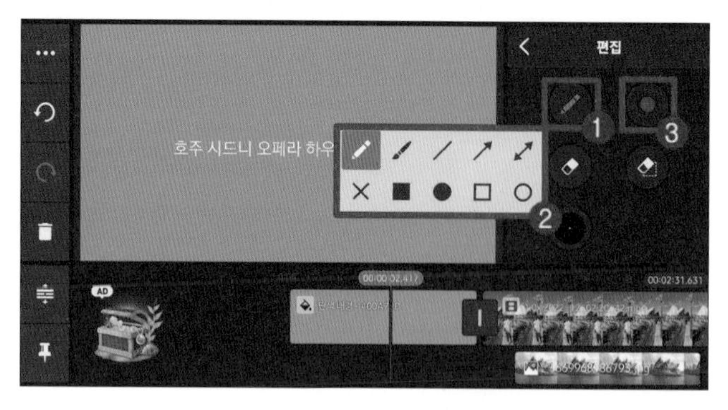

① [펜]에서 ② [펜 종류, 선 모양, 나가기, 도형 모양]을 [선택]하시어 [터치]하여 사용하실 수 있습니다. ③ [색상]을 [터치]합니다.

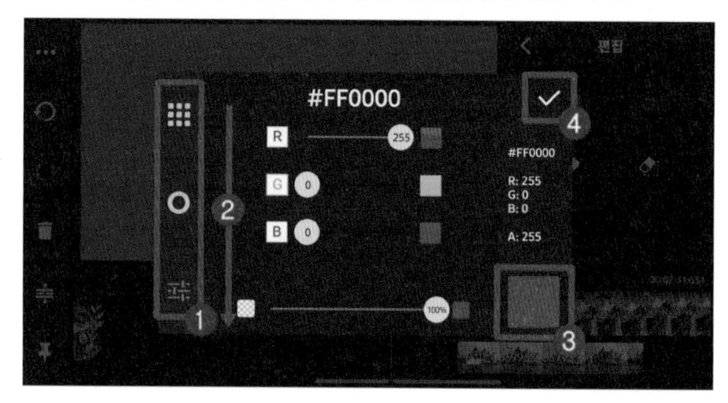

[색상]에서 ① [배열 종류]를 [선택]하시어 ② [아래로 내리기]에서 [색상을 조절]을 하신 후 ③ [선택한 색상]을 [확인]하시고 ④ [체크]를 [터치]하세요.

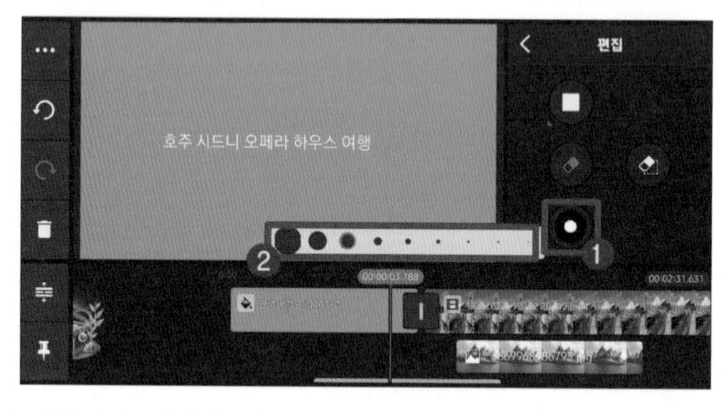

① [크기 조절]에서 ② [여러 종류의 크기]에서 사용을 하실 크기를 [선택]을 하신 후 [터치]하시어 사용하시면 됩니다.

동영상 제작 화면에서 [입력]하신 ① [텍스트]가 미디어 저장 [아래쪽]에 ② [손글씨]가 [저장]되어 있습니다. [터치]하시어, 두 손가락으로 [이동], [길이 조절]을 하실 수 있습니다.

녹음 ① [녹음]에서 ② [시작]을 [터치]하세요. ③ [동영상]이 진행되면서, [내용]이 녹음됩니다.
다시 ② [시작]을 [터치]하시면, [녹음]과 [동영상 진행]이 중단됩니다.

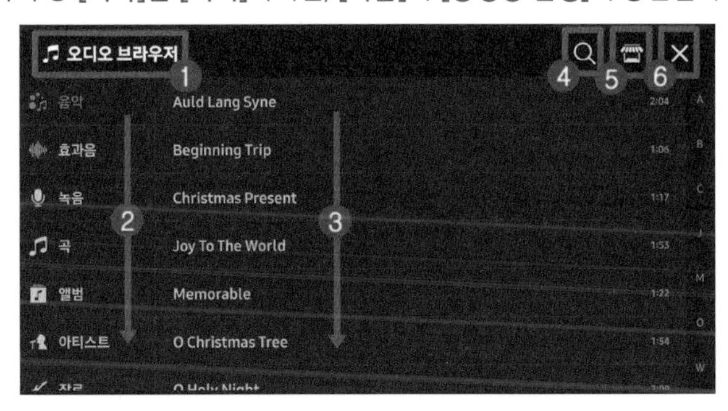

오디오 ① [오디오 브라우저]에서 ② [장르]를 [선택]을 하신 후, ③ [아래로 내리기] 하시면 [저장된 음원]입니다.
④ [검색] 가능한 음원, ⑤ [스토어]를 [터치]하시면, 여러 종류의 [장르에서 음원]을 [선택]하신 후
[다운로드]를 [터치]하세요. [저장된 음원]에서 사용을 할 수 있습니다. ④ [X]를 [터치]하세요.

동영상 제작 화면에서 ① [녹음], ② [오디오]를 [미디어 동영상]을 보시고, 필요하신 곳으로 [이동]하시어,
사용하실 수 있습니다. 제작이 끝나며, ③ [저장하기]를 [터치]하세요.

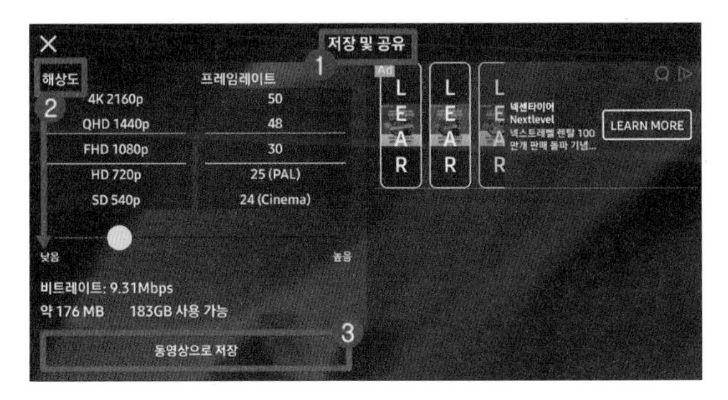

저장하기 ① [저장 및 공유]에서 ② [해상도]를 [선택]하신 후 ③ [동영상으로 저장]을 [터치]하세요. 저장됩니다.

동영상 제작 실행하기…

[새 프로젝트]에서 이름을 [입력]을 하시고, [화면 비율을 선택]하시면, [프로젝트 편집 화면]이 나옵니다. ① [속성 설정], ② [미디어], ③ [촬영: 사진, 동영상], ④ [스토어]입니다. ① [속성 설정]을 [터치]하세요.

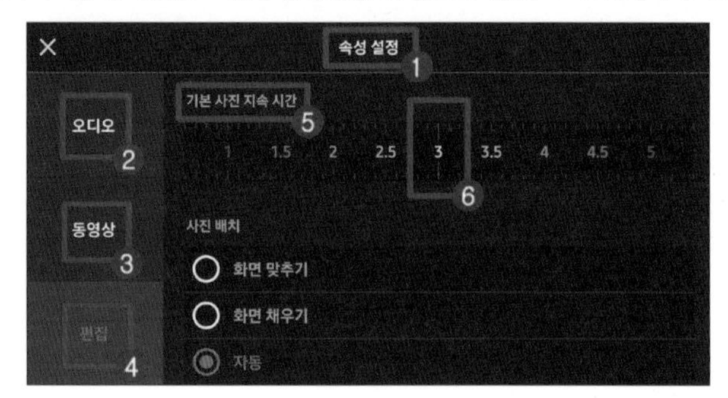

① [속성 설정]에서 ② [오디오], ③ [동영상], ④ [편집]에서 [작업할 영상]에 맞게, [설정]을 하세요. ④ [편집]에서 ⑤ [기본 사진 지속 시간]을 ⑥ [3]에 맞추어 작업을 진행을 해보세요.

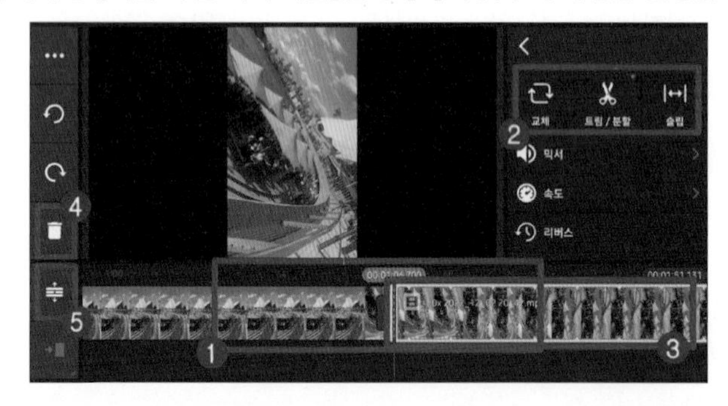

[미디어]를 [터치]하세요. [미디어 브라우저]에서 제작을 하실 [동영상, 사진 등]을 [선택]하여, [편집 화면]에서 작업을 하세요. ① [동영상]을 ② [교체, 트림/분할, 슬립]을 하실 수 있고, ③ 사용하시지 않는 부분은 [터치] 후 ④ [휴지통]을 [터치]하세요. 전체 화면을 ⑤ [위, 아래로]를 [터치]하시어 사용하실 수 있습니다.

[사진]을 두 손가락으로 ① [길이를 조정]을 하실 수 있습니다. ② [플레이 헤드]를 ③ [미리보기 화면]으로 보실 수 있습니다. [사진, 동영상]을 ④ [여러 종류 도구와 기능]을 이용하여 제작을 하세요.

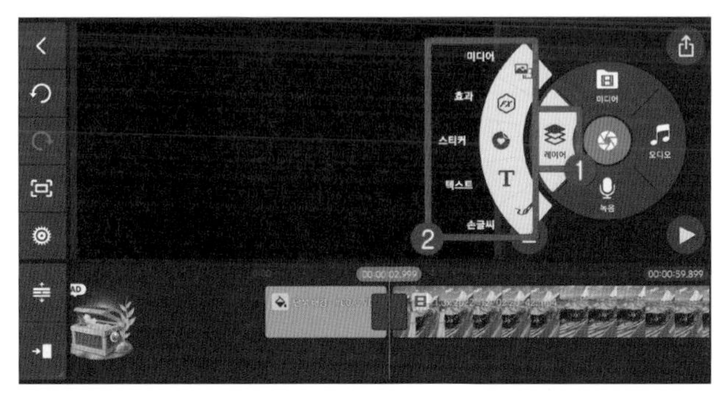

① [레이어]를 [터치]하시면, ② [미디어, 효과, 스티커, 텍스트, 손글씨]를 [터치]하여 사용하세요.
사진 속에 사진을 효과, 스티커, 텍스트, 손글씨로 한층 더 고급스러운 동영상 제작을 할 수 있습니다.

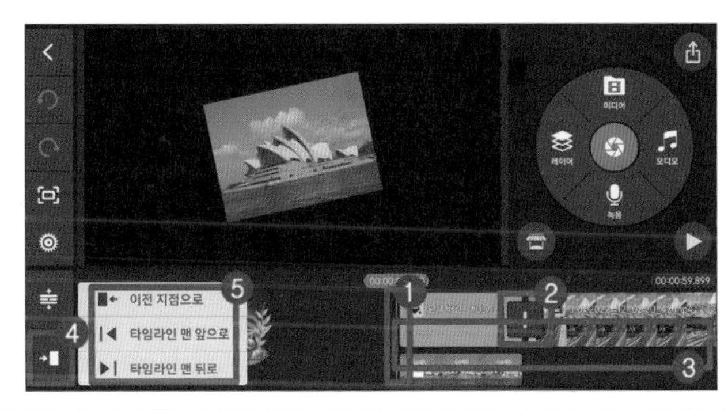

① [타임라인 맨 앞], ② [지점], ③ [동영상 타임라인]입니다. ④ [앞, 뒤 이동 창]을 [터치]하세요.
⑤ [이전 지점으로, 타임라인 맨 앞으로, 타임라인 맨 뒤로]를 [터치]하면서 동영상 제작을 하세요.

① [사진]을 ② [회전], ③ [크기 조절]하시어 사용하세요. ④ [동영상]을 [분할] 후 한쪽을
⑤ [동영상]을 [터치]하여 [늘리기, 줄이기], [삭제하기], [이동하기]를 하실 수 있습니다.
⑥ [교체, 트림/분할, 화면 분할]을 터치하여, 동영상을 변경하여 하실 수 있습니다.

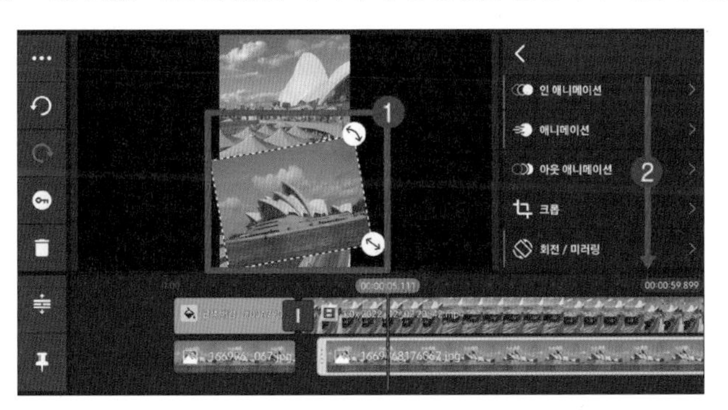

① [사진]을 ② [인 애니메이션, 애니메이션, 아웃 애니메이션, 크롭, 회전/미러링, 필터, 조정, 알파 (불투명도), 혼합, 크로마키, 매직 리무버]를 [터치]하여 사용해보세요.

① [녹음]과 ② [오디오]를 [터치]하시어 사용을 하신 후 제작하신
③ [녹음, 오디오] 부분을 ④ [미리 보기 재생]을 실행하여 [체크]하세요.

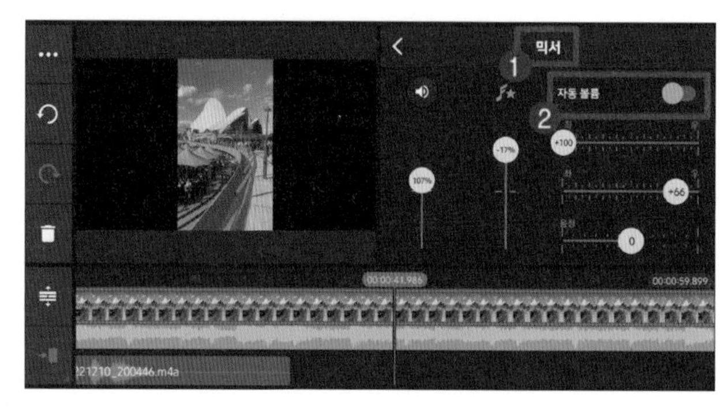

제작 중인 동영상 ① [믹서]에서 ② [자동 볼륨]을 [켜기]를 [터치]하시어 사용을 하세요.
[믹서] 작동 조작을 하실 분은 [터치], [조절]하시어 사용을 하세요.

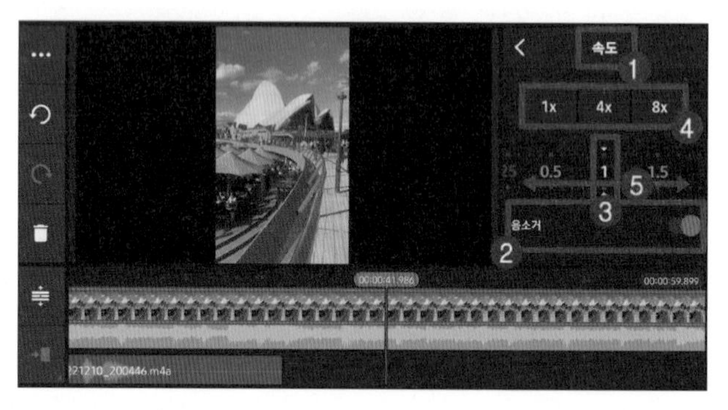

제작 중인 동영상 ① [속도]에서 ② [음소거]를 [켜기]를 하여 사용을 하겠습니다. 기본 속도는 ③ [1]
에서 시작합니다. ④ [1x, 4x, 8x] 또는 ⑤ [좌, 우]로 [속도]를 [선택]하시어 사용하실 수 있습니다.

제작 중인 동영상 ① [팬 & 줌]에서 ② [사진]을 손가락으로 [팬 & 줌] 하신 후 ③ [시작 위치]와
④ [끝 위치] 선택을 하신 후 ⑤ [연결]을 터치하시면, 팬 & 줌을 사용하실 수 있습니다.

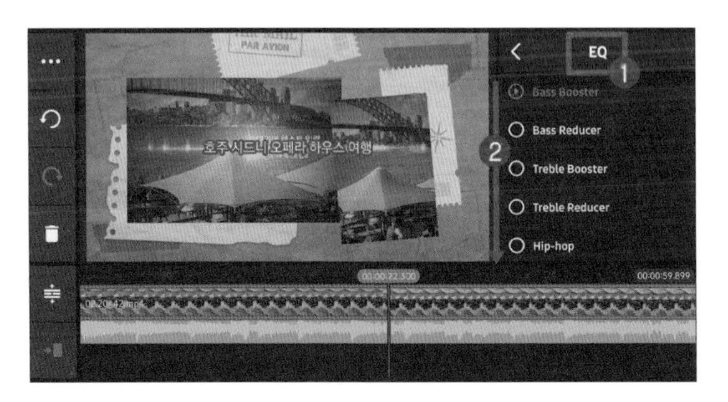

제작 중인 동영상 ① [EQ]에서 ② [Normal, AM Radio, Bass Booster, Bass Reducer, Treble Booster, Treble Reducer, Hip-hop, Jazz, Natural, Pop, R&B, Rock, Voice] 중 [선택] 사용하실 수 있습니다.

제작 중인 동영상 ① [클립 그래픽]에서 ② [사진]을 ③ [여러 종류의 장르] 중 [선택]을 하시면, ④ [여러 종류 그래픽] 중 [선택] 또는 ⑤ [스토어]로 이동하시어, [선택] 사용하세요.

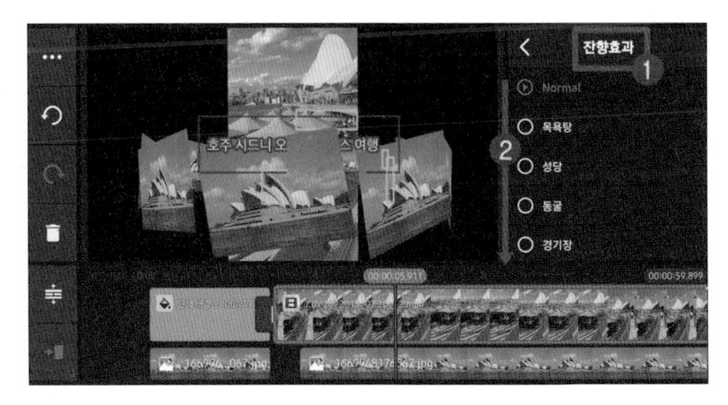

제작 중인 동영상 ① [잔향효과]에서 ② [Normal, 목욕탕, 성당, 동굴, 경기장, 교회, 콘서트 홀, 에코룸, 홀 딜레이, 스프링 리버브, 스튜디오] 중 [선택]하여 사용하실 수 있습니다.

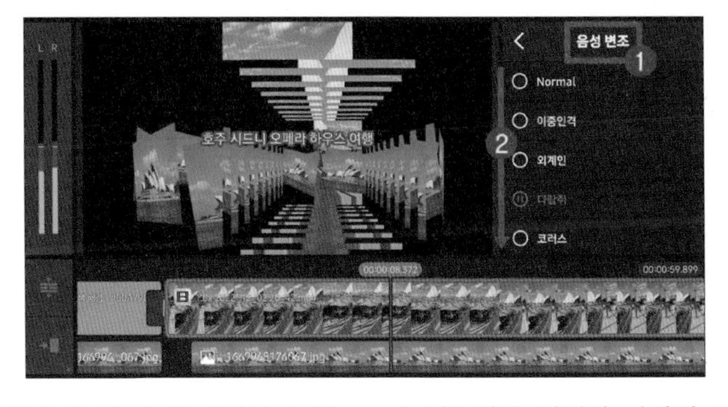

제작 중인 동영상 ① [음성 변조]에서 ② [Normal, 이중인격, 외계인, 다람쥐, 코러스, 혼란, 으르렁, 몬스터, 악당, 익스트림에코, 슬라이스, …] 중 [선택]하여 사용하실 수 있습니다.

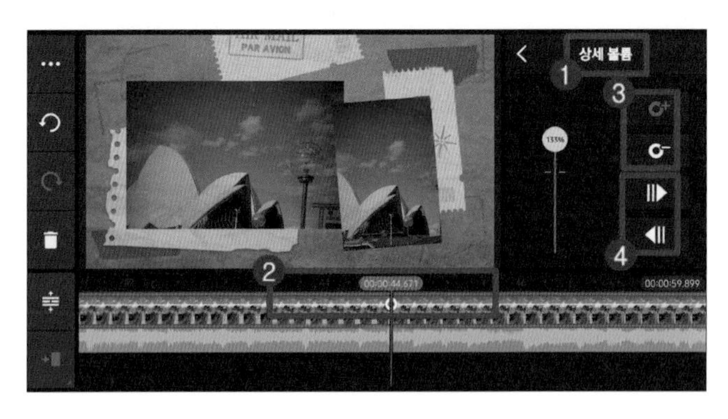

제작 중인 동영상 ① [상세 볼륨]에서 ② [동영상]의 [중심 부분]을 [눌러서] ③ [볼륨 높게, 낮게], [적용]하여 사용할 수 있습니다. [동영상 적용한 부분]을 ④ [오른쪽, 왼쪽] 이동을 [터치]하시어 [이동]을 하실 수 있습니다.

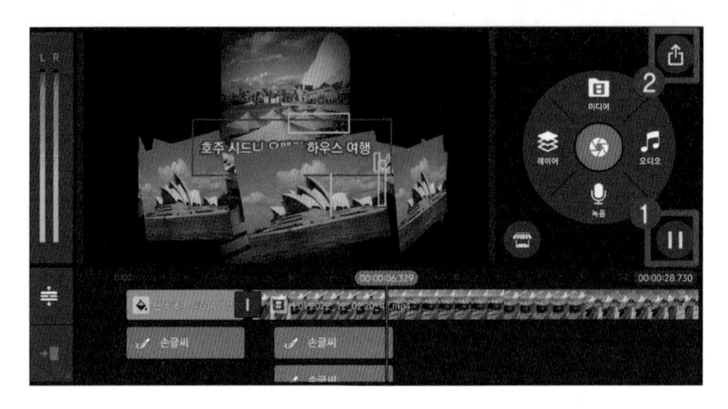

제작 중인 동영상 ① [미리보기 재생]을 [터치]하신 후 동영상 제작이 완성되었으면,
② [내보내기]를 [터치]하시면, [동영상]을 [공유, 저장]하실 수 있습니다.

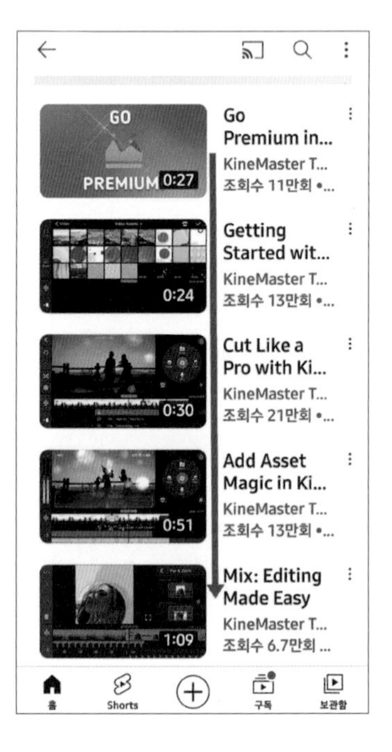

❶ [저장된 동영상]에서 ① [동영상 보기], ② [메뉴]를 [터치]하세요. ❷ [동영상 보기]를 [터치]를 하시면, [키네마스터]로 제작된 동영상을 보실 수 있습니다. ❸ ① [제작한 동영상]의 ② [메뉴]를 [터치]하시면, ③ [.kine 파일로 내보내기, 이름 바꾸기, 복제, 삭제]를 [선택]하시어 실행을 하실 수 있습니다.

동북아시아 - Northeast Asia

주한 몽골 대사관 (수도 - 울란바토르)

* 주소 : 서울 용산구 독서당로 95 몽골대사관

- 대표번호 : 02-798-3464
- 휴무일 : 매주 토요일 (일~금 : 09:30~17:00 - 운영 시간)
- 홈페이지 : http://www.mongolembassy.com/

주한 몽골 김해 영사관

* 주소 : 경남 김해시 주촌면 골든 루트로 80-16

- 대표번호 : 0507-1424-1059
- 휴무일 : 매주 토, 일 (월~금 : 10:00~16:00 - 운영 시간 / 12:00~13:00 - 휴게 시간)
- 홈페이지 : http://www.mongolia-consulate.kr

주한 몽골 부산 영사관

* 주소 : 부산 해운대구 센텀동로 99 14층 1410호

- 대표번호 : 0507-1413-9996
- 휴무일 : 매주 토, 일 (월~금 : 09:00~18:00 - 운영 시간 / 13:00~14:00 - 휴게 시간)
- 홈페이지 : http://busan.consul.mn/

주한 몽골 대사관 영사관

* 주소 : 서울 용산구 대사관로34길 41 MG빌딩 2층 (비자발급)

- 대표번호 :
- 휴무일 : 매주 토, 일 (월~금 : 09:30~17:30 - 운영 시간 / 12:30~13:30 - 휴게 시간)
- 홈페이지 : http://www.mongolvisa.org/

주한 일본 대사관 (수도 - 도쿄)

일본 동경

* 주소 : 서울 종로구 율곡로 6

- 대표번호 : 02-2170-5200
- 휴무일 : 매주 토, 일 / 공휴일 (월~금 : 09:30~16:00 - 사증 발급)
- 홈페이지 : http://www.kr.emb-japan.go.jp/

주한 일본 부산 영사관

* 주소 : 부산 동구 고관로 18

- 대표번호 : 051-465-5101
- 휴무일 : 매주 토, 일 / 공휴일 (월~금 : 09:30~17:00 - 신청 발급 등 / 12:00~13:00 점심시간)
- 홈페이지 : http://www.busan.kr.emb-japan.go.jp/

주한 일본 대사관 공보문화원

* 주소 : 서울 종로구 율곡로 64 일본문화원

- 대표번호 : 02-765-3011
- 휴무일 : 매주 토, 일 (월~금 : 10:00~17:00 - 운영 시간)
- 홈페이지 : https://www.kr.emb-japan.go.jp/cult/cul_guide_hist.htm

주한 중국 대사관 (수도 – 베이징)

* 주소 : 서울 중구 명동2길 27 중화인민공화국대사관

- 대표번호 : 02-756-7300
- 휴무일 : 매주 토, 일 / 공휴일 (월~금 : 09:00~17:30 - 운영 시간)
- 홈페이지 : http://kr.china-embassy.org/kor/

주한 중화인민공화국대사관 영사관

* 주소 : 서울 중구 퇴계로18길 103

- 대표번호 : 02-755-0568
- 휴무일 : 매주 토, 일 / 공휴일 (월~금 : 09:00~17:00 - 운영 시간)
- 홈페이지 :

주한 광주 중국 총영사관

* 주소 : 광주 남구 대남대로 413

- 대표번호 : 062-385-8874
- 휴무일 : 매주 토, 일 / 공휴일 (월~금 : 09:00~17:30 – 운영 시간 / 12:00~13:30 점심시간)
- 홈페이지 : gwangju.china-consulate.org

주한 중화인민공화국 부산 총영사관

* 주소 : 부산 해운대구 해운대로394번길 25

- 대표번호 : 051-743-7990
- 휴무일 : 매주 월, 수, 금, 토, 일 / 공휴일 (화, 목 : 14:00~16:30 운영 시간)
- 홈페이지 : busan.china-consulate.org/chn

주한 중화인민공화국 제주 총영사관

* 주소 : 제주특별자치도 제주시 청사로1길 10

- 대표번호 : 064-900-8830
- 휴무일 : 매주 토, 일 / 공휴일 (월~금 : 09:00~15:30 – 운영 시간)
- 홈페이지 : jeju.china-consulate.org/kor

주한 대만 대표부

* 주소 : 서울 종로구 세종대로 149 광화문빌딩 6층

- 대표번호 : 02-6329-6000
- 휴무일 : 매주 토, 일 / 공휴일 (월~금 : 09:00~15:30 – 운영 시간)
- 홈페이지 : www.roc-taiwan.org/kr

주한 타이베이 대표부 부산사무처

* 주소 : 부산 중구 중앙대로 70. 9층

- 대표번호 : 051-463-7965
- 휴무일 : 매주 토, 일 / 공휴일 (월~금 : 09:00~15:30 – 운영 시간)
- 홈페이지 : www.roc-taiwan.org/krpus_ko/index.html

동남 아시아 / 서남 아시아 - Southeast Asia / Southwest Asia

주한 네팔 대사관 (수도 - 카트만두)

네 팔

카트만두

* 주소 : 서울 성북구 선잠로2길 19 (우) 02823 지번 성북동 37-24

- 대표번호 : 02-3789-9770
- 휴무일 : 매주 토, 일 / 공휴일 (월~금 : 09:30 ~ 14:00 – 운영 시간 / 12:00~13:00 점심시간)
- 홈페이지 : kr.nepalembassy.gov.np

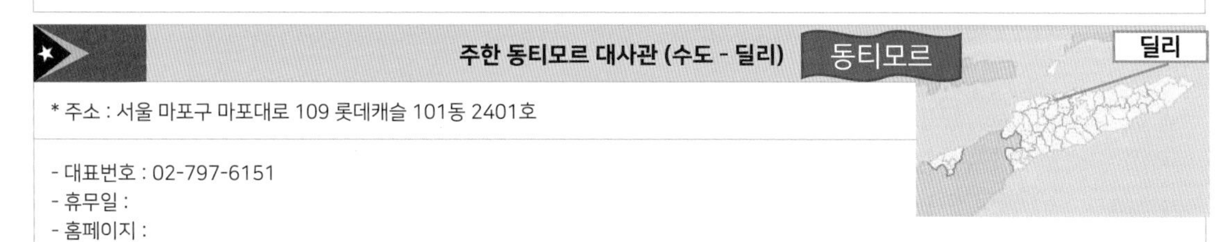

주한 동티모르 대사관 (수도 - 딜리)

* 주소 : 서울 마포구 마포대로 109 롯데캐슬 101동 2401호

- 대표번호 : 02-797-6151
- 휴무일 :
- 홈페이지 :

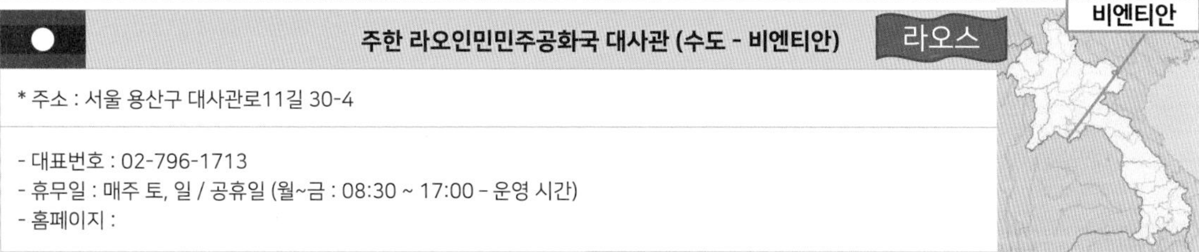

주한 라오인민민주공화국 대사관 (수도 - 비엔티안)

* 주소 : 서울 용산구 대사관로11길 30-4

- 대표번호 : 02-796-1713
- 휴무일 : 매주 토, 일 / 공휴일 (월~금 : 08:30 ~ 17:00 – 운영 시간)
- 홈페이지 :

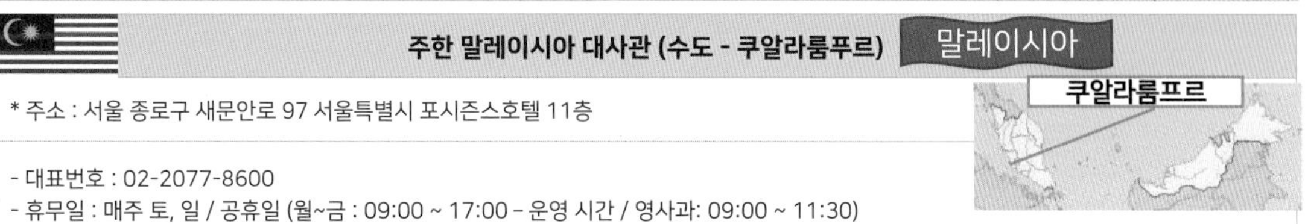

주한 말레이시아 대사관 (수도 - 쿠알라룸푸르)

* 주소 : 서울 종로구 새문안로 97 서울특별시 포시즌스호텔 11층

- 대표번호 : 02-2077-8600
- 휴무일 : 매주 토, 일 / 공휴일 (월~금 : 09:00 ~ 17:00 – 운영 시간 / 영사과: 09:00 ~ 11:30)
- 홈페이지 : www.kln.gov.my/web/kor_seoul

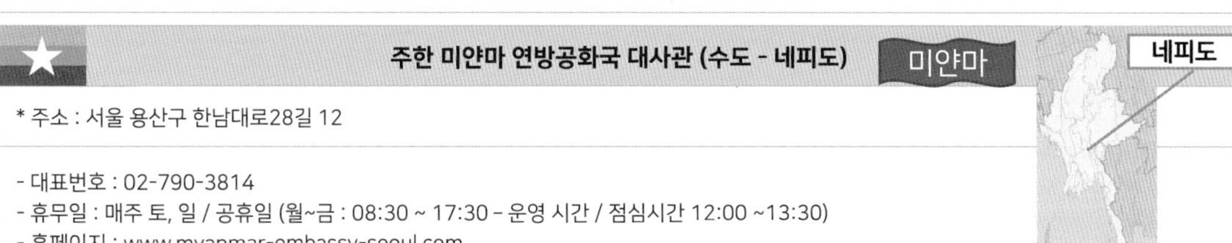

주한 미얀마 연방공화국 대사관 (수도 - 네피도)

* 주소 : 서울 용산구 한남대로28길 12

- 대표번호 : 02-790-3814
- 휴무일 : 매주 토, 일 / 공휴일 (월~금 : 08:30 ~ 17:30 – 운영 시간 / 점심시간 12:00 ~13:30)
- 홈페이지 : www.myanmar-embassy-seoul.com

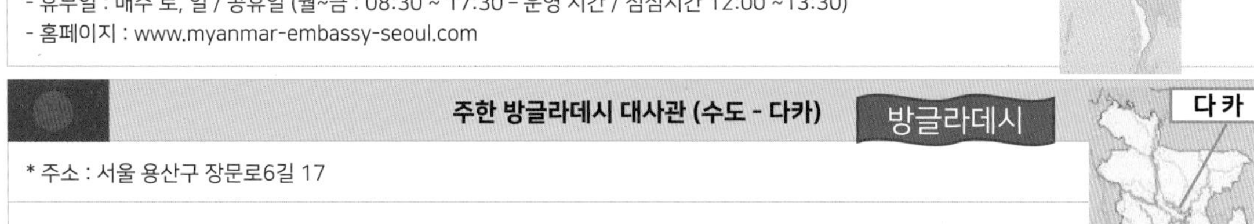

주한 방글라데시 대사관 (수도 - 다카)

* 주소 : 서울 용산구 장문로6길 17

- 대표번호 : 02-796-4056
- 휴무일 : 매주 토, 일 / 공휴일 (월~금 : 09:00 ~ 17:00 – 운영 시간)
- 홈페이지 : bdembassykorea.org

주한 베트남 대사관 (수도 - 하노이)

베트남

하노이

* 주소 : 서울 종로구 북촌로 123 (우) 03052 지번 삼청동 28-37

- 대표번호 : 02-725-2487
- 휴무일 : 금, 토, 일요일 (월: 09:30~17:00, 화~ 목: 09:00~17:00 – 운영 시간 / 점심시간 12:30 ~14:30)
- 홈페이지 : vnembseoul.setmore.com/bookappointment

주한 브루나이 대사관 (수도 - 반다르스리브가완)

* 주소 : 서울 종로구 자하문로 133

- 대표번호 : 02-790-1078
- 휴무일 : 매주 토, 일 / 공휴일 (월~금 : 09:00 ~ 12:30 – 운영 시간)
- 홈페이지 :

주한 스리랑카 대사관 (수도 : 스리자야와르데네푸라코테)

* 주소 : 서울 중구 동호로10길 39

- 대표번호 : 02-735-2966
- 휴무일 : 매주 일 / 공휴일 (월~금 : 09:00 ~ 17:00, 토 : 14:00 ~17:00 – 운영 시간)
- 홈페이지 : www.slembassykorea.com

주한 싱가포르 대사관 (싱가포르)

* 주소 : 서울 중구 세종대로 136 서울파이넌스센터 28층

- 대표번호 : 02-774-2464
- 휴무일 : 매주 토, 일 / 공휴일 (월~금 : 09:00 ~ 17:30 – 운영 시간)
- 홈페이지 : www.mfa.gov.sg/seoul

주한 아프가니스탄 대사관 (수도 - 카불)

* 주소 : 서울 용산구 독서당로 90 형우베스트빌 1층

- 대표번호 : 02-793-3535
- 휴무일 : 매주 토, 일 / 공휴일 (월~금 : 09:30 ~ 15:00 – 운영 시간)
- 홈페이지 :

주한 인도네시아 대사관 (수도 - 자카르타)

* 주소 : 서울 영등포구 여의대방로 380

- 대표번호 : 02-783-5675
- 휴무일 : 매주 토, 일 / 공휴일 (월~금 : 09:30 ~ 17:00 – 운영 시간)
- 홈페이지 : kbriseoul.kr/kbriseoul

주한 캄보디아 대사관 (수도 - 프놈펜)

* 주소 : 서울 중구 세종대로 55 14층

- 대표번호 : 02-3785-1041
- 휴무일 : 매주 토, 일 / 공휴일 (월~금 : 09:30 ~ 17:00 – 운영 시간)
- 홈페이지 :

주한 태국 대사관 (수도 - 방콕)

주소 : 서울 용산구 대사관로 42

- 대표번호 : 02-790-2955
- 휴무일 : 매주 금, 토, 일요일 / 공휴일 (월~금 09:00~15:00 – 운영 시간 / 점심시간 12:00 ~13:00)
- 홈페이지 : www.thaiembassy.org/seoul

주한 파키스탄 대사관 (수도 - 이슬라마바드) 파키스탄 이슬라마바드

* 주소 : 서울 강남구 도산대로 169

- 대표번호 : 02-796-8252
- 휴무일 : 매주 토, 일요일 / 공휴일 (월~금 09:00~17:00 - 운영 시간)
- 홈페이지 : www.pkembassy.or.kr

주한 필리핀 대사관 (수도 - 마닐라) 필리핀 마닐라

* 주소 : 서울 용산구 회나무로 80 필리핀대사관

- 대표번호 : 02-796-7387
- 휴무일 : 매주 금, 토요일 / 공휴일 (월~목, 일 10:00~15:00 - 운영 시간)
- 홈페이지 : http://www.philembassy-seoul.com/

태평양 - Pacific

주한 뉴질랜드 대사관 (수도 - 웰링턴) 뉴질랜드 웰링턴

* 주소 : 서울 중구 정동길 21-15 정동빌딩 8층

- 대표번호 : 02-3701-7700
- 휴무일 : 매주 토, 일 / 공휴일 (월~금 : 09:00~17:30 - 운영 시간)
- 홈페이지 : https://www.mfat.govt.nz/en/countries-and-regions/asia/republic-of-korea-south/

주한 파푸아뉴기니 대사관 (수도 : 포트모르즈비) 파푸아뉴기니 포토모르즈비

* 주소 : 서울 종로구 삼봉로 81 두산위브파빌리온 210호

- 대표번호 : 02-2198-5771
- 휴무일 : (매일 09:00 - 17:00 / 비자발급 : 평일 9:00~17:00 - 운영 시간)
- 홈페이지 : www.papuanewguineaembassy.kr

주한 피지 대사관 (수도 - 수바) 피지

* 주소 : 서울 용산구 회나무로 64 2층

- 대표번호 : 02-792-639
- 휴무일 : 매주 토, 일요일 / 공휴일 (월~금 08:00~17:00 - 운영 시간 / 휴게 시간 13:00 ~14:00)
- 홈페이지 : fijiembassy.co.kr/embassy

주한 호주 대사관 (수도 - 캔버라)

* 주소 : 서울 종로구 종로 1 교보 생명 빌딩

- 대표번호 : 02-2003-0100
- 휴무일 : 매주 토, 일요일 / 공휴일 (월~금 09:00~16:30 - 운영 시간 / 09:00 ~12:00 : 비자 업무)
- 홈페이지 : http://www.southkorea.embassy.gov.au/seol/home.html

중동 - Middle East

주한 레바논 대사관 (수도 : 베이루트) 레바논

베이루트

* 주소 : 서울 용산구 회나무로41길 5

- 대표번호 : 02-794-6482
- 휴무일 : 매주 토, 일요일 / 공휴일 (월~금 09:00~15:00 – 운영 시간)
- 홈페이지 : http://seoul.mfa.gov.lb/seoul/english/home

주한 사우디아라비아왕국 대사관 (리야드)

사우디아라비아

* 주소 : 서울 용산구 녹사평대로26길 37

- 대표번호 : 02-739-0632
- 휴무일 : 매주 토, 일요일 / 공휴일 (월~금 09:00~17:00 – 운영 시간)
- 홈페이지 : https://embassies.mofa.gov.sa/sites/SouthKorea/AR/Pages/default.aspx

주한 아랍에미리트 대사관 (수도 - 아부다비)

아부다비

아랍에미리트

* 주소 : 서울 용산구 독서당로 118

- 대표번호 : 02-790-3235
- 휴무일 : 매주 토요일 / 공휴일 (일~금 09:00~16:00 – 운영 시간)
- 홈페이지 :

주한 오만 대사관 (수도 - 무스카트) 오만

무스카트

* 주소 : 서울 종로구 새문안로3길 9 오만대사관

- 대표번호 : 02-790-2431
- 휴무일 : 매주 토요일 / 공휴일 (일~금 09:00~16:00 – 운영 시간)
- 홈페이지 :

주한 요르단 대한민국 대사관 (수도 - 암만) 요르단

암만

* 주소 : 서울 종로구 율곡로 6 트윈 트리 빌딩

- 대표번호 : 02-318-2897
- 휴무일 : 매주 토요일 / 공휴일 (일~금 09:00~16:00 – 운영 시간)
- 홈페이지 :

주한 이라크 대한민국 대사관 (수도 - 바그다드) 이라크

* 주소 : 서울 용산구 장문로 55

- 대표번호 : 02-790-4204
- 휴무일 : 매주 토, 일요일 / 공휴일 (일~금 09:00~15:00 – 운영 시간)
- 홈페이지 :

바그다드

주한 이란 이슬람 공화국 대사관 (수도 - 테헤란) 이란

* 주소 : 서울 용산구 장문로 45

- 대표번호 : 02-793-7751
- 휴무일 : 매주 토, 일요일 / 공휴일 (일~금 08:30~16:30 – 운영 시간)
- 홈페이지 : https://blog.naver.com/irembassy

주한 이스라엘 대사관 (수도 - 텔아비브) 이스라엘

* 주소 : 서울 종로구 청계천로 11 청계 한국빌딩 18층

- 대표번호 : 02-3210-8500
- 휴무일 : 매주 토, 일요일 / 공휴일 (일~금 08:45~17:00, 금 08:40~15:00 - 운영 시간)
- 홈페이지 : https://embassies.gov.il/seoul/Pages/default.aspx

주한 카타르 대사관 (수도 - 도하) 카타르

* 주소 : 서울 용산구 장문로 48 카타르 대사관

- 대표번호 : 02-798-2444
- 휴무일 : 매주 토, 일요일 / 공휴일 (월~금 09:30~15:00 - 운영 시간)
- 홈페이지 :

주한 쿠웨이트 대사관 (수도 - 쿠웨이트) 쿠웨이트

* 주소 : 서울 용산구 장문로 34

- 대표번호 : 02-749-3688
- 휴무일 : 매주 토, 일요일 / 공휴일 (월~금 09:00~16:00 - 운영 시간)
- 홈페이지 :

쿠웨이트

러시아, 중앙 아시아 - Russia, Central Asia

주한 러시아 대한민국 대사관 (모스크바) 러시아

모스크바

* 주소 : 서울 중구 서소문로11길 43

- 대표번호 : 02-318-2116
- 휴무일 : 매주 화, 목, 토, 일요일 / 공휴일 (월, 수, 금 09:30~17:30 - 운영 시간)
- 홈페이지 : https://korea-seoul.mid.ru/web/kr

주한 우즈베키스탄 대사관 (수도 - 타슈켄트) 우즈베키스탄

타슈켄트

* 주소 : 서울 종로구 돈화문로11가길 99

- 대표번호 : 02-574-6554
- 휴무일 : 매주 토, 일요일 / 공휴일 (월~금 09:00~18:00 - 운영 시간 / 휴게 시간 - 13:00~14:00)
- 홈페이지 : http://uzbekistan.or.kr/

주한 카자흐스탄 대사관 (수도 - 누르술탄) 카자흐스탄

누르술탄

* 주소 : 서울 용산구 장문로 53

- 대표번호 : 02-391-8906
- 휴무일 : 매주 수, 토, 일요일 / 공휴일 (월, 화, 목, 금 09:00~12:00 - 운영 시간)
- 홈페이지 :

주한 키르기스스탄 대사관 (수도 - 비슈케크) 키르기스스탄

* 주소 : 서울 용산구 서빙고로91라길 16-10

- 대표번호 : 02-379-0951
- 휴무일 : 매주 토, 일요일 / 공휴일 (월~금 09:00~18:00 - 운영 시간)
- 홈페이지 :

주한 투르크메니스탄 대사관 (수도 - 아시가바트)

투르크메니스탄

* 주소 : 서울 용산구 장문로 62

- 대표번호 : 02-796-9975
- 휴무일 : 매주 토, 일요일 / 공휴일 (월~금 09:00~18:00 - 운영 시간 / 휴식 시간 12:00~14:00)
- 홈페이지 : https://korea.tmembassy.gov.tm/ko

주한 타지키스탄 대사관 (수도 - 두샨베)

타지키스탄

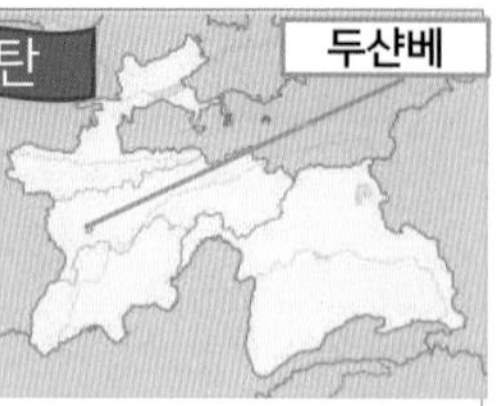

* 주소 : 서울 용산구 유엔빌리지2길 37

- 대표번호 : 02-792-2535
- 휴무일 : 매주 토, 일요일 / 공휴일 (월~금 09:00~17:00 - 운영 시간 / 휴식 시간 12:00~13:00)
- 홈페이지 : https://www.mfa.tj/en/korea

북 아프리카 - North Africa

주한 리비아 대사관 (수도 - 트리폴리)

리비아

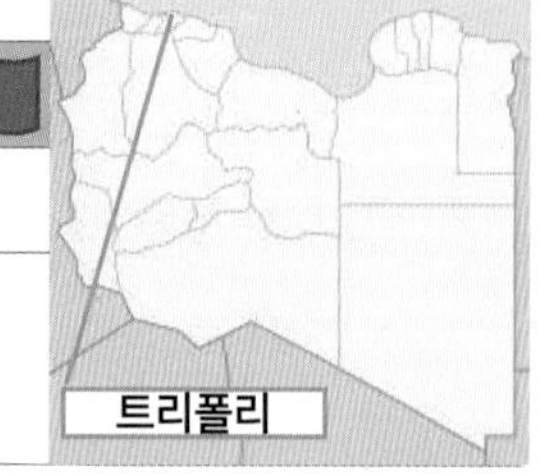

* 주소 : 서울 용산구 장문로 51

- 대표번호 : 02-797-6001
- 휴무일 : 매주 토, 일요일 / 공휴일 (월~목 09:00~15:00 금 09:00~13:00 - 운영 시간)
- 홈페이지 :

주한 모로코 대사관 (수도 - 라바트)

모로코

라바트

* 주소 : 서울 용산구 장문로 32 1층

- 대표번호 : 02-793-6249
- 휴무일 : 매주 토, 일요일 / 공휴일 (월~금 10:00~13:00 - 운영 시간)
- 홈페이지 : https://www.facebook.com/profile.php?id=100064370004830

주한 알제리 대사관 (수도 - 알제)

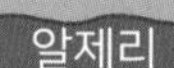

알제

* 주소 : 서울 용산구 회나무로 81

- 대표번호 : 02-794-5034
- 휴무일 : 매주 토, 일요일 / 공휴일 (월~금 09:00~17:00 - 운영 시간)
- 홈페이지 : http://www.algerianemb.or.kr/

주한 이집트 대사관 (수도 - 카이로)

이집트

카이로

* 주소 : 서울 용산구 독서당로 114

- 대표번호 : 02-730-5155
- 휴무일 : 매주 토, 일요일 / 공휴일 (월~금 09:00~18:00 - 운영 시간)
- 홈페이지 : https://xn--zb0bu7i99mmsgxa804ajkw12d.com/eg/

주한 튀니지 대사관 (수도 - 튀니스)

튀니지

튀니스

* 주소 : 서울 용산구 장문로6길 8

- 대표번호 : 02-790-4334
- 휴무일 : 매주 토, 일요일 / 공휴일 (월~금 09:00~17:00 - 운영 시간)
- 홈페이지 :

사하라 이남 아프리카 - Sub-Saharan Africa

주한 가나 대사관 (수도 - 아크라)

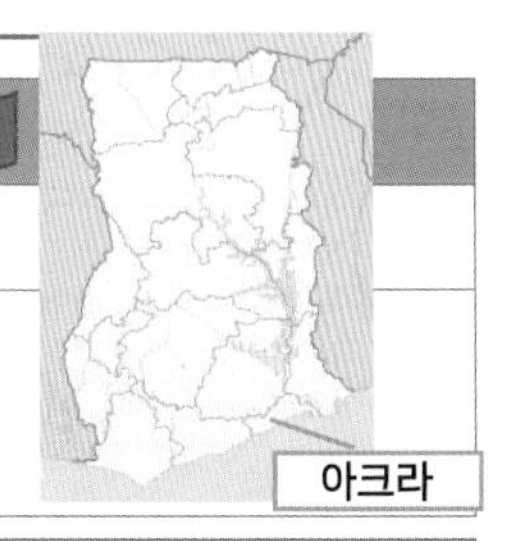

* 주소 : 서울 용산구 독서당로 120

- 대표번호 : 02-3785-1427
- 휴무일 : 매주 토, 일요일 / 공휴일 (월~금 09:00~11:00 비자 접수, 15:30~16:30 비자 수령 - 운영 시간)
- 홈페이지 : https://ghanaembassy-southkorea.com/

주한 가봉 대사관 (수도 - 리브르빌)

가봉

리브르빌

* 주소 : 서울 용산구 이태원로 239 유성빌딩 4층

- 대표번호 : 02-793-9575
- 휴무일 : 매주 토, 일요일 / 공휴일 (월~금 09:00~15:00 - 운영 시간)
- 홈페이지 :

주한 나이지리아 대사관 (수도 - 아부자)

* 주소 : 서울 용산구 장문로6길 13

- 대표번호 : 02-797-2370
- 휴무일 : 매주 토, 일요일 / 공휴일 (월~금 09:00~17:30 - 운영 시간)
- 홈페이지 : http://www.nigerianembassy.or.kr/

주한 남아프리카공화국 대사관 (수도 - 프리토리아)

프리토리아

남아프리카공화국

* 주소 : 서울 용산구 독서당로 104

- 대표번호 : 02-2077-5900
- 휴무일 : 매주 토, 일요일 / 공휴일 (월~목 08:00~16:30 / 금 08:00~15:30 - 운영 시간)
- 홈페이지 : http://www.southafrica-embassy.or.kr/

주한 르완다 대사관 (수도 - 키갈리)

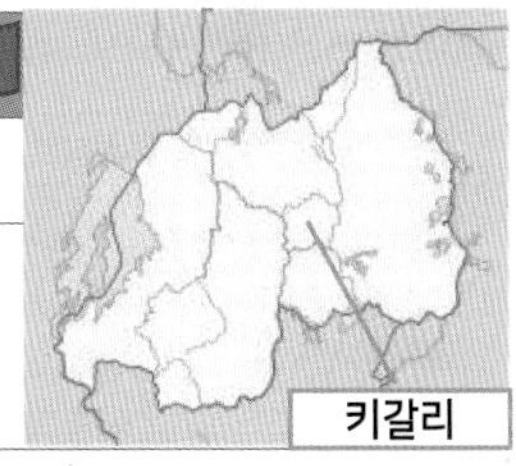

* 주소 : 서울 용산구 한남대로20길 13 수영빌딩, 르완다대사관

- 대표번호 : 02-798-1052
- 휴무일 : 매주 토, 일요일 / 공휴일 (월~금 09:00~17:00 - 운영 시간 / 휴식 시간 12:00~13:00)
- 홈페이지 :

주한 세네갈 대사관 (수도 - 다카르)

다카르

세네갈

* 주소 : 서울 중구 퇴계로 97 고려 대영각 타워 5층 501호

- 대표번호 : 02-745-5554
- 휴무일 : 매주 토, 일요일 / 공휴일 (월~금 09:00~18:00 - 운영 시간 / 휴식 시간 12:00~13:00)
- 홈페이지 : http://kor.senegalembassy.or.kr/

주한 수단 대사관 (수도 - 하르툼)

* 주소 : 서울 용산구 장문로6길 12 범양빌딩 3층

- 대표번호 : 02-793-8692
- 휴무일 : 매주 토, 일요일 / 공휴일 (월~금 09:00~16:00 - 운영 시간)
- 홈페이지 : http://sudanembassy-seoul.com/

주한 앙골라 대사관 (수도 - 루안다)

앙골라

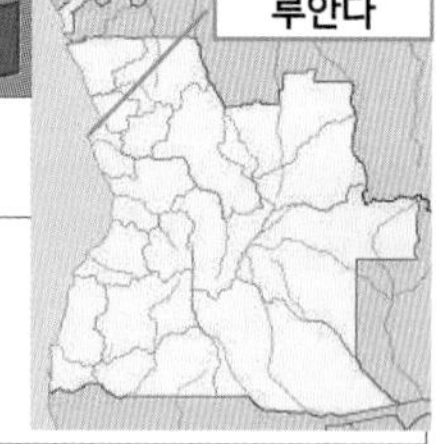

* 주소 : 서울 성북구 선잠로5길 14

- 대표번호 : 02-792-8463
- 휴무일 : 매주 토, 일요일 / 공휴일 (월~금 09:00~17:00 - 운영 시간)
- 홈페이지 : http://www.angolaembassy.or.kr/

주한 에티오피아 대사관 (수도 - 아디스아바바)

에티오피아

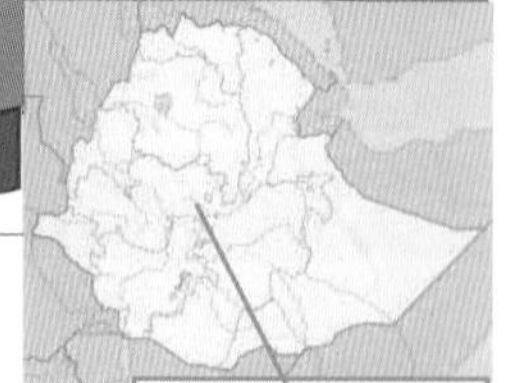

* 주소 : 서울 용산구 회나무로44길 20

- 대표번호 : 02-790-9766
- 휴무일 : 매주 토, 일요일 / 공휴일 (월~금 09:30~16:00 - 운영 시간 / 휴게 시간 - 12:00~14:00)
- 홈페이지 : https://blog.naver.com/ethiopiaseoul

주한 짐바브웨 명예영사관 (수도 - 하라레)

짐바브웨

하라레

* 주소 : 서울 송파구 삼전로8길 12 태성빌딩 2층

- 대표번호 : 02-425-3624
- 휴무일 : 없음 (매일 09:00~15:00 - 운영 시간 / 휴게 시간 - 12:00~13:00)
- 홈페이지 : http://www.zimbabwe.or.kr/

주한 카메룬 명예영사관 (수도 - 야운데)

카메룬

야운데

* 주소 : 서울 마포구 만리재로 14

- 대표번호 : 02-3272-2011
- 휴무일 : 매주 토, 일요일, 마지막 금 / 공휴일 (월~금 10:30~12:00 / 14:00~16:30 - 운영 시간)
- 홈페이지 : https://www.cameroon-consulate-kr.org/

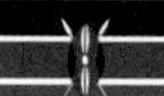

주한 케냐 대사관 (수도 - 나이로비)

나이로비

* 주소 : 서울 용산구 회나무로44길 38 케냐대사관

- 대표번호 : 02-3785-2903
- 휴무일 : 매주 토, 일요일 / 공휴일 (월~금 09:00~17:00 - 운영 시간)
- 홈페이지 :

주코트디부아르 대한민국 대사관 (야무수크로)

코트디부아르

야무수크로

* 주소 : 서울 중구 세종대로 55 부영태평빌딩 19층

- 대표번호 : 02-3785-0561
- 휴무일 : 매주 토, 일요일 / 공휴일 (월~금 09:00~17:00 - 운영 시간)
- 홈페이지 :

주한 콩고민주공화국 대사관 (수도 - 킨샤사)

콩고민주공화국

* 주소 : 서울 용산구 회나무로 73-1 라이프콤비빌딩 8층 818호, 824호

- 대표번호 : 02-722-7958
- 휴무일 : 매주 토요일 / 공휴일 (일~금 10:00~16:00 - 운영 시간)
- 홈페이지 :

탄자니아

주한 탄자니아 대사관 (수도 - 도도마)

* 주소 : 서울 용산구 서빙고로51길 52 남영비비안건물 4층

- 대표번호 : 02-793-7007
- 휴무일 : 매주 토, 일요일 / 공휴일 (월~금 09:00~17:00 - 운영 시간)
- 홈페이지 :

유럽 - Europe

교황청

주한 교황청 대사관 (바티칸 시국)

* 주소 : 서울 종로구 자하문로26길 19 주한로마교황대사관

- 대표번호 : 02-736-5725
- 휴무일 : 매주 토, 일요일 / 공휴일 (월~금 09:00~17:00 - 운영 시간)
- 홈페이지 :

그리스

주한 그리스 대사관 (수도 - 아테네)

* 주소 : 서울 중구 청계천로 86 한화빌딩 27층

- 대표번호 : 02-729-1400
- 휴무일 : 매주 토, 일요일 / 공휴일 (월~금 10:00~13:00 - 운영 시간)
- 홈페이지 : www.mfa.gr/missionsabroad/en/republic-of-korea.html

네덜란드

주한 네덜란드 대사관 (수도 - 암스테르담)

* 주소 : 서울 중구 정동길 21-15 정동빌딩 10층

- 대표번호 : 02-311-8600
- 휴무일 : 매주 토, 일요일 / 공휴일 (월~금 09:00~17:30 - 운영 시간)
- 홈페이지 : www.netherlandsandyou.nl/your-country-and-the-netherlands/south-korea

주한 네덜란드 부산 주재 명예영사관

* 주소 : 부산 사상구 가야대로 35

- 대표번호 : 051-320-8713
- 휴무일 :
- 홈페이지 :

노르웨이

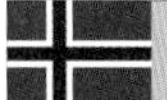

주한 노르웨이 대사관 (수도 - 오슬로)

* 주소 : 서울 중구 정동길 21-15 정동빌딩 13층

- 대표번호 : 02-727-7100
- 휴무일 : 매주 토, 일요일 / 공휴일 (월~금 09:00~16:30 - 운영 시간 / 휴게 시간 : 12:30~13:30)
- 홈페이지 : www.norway.no/en/south-korea

덴마크

주한 덴마크 대사관 (수도 - 코펜하겐)

* 주소 : 서울 중구 한강대로 416 서울스퀘어 11층

- 대표번호 : 02-6363-4800
- 휴무일 : 매주 토, 일요일 / 공휴일 (월~금 09:00~16:30 - 운영 시간)
- 홈페이지 : http://sydkorea.um.dk/ko

주한 독일 대사관 (수도 - 베를린)

독일

베를린

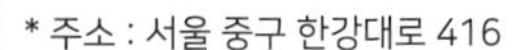

* 주소 : 서울 중구 한강대로 416

- 대표번호 : 02-748-4114
- 휴무일 : 매주 토, 일요일 / 공휴일 (월, 화, 목: 09:00~11:30, 수:14:00~16:30, 금: 08:30~11:00– 운영 시간)
- 홈페이지 : https://seoul.diplo.de

주한 독일 연방공화국 부산 명예 영사관

* 주소 : 부산 동구 충장대로 160 협성 마리나 G7 A동 3702호

- 대표번호 : 051-256-6211
- 휴무일 : 매주 월, 금, 토, 일요일 / 공휴일 (화: 09:00~11:30 / 수, 목: 14:00~17:00 – 운영 시간)
- 홈페이지 : https://seoul.diplo.de/kr-ko/botschaft/honorarkonsuln

주한 라트비아 대사관 (수도 - 리가)

라트비아

리 가

* 주소 : 서울 용산구 한남대로36길 29

- 대표번호 : 02-2022-3800
- 휴무일 :
- 홈페이지 : www.mfa.gov.lv/kr

주한 루마니아 대사관 (수도 - 부쿠레슈티)

루마니아

* 주소 : 서울 용산구 장문로 50

- 대표번호 : 02-797-4924
- 휴무일 : 매주 토, 일요일 / 공휴일 (월~금 09:00~17:00 – 운영 시간)
- 홈페이지 :

부쿠레슈티

주한 벨기에 대사관 (수도 - 브뤼셀)

벨기에

* 주소 : 서울 용산구 이태원로45길 23 벨기에대사관

- 대표번호 : 02-749-0381
- 휴무일 : 매주 토, 일요일 / 공휴일 (월~금 09:00~16:00 – 운영 시간)
- 홈페이지 : https://republicofkorea.diplomatie.belgium.be/ko

주한 벨라루스 대사관 (수도 - 민스크)

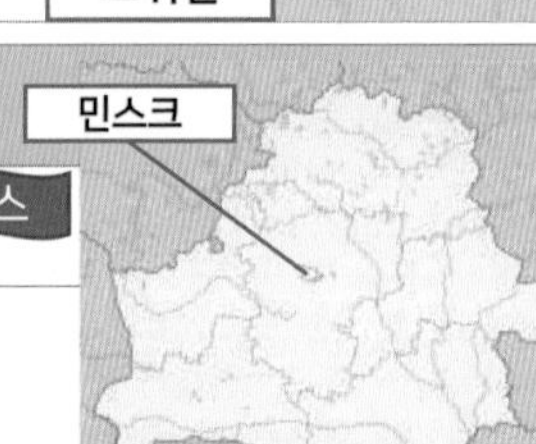

벨라루스

* 주소 : 서울 용산구 이태원로45길 51

- 대표번호 : 02-2237-8171
- 휴무일 : 매주 토, 일요일 / 공휴일 (월~금 09:00~12:00 – 운영 시간)
- 홈페이지 : korea.mfa.gov.by/ko

주한 불가리아 대사관 (수도 - 소피아)

불가리아

* 주소 : 서울 용산구 한남대로 102-8

- 대표번호 : 02-794-8625
- 휴무일 : 매주 토, 일요일 / 공휴일 (월~금 09:00~17:00 – 운영 시간)
- 홈페이지 :

주한 세르비아 대사관 (수도 - 베오그라드)

* 주소 : 서울 중구 세종대로 55 부영태평빌딩 22층

- 대표번호 : 02-797-5109
- 휴무일 : 매주 토, 일요일 / 공휴일 (월~금 10:00~16:00 – 운영 시간)
- 홈페이지 : http://www.seoul.mfa.gov.rs/

주한 스웨덴 대사관 (수도 - 스톡홀름)

스웨덴

스톡홀름

* 주소 : 서울 중구 소월로 10 단암빌딩

- 대표번호 : 02-3703-3700
- 휴무일 : 매주 토, 일요일 / 공휴일 (월~금 09:00~17:00 – 운영 시간)
- 홈페이지 : www.swedenabroad.se/ko/embassies/대한민국-서울

주한 스위스 대사관 (수도 - 베른)

스위스

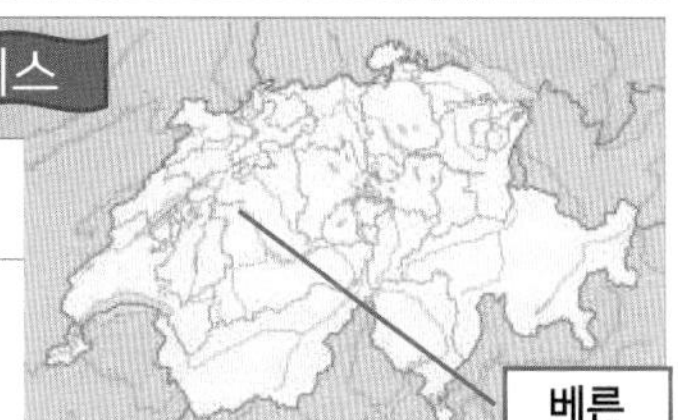

* 주소 : 서울 종로구 송월길 77

- 대표번호 : 02-739-9511
- 휴무일 : 매주 토, 일요일 / 공휴일 (월~금 09:00~12:00 – 운영 시간)
- 홈페이지 : https://www.eda.admin.ch/seoul

주한 스페인 대사관 (수도 - 마드리드)

스페인

마드리드

* 주소 : 서울 용산구 한남대로36길 17

- 대표번호 : 02-794-3581
- 휴무일 : 매주 토, 일요일 / 공휴일 (월~금 09:00~13:00 – 운영 시간 / 비자 문의 : 월~목 - 14:30~16:30)
- 홈페이지 : www.exteriores.gob.es/Embajadas/SEUL/ko/Paginas/inicio.aspx

주한 슬로바키아 대사관 (수도 - 브라티슬라바)

브라티슬라바

* 주소 : 서울 용산구 한남대로10길 28

- 대표번호 : 02-794-3981
- 휴무일 : 매주 토, 일요일 / 공휴일 (월~금 09:00~17:00 – 운영 시간)
- 홈페이지 :

주한 아일랜드 대사관 (수도 - 더블린)

아일랜드

더블린

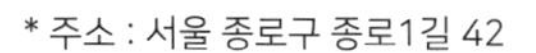

* 주소 : 서울 종로구 종로1길 42

- 대표번호 : 02-721-7200
- 휴무일 : 매주 토, 일요일 / 공휴일 (월~금 09:00~17:00 – 운영 시간)
- 홈페이지 : www.dfa.ie/irish-embassy/republic-of-korea

주한 아제르바이잔 대사관 (수도 - 바쿠)

바 쿠

아제르바이잔

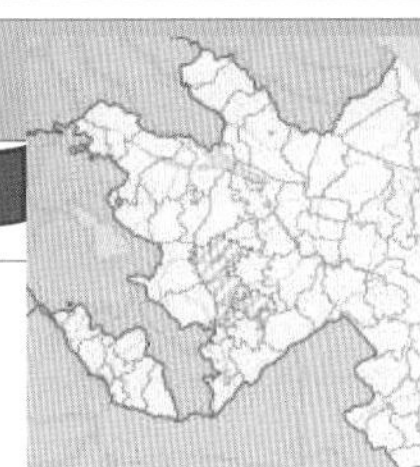

* 주소 : 서울 용산구 이태원로45길 63

- 대표번호 : 02-797-1765
- 휴무일 : 매주 월, 수, 목, 토, 일요일 / 공휴일 (화, 금 : 09:30 ~ 13:00 – 운영 시간)
- 홈페이지 : https://seoul.mfa.gov.az/az

주한 영국 대사관 (수도 - 런던)

영국

* 주소 : 서울 중구 세종대로19길 24

- 대표번호 : 02-3210-5500
- 휴무일 : 매주 토, 일요일 / 공휴일 (월~금 09:00~17:15 - 운영 시간)
- 홈페이지 : https://www.gov.uk/world/south-korea

런던

주한 오스트리아 대사관 (수도 - 비엔나)

오스트리아

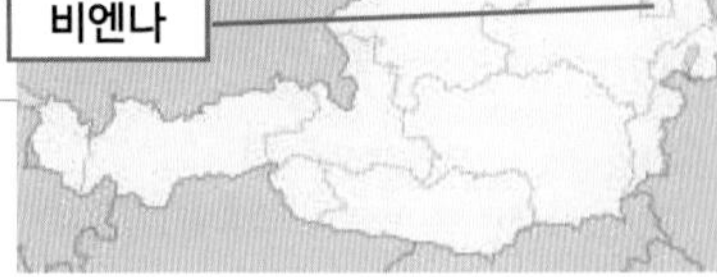

* 주소 : 서울 종로구 종로 1 교보생명빌딩 21층

- 대표번호 : 02-721-1700
- 휴무일 : 매주 토, 일요일 / 공휴일 (월~금 09:00~16:30 - 운영 시간)
- 홈페이지 : www.bmeia.gv.at/kr/botschaft/seoul.html

주한 우크라이나 대사관 (수도 - 키이우)

키이우

* 주소 : 서울 용산구 이태원로 45길 21

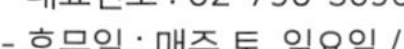

- 대표번호 : 02-790-5696
- 휴무일 : 매주 토, 일요일 / 공휴일 (월~금 09:00~18:00 - 운영 시간)
- 홈페이지 : https://korea.mfa.gov.ua/en

주한 이탈리아 대사관 (수도 - 로마)

* 주소 : 서울 용산구 한남대로 98

- 대표번호 : 02-750-0200
- 휴무일 : 매주 토요일/공휴일 (일 ~ 금 : 9:00~15:00 - 운영 시간, 수, 금, 일 09:00~12:20 비자, 영사과)
- 홈페이지 : www.ambseoul.esteri.it/ambasciata_seoul

주한 조지아 대사관 (수도 - 트빌리시)

조지아

트빌리시

* 주소 : 서울 용산구 이태원로27길 30

- 대표번호 : 02-792-7118
- 휴무일 :
- 홈페이지 :

주한 체코 공화국 대사관 (수도 - 프라하)

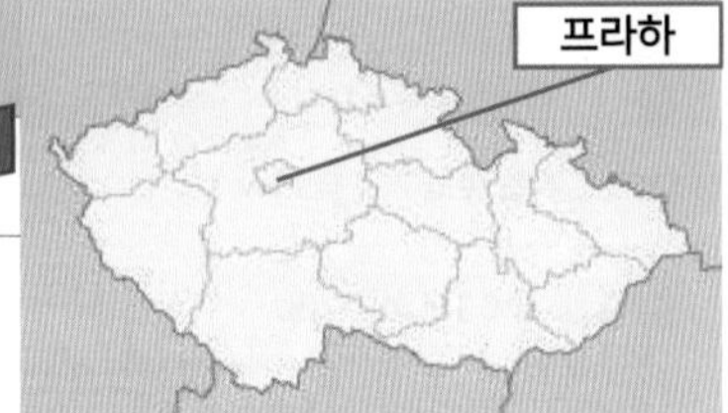

* 주소 : 서울 종로구 종로1길 50 더케이트윈타워 B동 7층

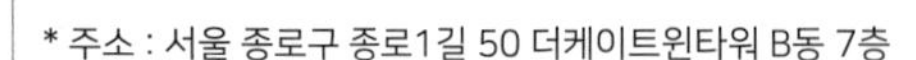

- 대표번호 : 02-725-6765
- 휴무일 : 매주 토, 일요일 / 공휴일 (월~금 09:00~17:00 - 운영 시간)
- 홈페이지 : http://www.mzv.cz/seoul

주한 크로아티아 공화국 대사관 (수도 - 자그레브)

크로아티아 공화국

* 주소 : 서울 중구 퇴계로 97 고려대연각타워 13층

- 대표번호 : 02-310-9660
- 휴무일 : 매주 토, 일요일 / 공휴일 (월~금 09:00~17:00 - 운영 시간)
- 홈페이지 :

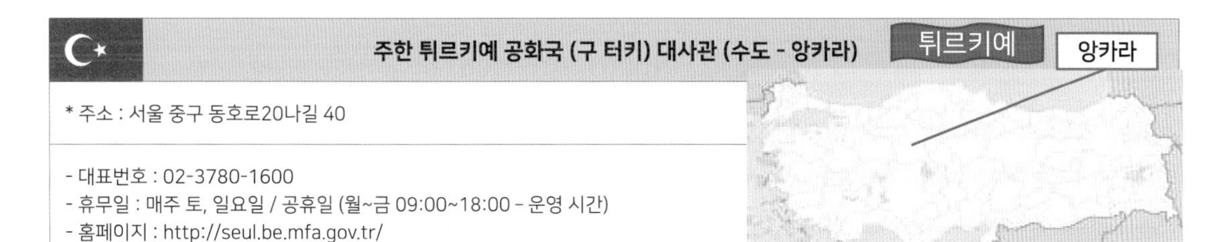

주한 튀르키예 공화국 (구 터키) 대사관 (수도 - 앙카라)

* 주소 : 서울 중구 동호로20나길 40

- 대표번호 : 02-3780-1600
- 휴무일 : 매주 토, 일요일 / 공휴일 (월~금 09:00~18:00 – 운영 시간)
- 홈페이지 : http://seul.be.mfa.gov.tr/

주한 포르투갈 대사관 (수도 - 리스본)

포르투갈

리스본

* 주소 : 서울 종로구 창덕궁1길 13 원서빌딩 2층

- 대표번호 : 02-3675-2251
- 휴무일 : 매주 토, 일요일 / 공휴일 (월~금 09:00~17:00 – 운영 시간)
- 홈페이지 : www.seul.embaixadaportugal.mne.pt

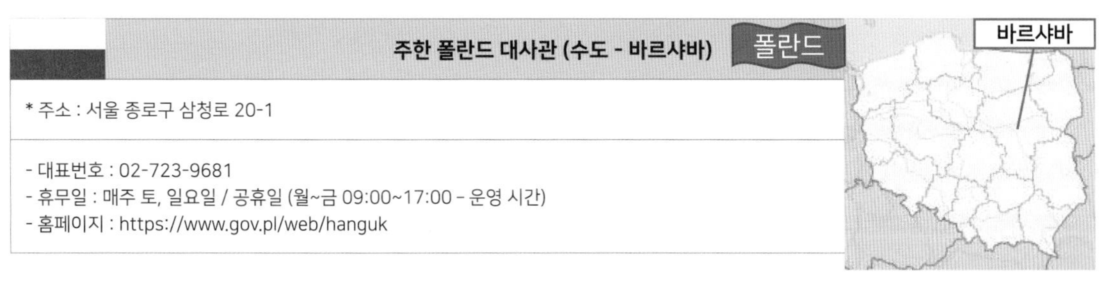

주한 폴란드 대사관 (수도 - 바르샤바)

* 주소 : 서울 종로구 삼청로 20-1

- 대표번호 : 02-723-9681
- 휴무일 : 매주 토, 일요일 / 공휴일 (월~금 09:00~17:00 – 운영 시간)
- 홈페이지 : https://www.gov.pl/web/hanguk

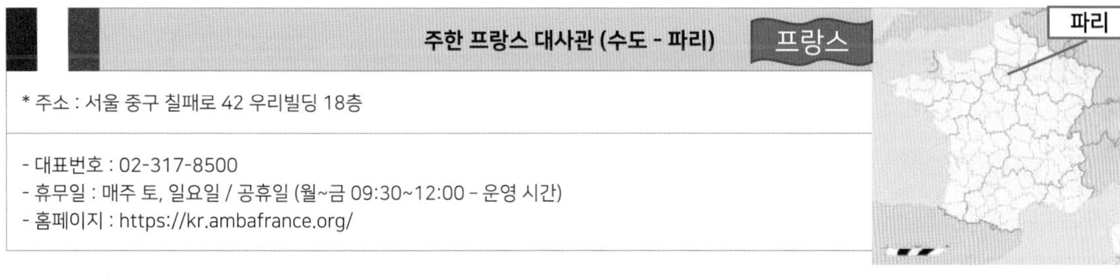

주한 프랑스 대사관 (수도 - 파리)

* 주소 : 서울 중구 칠패로 42 우리빌딩 18층

- 대표번호 : 02-317-8500
- 휴무일 : 매주 토, 일요일 / 공휴일 (월~금 09:30~12:00 – 운영 시간)
- 홈페이지 : https://kr.ambafrance.org/

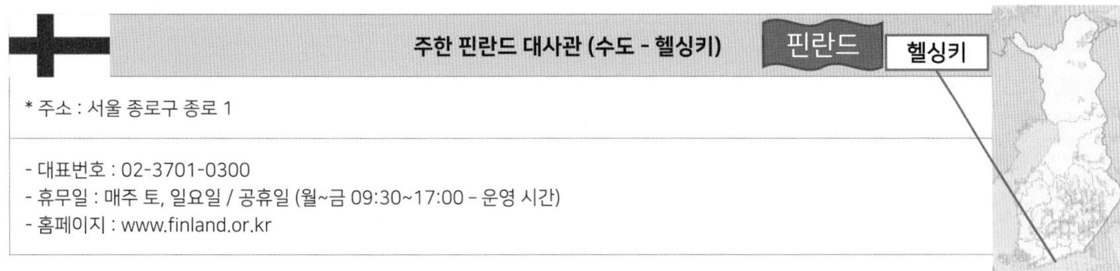

주한 핀란드 대사관 (수도 - 헬싱키)

* 주소 : 서울 종로구 종로 1

- 대표번호 : 02-3701-0300
- 휴무일 : 매주 토, 일요일 / 공휴일 (월~금 09:30~17:00 – 운영 시간)
- 홈페이지 : www.finland.or.kr

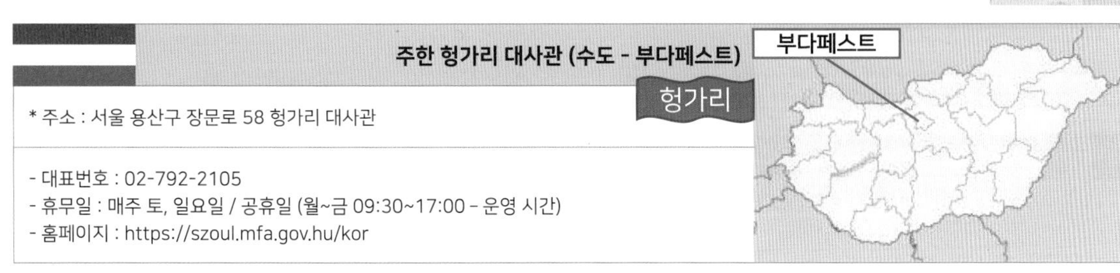

주한 헝가리 대사관 (수도 - 부다페스트)

* 주소 : 서울 용산구 장문로 58 헝가리 대사관

- 대표번호 : 02-792-2105
- 휴무일 : 매주 토, 일요일 / 공휴일 (월~금 09:30~17:00 – 운영 시간)
- 홈페이지 : https://szoul.mfa.gov.hu/kor

북 미 - North America

주한 미국 대사관 (수도 - 워싱턴 D.C)

미 국

워싱턴 D.C

* 주소 : 서울 종로구 세종대로 188 미국대사관

- 대표번호 : 02-397-4114
- 휴무일 : 매주 토, 일요일 / 공휴일 (월~금 08:30~17:00 – 운영 시간)
- 홈페이지 : https://kr.usembassy.gov/ko/

주한 미국 부산 영사관

* 주소 : 부산 부산진구 중앙대로 993 612호

- 대표번호 : 051-863-0731
- 휴무일 : 매주 토, 일요일 / 공휴일 (월~금 08:30~17:00 – 운영 시간)
- 홈페이지 : http://kr.usembassy.gov

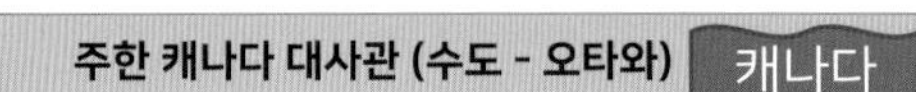

주한 캐나다 대사관 (수도 - 오타와)

캐나다

오타와

* 주소 : 서울 중구 정동길 21 주한캐나다대사관

- 대표번호 : 02-3783-6000
- 휴무일 : 매주 토, 일요일 / 공휴일 (월~금 08:30~17:00 – 운영 시간, 점심시간 11:45 ~12:45)
- 홈페이지 : http://www.korea.gc.ca/

중남 미 - Latin America

주한 과테말라 대사관 (수도 - 과테말라 시티)

과테말라

과테말라 시티

* 주소 : 서울 중구 세종대로 55 부영태평빌딩 20층

- 대표번호 : 02-771-7582
- 휴무일 : 매주 토, 일요일 / 공휴일 (월~금 09:30~15:30 – 운영 시간, 점심시간 12:30 ~13:30)
- 홈페이지 :

주한 니카라과 대사관 (수도 - 마나과)

니카라과

마나과

* 주소 : 서울 중구 소월로 10

- 대표번호 : 02-6272-1670
- 휴무일 : 매주 토, 일요일 / 공휴일 (월~금 09:00~17:00 / 영사업무 전화 예약 후 방문)
- 홈페이지 : email: nicaseoul@gmail.com

주한 도미니카공화국 대사관 (수도 - 산토도밍고)

도미니카 공화국

* 주소 : 서울 중구 세종대로 73

- 대표번호 : 02-756-3513
- 휴무일 : 매주 토, 일요일 / 공휴일 (월~금 09:00~16:30 – 운영 시간 / 비자발급 : 평일 09:00~12:30)
- 홈페이지 : http://www.embadom.or.kr/

산토도밍고

주한 멕시코 대사관 (수도 - 멕시코시티)

멕시코

* 주소 : 서울 종로구 율곡로 6 트윈트리 타워B 17층

- 대표번호 : 02-798-1694
- 휴무일 : 매주 토, 일요일 / 공휴일 (월~금 09:00~17:00 – 운영 시간)
- 홈페이지 : http://embamex.sre.gob.mx/corea/

멕시코 시티

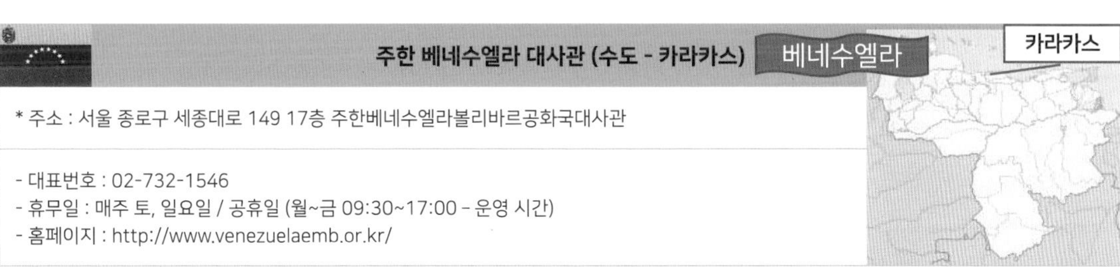

주한 베네수엘라 대사관 (수도 - 카라카스)

* 주소 : 서울 종로구 세종대로 149 17층 주한베네수엘라볼리바르공화국대사관

- 대표번호 : 02-732-1546
- 휴무일 : 매주 토, 일요일 / 공휴일 (월~금 09:30~17:00 - 운영 시간)
- 홈페이지 : http://www.venezuelaemb.or.kr/

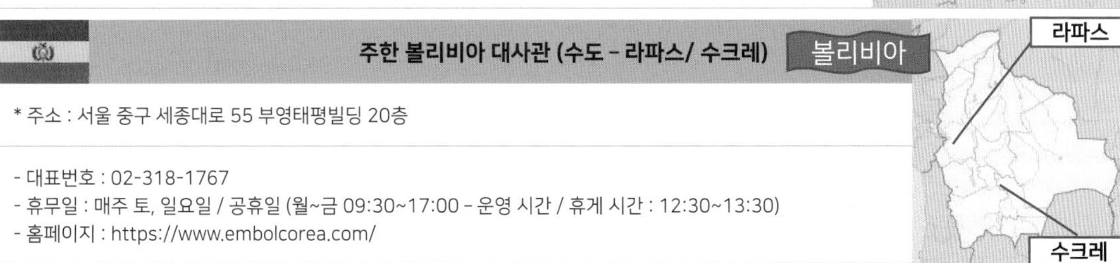

주한 볼리비아 대사관 (수도 - 라파스/ 수크레)

* 주소 : 서울 중구 세종대로 55 부영태평빌딩 20층

- 대표번호 : 02-318-1767
- 휴무일 : 매주 토, 일요일 / 공휴일 (월~금 09:30~17:00 - 운영 시간 / 휴게 시간 : 12:30~13:30)
- 홈페이지 : https://www.embolcorea.com/

주한 브라질 대사관 (브라질리아)

* 주소 : 서울 종로구 청와대로 73

- 대표번호 : 02-738-4970
- 휴무일 : 매주 토, 일요일 / 공휴일 (월~금 09:00~13:00 - 운영 시간)
- 홈페이지 : http://seul.itamaraty.gov.br/

주한 아르헨티나 대사관 (수도 - 부에노스아이레스)

부에노스아이레스

아르헨티나

* 주소 : 서울 용산구 녹사평대로 206 천우빌딩 5층

- 대표번호 : 02-797-0636
- 휴무일 : 매주 토, 일요일 / 공휴일 (월~금 09:00~17:00 - 운영 시간)
- 홈페이지 : http://ecore.cancilleria.gov.ar/ko

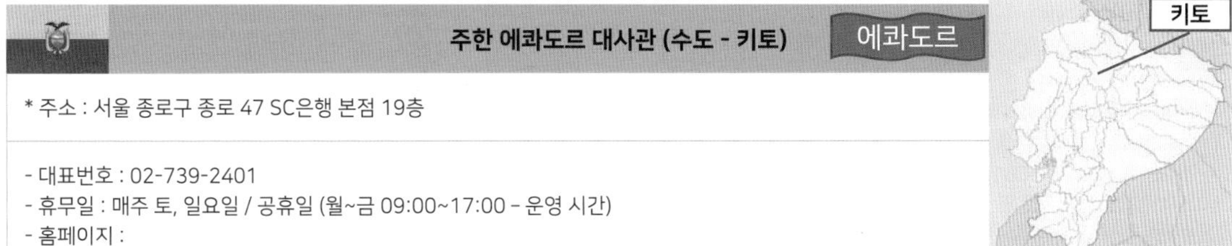

주한 에콰도르 대사관 (수도 - 키토)

* 주소 : 서울 종로구 종로 47 SC은행 본점 19층

- 대표번호 : 02-739-2401
- 휴무일 : 매주 토, 일요일 / 공휴일 (월~금 09:00~17:00 - 운영 시간)
- 홈페이지 :

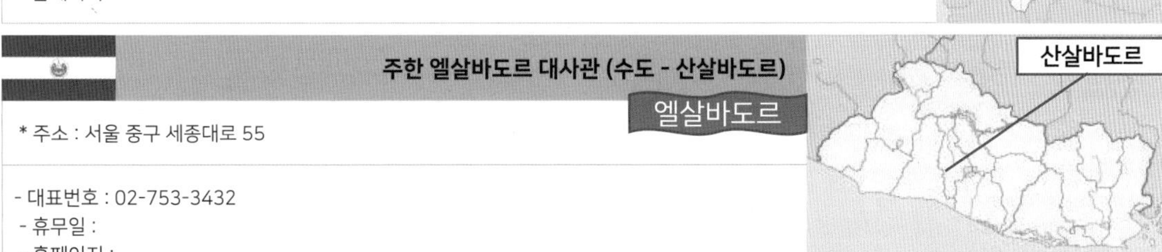

주한 엘살바도르 대사관 (수도 - 산살바도르)

* 주소 : 서울 중구 세종대로 55

- 대표번호 : 02-753-3432
- 휴무일 :
- 홈페이지 :

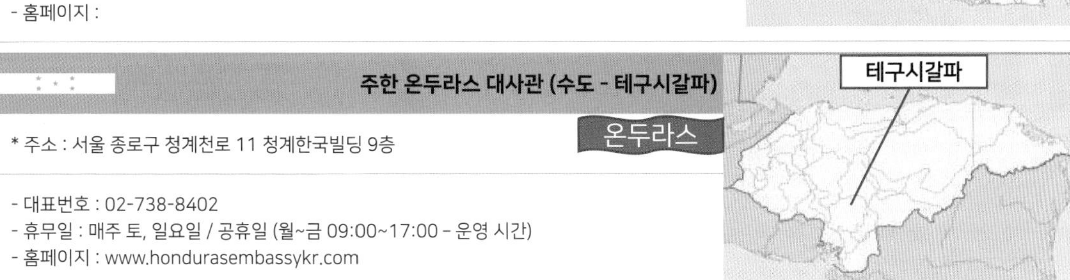

주한 온두라스 대사관 (수도 - 테구시갈파)

* 주소 : 서울 종로구 청계천로 11 청계한국빌딩 9층

- 대표번호 : 02-738-8402
- 휴무일 : 매주 토, 일요일 / 공휴일 (월~금 09:00~17:00 - 운영 시간)
- 홈페이지 : www.hondurasembassykr.com

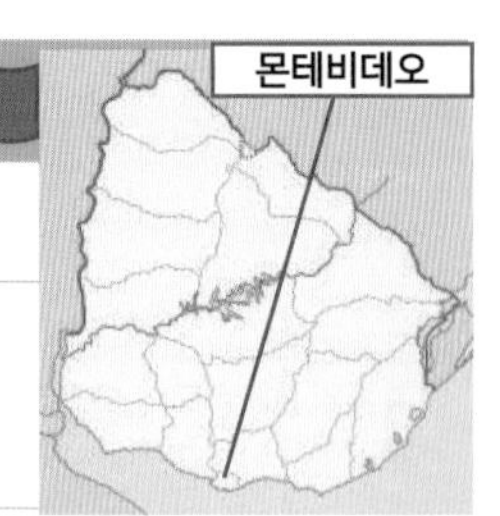

주한 우루과이 대사관 (수도 - 몬테비데오) 우루과이

* 주소 : 서울 중구 퇴계로 97 고려대연각타워 706호

- 대표번호 : 02-6245-3179
- 휴무일 :
- 홈페이지 : http://www.mrree.gub.uy/

주한 칠레 대사관 (수도 - 산티아고) 칠레 산티아고

* 주소 : 서울 중구 퇴계로 97 고려대연각타워 1801호

- 대표번호 : 02-779-2610
- 휴무일 : 매주 토, 일요일 / 공휴일 (월~금 09:00~16:00 – 운영 시간)
- 홈페이지 : chile.gob.cl/corea-del-sur

주한 코스타리카 대사관 (수도 - 산호세) 코스타리카

* 주소 : 서울 중구 퇴계로 97

- 대표번호 : 02-707-9249
- 휴무일 : 매주 토, 일요일 / 공휴일 (월~금 09:00~17:00 – 운영 시간)
- 홈페이지 :

산호세

주한 콜롬비아 대사관 (수도 - 보고타) 콜롬비아 보고타

* 주소 : 서울 종로구 종로 1 교보생명빌딩

- 대표번호 : 02-720-1369
- 휴무일 : 매주 토, 일요일 / 공휴일 (월~금 09:00~18:00 – 운영 시간 – 비자 등 09:~12:00, 14:00~16:00)
- 홈페이지 : https://corea.embajada.gov.co/

주한 파나마 대사관 (수도 - 파나마 시티) 파나마 시티

파나마

* 주소 : 서울 종로구 경희궁길 49 이레빌딩

- 대표번호 : 02-734-8610
- 휴무일 : 매주 토, 일요일 / 공휴일 (월~금 09:00~17:00 – 운영 시간)
- 홈페이지 :

주한 파라과이 대사관 (수도 - 아순시온) 파라과이

* 주소 : 서울 중구 세종대로 55 부영태평빌딩 22층

- 대표번호 : 02-792-8335
- 휴무일 : 매주 토, 일요일 / 공휴일 (월~금 09:00~16:00 – 운영 시간)
- 홈페이지 : http://embaparcorea.org

아순시온

주한 페루 대사관 (수도 - 리마) 페루

* 주소 : 서울 중구 세종대로 55 부영태평빌딩 19층

- 대표번호 : 02-757-1735
- 휴무일 : 매주 토, 일요일 / 공휴일 (월~금 09:00~17:00 – 운영 시간 / 휴게 시간 : 13:00~14:00)
- 홈페이지 : https://blog.naver.com/embaperu

동북 아시아 - Northeast Asia

주 일본 대한민국 대사관 (도쿄)

* 주소 : 東京都港区南麻布1-2-5(우편번호 106-0047)

- 영사업무(업무시간 중): +81-3-3455-2601
- 대표번호(업무시간 중): +81-3-3452-7611
- 긴급연락처(사건, 사고 등 긴급상황 발생시, 24시간) : +81-70-2153-5454
- 영사콜센터(24시간): +82-2-3210-0404
- 업무시간 : (월-금) 09:00~18:00, 점심시간 12:00~13:30/ 영사과 09:00~16:00

주 고베 대한민국 총영사관

* 주소 : (〒) 650 - 0004 神戸市 中央区 中山手通 2 - 21 - 5

- 대표전화(근무시간) : +81-78-221-4853
- 영사콜센터 (24시간): +82-2-3210-0404(유료)
- (무료) 스마트폰에 무료 전화앱 설치/이용
- 긴급전화(근무시간 외): +81-90-5099-0414

주 나고야 대한민국 총영사관

* 주소 : (우) 450-0003 日本国愛知県名古屋市中村区名駅南1-19-12

- 업무시간 : +81-52-586-9221
- 업무시간 외 긴급 연락 전화 : +81-80-4221-9500
- 영사콜센터 (24시간) : +82-2-3210-0404
- (무료) 스마트폰에 무료 전화 앱 설치 이용

주 니가타 대한민국 총영사관

* 주소 : (우) 950-0078 日本国新潟市中央区万代島5-1 万代島ビル 8F

- 대표전화(근무시간): +81-25-255-5555
- 영사콜 센터(24시간): +82-2-3210-0404(유료)
- (무료) 스마트폰에 무료 전화 앱 설치/이용
- 긴급전화(근무시간 외): +81-90-8873-8853

주 삿포로 대한민국 총영사관

* 주소 : (우) 060-0002 日本国北海道札幌市中央区北2条西12丁目 1-4

- 대표전화(근무시간): +81-11-218-0288
- 영사콜센터(24시간): +82-2-3210-0404(유료)
- (무료) 스마트폰에 무료 전화 앱 설치/이용
- 긴급전화(근무시간 외): +81-80-1971-0288
- 업무시간 : (월-금) 08:45~12:00, 13:00~17:30

주 센다이 대한민국 총영사관

* 주소 : (우) 980-0011 宮城県仙台市青葉区上杉1丁目4-3

- 대표전화(근무시간): +81-22-221-2751
- 영사콜센터(24시간): +82-2-3210-0404(유료)
- (무료) 스마트폰에 무료 전화 앱 설치/이용
- 긴급전화(근무시간 외): +81-90-9538-0741
- 근무시간 : 월-금 08:45~12:00, 13:00~17:30
  (민원업무 09:00~12:00, 13:00~17:00)

주 오사카 대한민국 총영사관

* 주소 : 〒541-0056 大阪府 大阪市中央区久太郎町2丁目5番13号 五味ビル

- 대표전화(근무시간): +81-6-4256-2345
(근무시간 중, 평일 09:00~17:30), 민원업무 (평일 09:00~16:00)
- 영사콜센터(24시간): +82-2-3210-0404(유료)
- (무료) 스마트폰에 무료 전화 앱 설치/이용
- 긴급상황 발생 시(근무시간 외) +81-90-3050-0746(한국어)
+81-90-5676-5340(日本語)1-90-5676-5340(日本語)

주 요코하마 대한민국 총영사관

* 주소 : (우) 231-0862 日本國 神奈川縣 横浜市 中區 山手町 118番地

- 대표전화(근무시간 중): +81-45-621-4531
- 영사콜센터(24시간): +82-2-3210-0404(유료)
- (무료) 스마트폰에 무료 전화 앱 설치/이용
- 긴급 연락 전화(사건, 사고 등 긴급상황 발생시, 24시간) : +81-80-6731-3285
- 민원업무(평일 09:00~16:00)

주 후쿠오카 대한민국 총영사관

* 주소 : 〒810 - 0065 福岡市中央区地行浜1 - 1 - 3 (1-1-3, Jigyohama, Chuo-ku, Fukuoka)

- 대표전화(근무시간): +81-92-771-0461~2
- 영사콜센터(24시간): +82-2-3210-0404(유료)
- (무료) 스마트폰에 무료 전화 앱 설치/이용
- 긴급전화(근무시간 외): +81-80-8588-2806, (24시간 영사콜 센터)
- +82-2-3210-0404(유료) (근무시간 외 휴일 및 야간)

주 히로시마 대한민국 총영사관

* 주소 : 〒734-0005 広島市南区翠5丁目9-17

- 대표전화(근무시간 중): +81-82-505-2100~1
- 영사콜센터(24시간): +82-2-3210-0404(유료)
- (무료) 스마트폰에 무료 전화 앱 설치/이용
- 긴급전화(근무시간 외, 휴일 및 야간): +81-90-8712-8028
- 업무시간 : 월요일부터 금요일까지 오전 09:00~12:00. 오후13:15~18:00
※민원업무는 17:00까지

주 중국 대한민국 대사관 (베이징)

* 주소 : 中国　北京市　朝阳区　第三使馆区　东方东路20号
(邮政编码　100600) (No.20 DongfangdongLu Chaoyang District, Beijing China)

- 대표전화(근무시간 중) : +86-10-8531-0700 (업무시간 : 평일 9시-18시)
- 긴급 연락 전화(사건, 사고 등 긴급상황 발생 시, 평일 저녁 6시 이후/공휴일, 주말) : +86-186-1173-0089
- 영사콜센터(서울, 24시간) : +82-(0)2-3210-0404

주 광저우 대한민국 총영사관

* 주소 : 中国广东省广州市海珠区赤岗领事馆区友邻三路18号(邮编510310) (No.18, Youlin Road3, Chigang Consulate Area, Haizhu District, Guangzhou, 510310, P.R.China)

- 대표전화: +86-(0)20-2919-2999
- 긴급 연락 전화(긴급상황 발생 시, 24시간) : +86-139-2247-3457
- 영사콜센터(서울, 24시간) : +82-(0)2-3210-0404
- FAX : +86-(0)20-2919-2963
- 업무시간 : 09:00-12:00, 13:30-18:00 (월-금)

주 다롄 대한민국 출장소

* 주소 : 33F Hongyuan B/D, 23 Renmin Road, Zhongshan district, Dalian, Liaoning, 116001, China

- 대표전화(근무시간): +86-411-8235-6288
- 영사콜센터(24시간): +82-2-3210-0404(유료)
- (무료) 스마트폰에 무료 전화 앱 설치/이용
- 긴급전화(근무시간 외): +86-158-4085-1230
- 업무시간 : 09:00~17:30 (정오 휴식시간 12:00-13:00)
/ 동절기 (10월-익년 3월) 업무시간 : 09:00-17:00

주 상하이 대한민국 총영사관

* 주소 : 중국 상해시 장녕구 만산로 60호 (우편번호 200336)

- 전화번호 : +86-21-6295-5000(대표),
- 영사콜센터(서울, 24시간):+822-3210-0404,
- 당직 번호 (긴급전화) 138-1650-9503(4)
- 평일 18:00-익일 09:00. 휴일 24시간
- 긴급 연락 전화 (사건, 사고 등 긴급상황 발생 시, 24시간): +86-138-1650-9503(4)

주 시안 대한민국 총영사관

* 주소 : 중국 섬서성 서안시 고신기술산업개발구 과기로 33호 고신국제상무중심 19층(우편번호 : 710075)

- 대표전화(근무시간): +86-29-8835-1001
- 영사 콜센터(24시간): +82-2-3210-0404(유료)
- (무료) 스마트폰에 무료 전화 앱 설치/이용
- 긴급전화(근무시간 외): +86-187-1091-0838

주 우한 대한민국 총영사관

* 주소 : 중국 호북성 무한시 강한구 신화로 218호 포발은행빌딩 4층,19층 (우편번호 : 430022)

- 대표전화(근무시간): +86-27-8556-1085
- 영사콜센터(24시간): +82-2-3210-0404(유료)
- (무료) 스마트폰에 무료 전화 앱 설치/이용
- 긴급전화(근무시간 외): +86 159-2626-1124

주 청두 대한민국 총영사관

* 주소 : 中国四川省成都市东御街18号百扬大厦14楼大韩民国驻成都总领事馆

- 대표전화(근무시간): +86-28-8616-5800
- 영사콜센터(24시간): +82-2-3210-0404
- 스마트폰'영사콜센터 무료 전화' 앱 이용
- 긴급전화(근무시간 외): +86-139-8095-6348(유료)

주 칭다오 대한민국 총영사관

* 주소 : No. 88 Chunyang Road, Chengyang District, Qingdao, Shandong, China (266109)

- 대표전화(근무시간 중) : +86-532-8897-6001
- 긴급 연락 전화(사건, 사고 등 긴급상황 발생 시, 24시간): +86-186-6026-5087
- 영사콜센터(서울, 24시간) : +82-(0)2-3210-0404
- 업무시간 : 09:00-17:30(정오 휴식:12:00-13:30)

주 선양 대한민국 총영사관

* 주소 : No. 37, South 13 Latitude Road, Heping District, Shenyang, Liaoning, CHINA

- 근무시간: +86-24-2385-3388
- 긴급연락처 (24시간 운영) : +86-138-0400-6338
- 영사콜센터(서울, 24시간) : +82-(0)2-3210-0404
- 업무시간 : 09:00-18:00 (정오 휴식시간: 12:00-13:30)
| 동절기 (10월- 익년 3월) 업무시간: 09:00-17:30

주 홍콩 대한민국 총영사관

* 주소 : 香港金鐘夏慤道 16號 遠東金融中心 5-6樓

- 대표전화(근무시간 중): +852-2529-4141　- 대표 이메일 : hkg-info@mofa.go.kr
- 긴급 연락 전화(사건, 사고 등 긴급상황 발생 시) (24시간): +852-9731-0092
- 영사콜센터(서울, 24시간): +82-2-3210-0404
- 업무시간 : 월요일 - 금요일 | 09:00 - 17:30 (민원업무 : 09:00-16:30, 점심시간 : 12:00-13:30)

주 몽골 대한민국 대사관 (울란바토르)

* 주소 : Mahatma Gandhi street-39, Khan-Uul district-15, Ulaanbaatar-17011, Mongolia C.P.O Box-1039

- 일과시간 (대표번호) : +976-7007-1020 / FAX : (976)7007-1021
- 긴급 연락 전화 (사건, 사고) : +976-9911-4119
- 근무시간 중 - 대표전화 : +976-7007-1020
- 비자 : +976-7007-1030
- 여권·공증 : +976-7007-1032
- 영사콜센터: +822-3210-0404
- 영사과 : (976)7007-1031
- 업무시간: 8:30-17:30, 점심시간: 12:00-13:30(월-금 : 민원실 운영 시간: 9:00-11:30, 14:00-17:00)

주 타이베이 대한민국 대표부

* 주소 : 台北市 基隆路 一段 333號 1506室 (郵遞區號11012) Rm. 1506, 15F. No. 333, Sec.1, KeeLung Road, TAIPEI

- 대표전화(근무시간) : +886-2-2758-8320~5 (6선)
- 영사콜센터(24시간) : +82-2-3210-0404(유료)
- (무료) 스마트폰에 무료 전화 앱 설치/이용
- 긴급전화(사건, 사고 등 긴급상황 발생 시, 근무시간 외)
: +886-912-069-230 (평일 18시~익일 09시, 공휴일 24시간)
- 업무시간 : 8:30 - 17:30 (월-금, 12:00- 13:30 점심시간), 영사 민원업무 접수
- 시간 : 월~금, 09:00~12:00, 14:00~16:00

동남 아시아 / 서남 아시아 - Southeast Asia / Southwest Asia

주 네팔 대한민국 대사관 (카트만두)

* 주소 : P.O.Box 1058 Ravi bhawan Tahachal, Kathmandu, Nepal

- 대표전화(근무시간): (977-1) 427-7391, 427-0417, 427-0172
- 영사콜센터(24시간): +82-2-3210-0404(유료)
- (무료) 스마트폰에 무료 전화 앱 설치/이용
- 긴급 연락 전화(사건, 사고 등 긴급상황 발생 시, 24시간) : +977-98510-33178
- 영사콜센터(서울, 24시간):+822-3210-0404

주 동티모르 대한민국 대사관 (딜리)

* 주소 : P.O. BOX 230, Avenida de Portugal, Campo Alor, Dom Aleixo, Dili, Timor-Leste

- 대표전화(근무시간 중) :+670 332 1635, 332 1567
- 영사콜센터(서울, 24시간) : +82 2 3210 0404(유료)
- 영사콜센터 무료 전화 앱 사용 시 무료
- 긴급 연락 전화(근무시간 외) : +670 7723-5068 +670 7773-1733
- 영사콜센터(서울, 24시간) : +82 (0)2 3210 0404

주 라오스 대한민국 대사관 (비엔티안)

* 주소 : Embassy of the Republic of Korea, 4~5th floor of Royal Square Office building, 20 Samsenthai Road, Nongduang Nua Village, Sikhottabong District, Vientiane Capital, Lao PDR (P.O.Box 7567)

- 대표전화(근무시간) : (정무·경제) +856-21-352-031(~3)
- (영사·여권·비자 등) +856-21-255-770(~1)
- 근무시간 외 긴급연락처 : +856-20-5839-0080
- 24시간 영사콜센터 : (유료) +856-2-3210-0404 (무료) 카카오톡 – 무료 전화 앱
- 근무시간 : (월~금) 오전 08:30-12:00 / 오후 13:30 - 17:00
- 민원실 개방 시간 : (월~금) 오전 08:30 - 11:30 / 오후 13:30 - 16:30

주 말레이시아 대한민국 대사관 (쿠알라룸푸르)

* 주소 : No.9&11 Jalan Nipah Off Jalan Ampang 55000 KL

- 근무시간 : +60-3-4251-2336, FAX : +60-3-4252-1425
- 무료통역(영사콜센터) : 1-800-81-2099, 1-800-80-0082
- 긴급 연락 전화 [사건, 사고 전용 (업무시간 외)] : +60-17-623-8343
- E-mail : korem-my@mofa.go.kr (일반 문의), mycon@mofa.go.kr < 영사 (여권, 공증, 가족관계, 국적, 재외국민, 격리면제서) 민원 문의>, myvisa@mofa.go.kr (사증 (비자) 문의)
- 업무시간 : 오전 AM 8:30 ~ 12:00 (마지막 접수 AM 11:30) I 오후 PM 1:30 ~ 5:00 (마지막 접수 PM 4:30)

주 미얀마연방공화국 대한민국 대사관 (네피도)

* 주소 : No.97, University Avenue Road, Bahan Township, Yangon, Myanmar

- 대표전화(근무시간 중): +95-1-7527-143~4
- 긴급 연락 전화(긴급상황 발생시, 24시간): +95-9-4211-58030
- 영사콜센터(서울, 24시간): +82-2-3210-0404

주 방글라데시 대한민국 대사관 (다카)

* 주소 : Embassy of the Republic of Korea 4 Madani Avenue, Baridhara, Dhaka-1212, Bangladesh

- 대표전화(근무시간): +880-2-5881-2088~90, FAX : +880-2-984-3871
- 영사콜센터(24시간): +82-2-3210-0404(유료)
- (무료) 스마트폰에 무료 전화 앱 설치/이용
- 긴급전화(근무시간 외 24시간, 사건, 사고): +880-17-5563-9618

주 베트남 대한민국 대사관 (하노이)

* 주소 : (대사관) SQ4 Diplomatic Complex, Do Nhuan St, Xuan Tao, Bac Tu Liem, Hanoi, Vietnam

- 당관 대표번호 : 대사관 +84 (0)24 3831-5111, 영사부 +84(0)24 3771-0404
- 근무시간: +84-24-3771-0404(비자, 여권 등), +84-24-3831-5111(정무, 경제 등)
- 근무시간 외: +84-90-402-6126(긴급상황 발생 시, 24시간)
- 영사콜센터: +82-2-3210-0404(서울,24시간)
- 월-금 8:30~12:00. 13:30~17:30 / 민원업무시간 9:00~12:00, 14:00~16:00

주 다낭 대한민국 총영사관

* 주소 : Tang 3-4, Lo A1-2 Chuong Duong, P.Khue My, Q.Ngu Hanh Son, TP.Da Nang, Vietnam

- 대표전화(근무시간) : +84-23-6356-6100
- 영사콜센터(24시간) : +82-2-3210-0404(유료)
- (무료) 스마트폰에 무료 전화 앱 설치/이용
- 긴급전화(근무시간 외) : +84-93-112-0404

주 호치민 대한민국 총영사관

* 주소 : 107 Nguyen Du, Dist 1, HCMC

- 근무시간 : +84-28-3822-5757
- 여권 · 공증 : +84-28-3824-2593
- 사증(비자) : +84-28-3824-3311
- 영사콜센터(24시간) : +82-2-3210-0404
- 긴급전화 : 근무시간: 028) 3824-2639
- 긴급 연락 전화 (사건, 사고 등 긴급상황 발생 시, 24시간) : +84-93-850-0238

주 브루나이 대한민국 대사관 (반다르스리브가완)

* 주소 : Korean Embassy in Brunei Lot No 24160, Simpang 336, Diplomatic Enclave, Jalan Kebangsaan, Kampong Kianggeh, B.S.B., Brunei Darussalam

- 대표전화(근무시간): +673-233-0248/49
- 영사콜센터(24시간): +82-2-3210-0404(유료)
- (무료) 스마트폰에 무료 전화 앱 설치/이용
- 긴급전화(근무시간 외): +673-729-1336

주 스리랑카 대한민국 대사관 (스리자야와르데네푸라코테)

* 주소 : No 98 Dharmapala Mawatha Colombo 7. 스리랑카

- 대표전화 :+94-11-269-9036~8
- 영사콜센터(서울, 24시간) : +822-3210-0404
※ (무료) 스마트폰에 무료 전화 앱 설치/이용
- 긴급연락처: +94-773325676
- 운영 시간 : 8:30 ~ 12:00, 13:30 ~ 16:30

주 싱가포르 대한민국 대사관 (싱가포르)

* 주소 : 47 Scotts Road Goldbell Towers #08-00(대사관) / #16-03(영사과) Singapore 228233

- 대표전화(근무시간 중) : +65 6256-1188, FAX : +65-6258-3302
- 긴급 연락 전화(사건, 사고 등 긴급상황 발생 시, 24시간) : +65-9654-3528
- 영사콜센터(서울, 24시간) : +82-2-3210-0404
- 대사관 업무시간 : 09:00~18:00
- 영사 민원(여권/ 공증/ 비자 등) 업무시간 : 09:00~17:00 (월-금, 점심시간 : 12:30~14:00, 비자 업무 09:00~11:30)

주 아세안 대한민국 대표부

* 주소 : Sentral Senayan II, 23F. JL. Asia Afrika No.8, Gelora Bung Karno Jakarta 10270

- 전화번호 : +62 21 5795 1830
- 긴급연락처 : +62-811-8575-748

주 아프가니스탄 대한민국 대사관 (카불)

* 주소: 15th, Tornado Tower, Bldg. 17, Zone 60, St. No. 810, Majlis Al Taawon St., West Bay, Doha, Qatar

- 전화번호: +974-4463-9555(주간), +974-6673-4250(야간, 휴일)
- 영사콜센터(24시간) : +82-2-3210-0404(유료)
- (무료) 스마트폰에 무료 전화 앱 설치/이용
- 긴급전화: +974-6673-4250
- 업무시간: 일~목 8:00~12:00, 13:00~16:00

주 인도 대한민국 대사관 (뉴델리)

* 주소 : 9 Chandragupta Marg, Chanakyapuri Extension, New Delhi - 110021, INDIA

- 대표전화 : +91 11 4200 7000 (대표)
- 긴급연락처 (사건, 사고 등 긴급상황 발생 시, 24시간) : +91 99 5359 6008(당직전화), +91-124-651-4443 (한인회), 국번 없이 100 (경찰서), 011 6620 6630 (Fortis 병원)
- 영사콜센터(서울, 24시간) : +82 2 3210 0404
- 업무시간 : 09:00-12:30, 14:00-17:00 (월-금)

주 뭄바이 대한민국 총영사관

* 주소 : 12th Floor, Lodha Supremus, Dr. E Moses Road, Worli Naka, Mumbai 400018, INDIA

- 대표전화(근무시간): +91-22-6147-7000
- 영사콜센터(24시간): +82-2-3210-0404(유료)
- 영사콜센터 카카오톡 문의하기 (무료)스마트폰에 무료 전화 앱 설치/이용
- 긴급 연락 전화 (사건사고 등 긴급상황 발생시, 24시간) (근무시간외) : +91-96193-22425 (not for visa)

주 첸나이 대한민국 총영사관

* 주소 : 5th Floor, Bannari Amman Towers, No.29, Dr Radha Krishnan Road, Mylapore, Chennai 600 004, India

- 대표전화(근무시간): +91-44-4061-5500
- 영사콜센터(24시간): +82-2-3210-0404(유료)
- (무료)스마트폰에 무료전화앱 설치/이용
- 긴급전화(근무시간 외): +91-97-8982-3270
- 업무시간 : 월요일 ~ 금요일 09:00 - 12:30, 14:00 - 17:00

주 인도네시아 대한민국 대사관 (자카르타)

* 주소 : Jalan Jenderal Gatot Subroto Kav. 57 Jakarta Selatan 12950

- 대표전화(근무시간 중): +62-21-2967-2580, +62-21-2967-2555 (대표)
- 긴급 연락 전화(사건, 사고 등 긴급상황 발생 시, 24시간): +62-811-852-446(비상연락처)
- 영사콜센터(서울, 24시간): +82 (0)2 3210 0404

주 인도네시아 대한민국 대사관 발리 분관

* 주소 : Jalan Prof. Moh. Yamin No.8, Kelurahan Sumerta Kelod, Kec, Denpasar Timur, Kota Denpasar, Bali, Indonesia 80239

- 근무시간 : +62-361) 445-5037
- 근무시간 외 : +62-811-1966-8387 (긴급 연락 처 ; 사건, 사고 등 긴급상황 발생 시)
- 영사콜센터(서울, 24시간) : +82(0)2-3210-0404

주 캄보디아 대한민국 대사관 (프놈펜)

* 주소 : Phum No.14, Sangkat Tonle Bassac, Khan Chamkarmon, Phnom Penh, Cambodia

- 대표전화(근무시간 중): +855-23-211-900~3
- 영사콜센터(서울, 24시간): +82-2-3210-0404(유료)
- (무료) 스마트폰에 무료 전화 앱 설치/이용
- 긴급전화(근무시간 외 사건, 사고 등 긴급상황 발생 시, 24시간): +855-92-555-235
- 업무시간 : 8:30~12:00, 13:30~17:00 (단, 민원실 출입 가능 시간은 8:30~11:30, 13:30~16:30)

주 시엠립 대한민국 분관

* 주소 : 2nd Floor, Jasmine Spa Building, Sokha Siem Reap Resort, St. 60, Phum Trang, Sangkat Slorkram, Siem Reap, Kingdom of Cambodia

- 대표전화(근무시간): +855-63-99-0400
- 영사콜센터(24시간): +82-2-3210-0404(유료) - (무료) 스마트폰에 무료 전화 앱 설치/이용
- 공휴일 및 업무시간 외 긴급전화(근무시간 외): +855-81-523-567
- 업무시간 : 8:00~12:00, 13:00~17:00 (영사 민원서비스: 8:30~11:30, 13:30~16:30)

주 태국 대한민국 대사관 (방콕)

주소 : Embassy of the Republic of Korea 23 Thiam-Ruammit Road, Ratchadapisek, Huai-Khwang, Bangkok 10310 Thailand

- 대표전화(근무시간 중) : +66-02-481-6000
- 긴급 연락 전화(근무시간 이후, 사건사고 등 긴급상황 발생시) : +66-081-914-5803
- 영사콜센터(서울, 24시간): +82-2-3210-0404

주 파키스탄 대한민국 대사관 (이슬라마바드)

* 주소 : Block 13, St. 29, Diplomatic Enclave II, G-5/4, Islamabad Pakistan

- 대표전화(근무시간): +92-51-227-9380
- 영사콜센터(24시간): +82-2-3210-0404(유료)
- (무료) 스마트폰에 무료전화 앱 설치/이용
- 긴급전화(근무시간 외 사건, 사고 등 긴급상황 발생 시, 24시간): +92-301-854-6944
- 운영 시간 : 8:30 - 12:30, 14:00 - 17:00 (월요일 ~ 금요일)

주 카라치 대한민국 분관

* 주소 : 101, 29th Street(Off. Khayaban-e-Mohafiz) Phase VI, DHA, Karachi, Pakistan

- 대표전화(근무시간): +92-21-3585-3950/1
- 영사콜센터(24시간): +82-2-3210-0404(유료) - (무료) 스마트폰에 무료 전화 앱 설치/이용
- 긴급전화(근무시간 외): +92-333-223-7271
- 근무시간 : 08:30~12:30 & 14:00~17:00(월~금요일)

주 필리핀 대한민국 대사관 (마닐라)

* 주소 : 122 Upper McKinley Road, McKinley Town Center, Fort Bonifacio, Taguig city 1634, Philippines

- 대표전화: +63-2-8856-9210 (근무시간 중)
- 긴급전화: +63-917-817-5703 (긴급 당직 번호)
- 경찰 긴급전화 : 117, 166 (세부, 보라카이, 보홀, 바기오 등), FAX : +63-2-8856-9008, 9019
  대표전화: +63-32-231-1516(-1519) / 긴급전화: +63-917-808-3907
- 영사콜센터:+822-3210-0404(서울, 24시간)
- 업무시간 : 08:00~17:00 (월-금),
- 영사과 민원업무시간 : 여권/공증(오전 09:00-12:00 오후 13:30-16:00), 비자 접수(오전 08:30-11:00), 비자 교부(오후 13:30-16:00)

주 세부 대한민국 분관

* 주소 : 12층 Chinabank Corporate Center, Lot2, Samar Loop, Cor. Road 5, Cebu Business Park, Mabolo, Cebu City Philippines 6000

- 대표전화(근무시간): +63-32-231-1516(~19)
- 영사콜센터(24시간): +82-2-3210-0404(유료)   - (무료) 스마트폰에 무료 전화 앱 설치/이용
- 긴급전화(근무시간 외): +63-917-808-3907
- 운영 시간 : 8:30-17:00(월~금), 영사과 민원업무시간: 여권 / 공증 접수 및 교부 (오전 9:00-오후 12:00), (오후 2:00-4:00),
  비자 접수 (오전 9:00-오후 12:00), 비자 교부 (오후 2:00-4:00)

태평양 - Pacific

주 뉴질랜드 대한민국 대사관 (웰링턴)

* 주소 : 11th Floor, Harbour Tower, 2 Hunter Street, Wellington 6011, New Zealand

- 대표전화(근무시간): +64-4-473-9073
- 영사콜센터(24시간): +82-2-3210-0404(유료)   - (무료) 스마트폰에 무료 전화 앱 설치/이용
- 긴급전화(근무시간 외): +64-21-0269-3271
- 업무시간: 09:00-12:00, 13:00-17:00 (영사과: 09:00-12:00, 13:30-16:30)

주 오클랜드 대한민국 분관

* 주소 : Level 12, Tower 1, 205 Queen Street, Auckland Central , New Zealand

- 대표전화(근무시간): +64-9-379-0818   - 긴급전화(근무시간 외): +64-27-646-0404
- 영사콜센터(24시간): +82-2-3210-0404(유료)   - (무료) 스마트폰에 무료 전화 앱 설치/이용

주 파푸아뉴기니독립국 대한민국 대사관 (포트모르즈비)

* 주소 : P.O.Box 381, POM, Fourth Floor, Pacific MMI Building Section 21 Allotments 2 & 3, Champion Parade, Granville, Port Moresby, Papua New Guinea

- 대표전화(근무시간): +675-321-5822~5
- 영사콜센터(24시간): +82-2-3210-0404(유료)   - (무료) 스마트폰에 무료 전화 앱 설치/이용
- 긴급전화(근무시간 외): +675-7394-6778
- 근무시간 : 월~금 : 08:00~16:00(민원업무 시간 08:00~12:00, 13:00~16:00)

주 피지 대한민국 대사관 (수바)

* 주소 : 8th Floor Vanua House, Victoria Parade, Suva, Fiji

- 대표전화(근무시간): +679-330-0977
- 영사콜센터(24시간): +82-2-3210-0404(유료)   - (무료) 스마트폰에 무료전화앱 설치/이용
- 긴급 연락 전화(근무시간 외 사건, 사고 등 긴급상황 발생 시, 24시간): +679-992-2186
- 업무시간 : 08:30-16:30(월-금), 12:30-13:30 (점심시간)

주 호주 대한민국 대사관 (캔버라)

* 주소 : 113 Empire Circuit, Yarralumla ACT 2600, Australia

- 영사콜센터 (24시간): 스마트폰에서 무료 전화 앱 설치 - (무료연결 + 800-2100-0404)
- 1)주호주대사관 (ACT, WA, SA, TAS)
  대표전화: +61-2-6270-4100 (근무시간 중) / 긴급전화: +61-408-815-922 (근무시간 외)
- 업무시간 : (월~금) 09:00-12:30, 13:30-17:00 (점심시간 12:30-13:30)
- 영사민원실 : (월) 09:00-12:30, 13:30-17:30/ (화~금) 09:00-12:30, 13:30-16:00
  ※ 사건, 사고 긴급연락처
- 사건, 사고 핫라인(영사콜센터, 24시간) : +82-2-3210-0404 - 사건, 사고 핫라인 무료연결 : +800-2100-0404
- 2)주시드니 총영사관 (NSW, QLD, NT) - 시드니, 다윈지역
  대표전화: +61-2-9210-0200 (근무시간 중) / 긴급전화: +61-403-546-058 (근무시간 외)
- 3)주멜번 분관(VIC) - 멜번, 민두라, 빅토리아지역
  대표전화: +61-3-9533-3800 (근무시간 중) / 긴급전화: +61-418-435-915 (근무시간 외)
- 4)주브리즈번 출장소 (QLD) - 브리즈번, 골드코스트, 케언즈지역
  대표전화: +61-7-3221-1440 (근무시간 중) / 긴급전화: +61-432-112-705 (근무시간 외)
- 캔버라, 퍼스, 애들레이드, 호바트, 론세스톤 지역 등 +61-408-815-922

주 멜번 대한민국 분관

* 주소 : Level 10, 636 St Kilda Road, Melbourne VIC 3004, 호주

- 대표전화(근무시간): +61-3-9533-3800
- 영사콜센터(24시간): 스마트폰에서 무료 전화 앱 설치
- (유료연결 +82-2-3210-0404)
- 긴급 전화(근무시간 외) (멜버른 내 총영사관) : +61-418-435-915
- 사건 사고 핫라인 무료연결 (영사콜센터, 24시간) : +82-2-3210-0404
- 운영 시간 : 월요일: 09:00~12:00, 13:00~17:00, 화~금: 09:00~12:00, 13:00~16:00

주 브리즈번 대한민국 출장소

* 주소 : Level 1, 102 Adelaide St, Brisbane City QLD 4000 / 우편 주소 : PO Box Q506 QVB NSW 1230

- 대표전화(근무시간): +61-7-3221-1440 (대표전화)
- 영사콜센터(24시간): 스마트폰에서 무료 전화 앱 설치
- 사건, 사고 핫라인(영사콜센터, 24시간) : +82-2-3210-0404
- 사건, 사고 핫라인 무료연결 : +800-2100-0404
- 긴급전화(근무시간 외, 사건, 사고 등): +61-432-112-705
- 업무시간: (공관 업무시간) 월요일-금요일: 09:00-17:00(점심시간 12:00-13:00)

주 시드니 대한민국 총영사관

* 주소 : Level 10, 44 Market Street Sydney NSW 2000 / 우편 주소: PO Box Q506 QVB NSW 1230

- 대표전화(근무시간): +61-2-9210-0200(대표전화), +61-2-9210-0234(민원실)
  팩스: +61-2-9210-0202(대표), +61-2-9210-0206(민원실)
- 영사콜센터(24시간): 스마트폰에서 무료 전화 앱 설치 (유료연결 +82-2-3210-0404)
- 사건, 사고 핫라인(영사콜센터, 24시간) : +82-2-3210-0404
  사건, 사고 핫라인 무료연결 : +800-2100-0404
  긴급연락처(근무시간 외 사건, 사고 등): +61-403-546-058
- 업무시간: (공관 업무시간) 월요일-금요일: 09:00-17:00(점심시간 12:00-13:00)/
  (민원실 운영 시간) 월요일-금요일 09:00-16:00 (점심시간 12:00-13:00)
  ※ 민원실 업무 일일 마감은 16:00까지 접수된 서류에 한해 처리가 가능합니다.

중 동 - Middle East

주 레바논 대한민국 대사관 (베이루트)

* 주소 : Embassy of the Republic of Korea, Bldg.4, Elias Sarkis Road 1209, Yarzeh, Baabda P.O.Box 40-290 Baabda, Lebanon

- 대표전화 (근무시간) : +961-5-922846
- 영사콜센터 (24시간) : +822-3210-0404(유료) - 스마트폰에 무료 전화 앱 설치/이용
- 긴급전화 (사건, 사고 등 긴급상황 발생 시 : 근무시간 외) : +961-81-007491

주 바레인 대한민국 대사관 (마나마)

* 주소 : Villa 401, Road 915, Al Salmaniya 309, Manama, Kingdom of Bahrain P.O.Box 20554, Manama, Kingdom of Bahrain

- 대표전화 (근무시간) : +973-1753-1120
- 영사콜센터 (24시간) : +82-2-3210-0404(유료) - (무료) 스마트폰에 무료 전화 앱 설치/이용
- 긴급전화 (근무시간 외) : +973-6674-4737

주 사우디아라비아 대한민국 대사관 (리야드)

* 주소 : Korean Embassy, P.O.Box 94399, Riyadh 11693, Saudi Arabia

- 대표전화 (근무시간) : +966-11-488-2211, FAX : 966-11-488-1317
- 영사콜센터 (24시간) : +82-2-3210-0404(유료) - (무료) 스마트폰에 무료 전화 앱 설치/이용
- 영사 (근무시간) +966-11-488-2211 ext.103
- 긴급전화 (당직 : 근무시간 외) : 966-50-080-1065

주 젯다 대한민국 총영사관

* 주소 : P.O.Box 55503 Jeddah 21544 Kingdom of Saudi Arabia

- 대표전화 (근무시간) : +966-12-668-1990
- 긴급전화 (근무시간 외) : +966-55-668-3432 (당직전화)
- 영사콜센터 (24시간) : +82-2-3210-0404(유료) - (무료) 스마트폰에 무료 전화 앱 설치/이용
- 업무시간 : 총영사관 08:00~16:00(일~목요일), 영사민원실 : 08:00~12:00/13:30~15:00(일~목요일)

주 아랍에미리트 대한민국 대사관 (아부다비)

* 주소 : 33rd Airport Rd, Embassies District, Abu Dhabi, United Arab Emirates(P.O.Box 3270)

- 대표전화 (근무시간) : +971-2-441-1520
- 영사과 : +971-2-641-6406(영사과), +971-4-344-9200(두바이)
- 영사콜센터 (24시간) : 스마트폰에서 무료 전화 앱 설치 - (유료연결 +82-2-3210-0404)
  사건, 사고 핫라인 무료연결 : 8000-0282(UAE에서 한국으로 걸 때)
- 긴급연락처 : (사건, 사고 - 근무시간 외): +971-50-133-7362 (아부다비), +971-50-553-2816 (두바이)
- 응급, 경찰 등 긴급전화: 999 / 이메일: uae@mofa.go.kr
- 업무시간 : 월-목요일 - 08:30 ~ 12:30, 14:00 ~ 17:00 / 금요일 08:00 ~ 11:00, 11:30 ~ 13:00
- 영사민원실 업무시간: 월-목요일 09:00 ~ 12:30 (12:00 입장 마감), 14:00 ~ 17:00 (16:30 입장 마감)
  금요일 08:30 ~ 13:00 (12:00 입장 마감)

주 두바이 대한민국 총영사관

* 주소 : Villa # 12, Street 29b, Jumeirah 2, Dubai (P.O. Box 126127)

- 대표전화 (근무시간) : +971-4-344-9200
- 긴급전화 (근무시간 외) : +971-50-553-2816
- 영사콜센터 (24시간) : 스마트폰에서 무료 전화 앱 설치 / 사건사고 핫라인 (영사콜센터, 24시간) - 유료연결 +82-2-3210-0404
- 영사민원실 업무시간 : (월-목) 09:00~ 12:00 (11:30 입장 마감), 14:00~ 16:30 (16:00 입장 마감)
  (금) 8:30~ 13:00 (12:30 입장 마감)

※ 대사관, 총영사관 등 재외공관은 재외공관 휴무 규정 등에 따라 3.1절, 8.15(광복절), 10.3(개천절), 10.9(한글날)과 주재국의 공휴일에 휴무

주 예멘 대한민국 대사관 (사나)

* 주소 : P.O.Box 5005, Sana'a, Yemen (임시사무소 : Korean Embassy, P.O.Box 94399, Riyadh 11693, Saudi Arabia)

- 대표전화 (근무시간) : +966-11-488-2211, 외 : +966-53-717-8300 (리야드 임시사무소)
- 영사콜센터 (24시간) : +82-2-3210-0404(유료)
- (무료) 스마트폰에 무료 전화 앱 설치/이용
- 긴급전화 (근무시간 외) : 966-53-717-8300, 55-376-9538
- 업무시간 : 일-목 (5일간, 금/ 토요일은 휴무) 08:00-16:00 (점심시간 : 12:00-13:00)

주 오만 대한민국 대사관 (무스카트)

* 주소 : P.O.Box 377, Madinat Qaboos, Postal Code 115, Muscat, Sultanate of Oman

- 대표전화 (근무시간 중) : +968-2469-1490~2
- 긴급전화 (사건, 사고 등 긴급상황 시, 24시간) : +968-9944-2892
- 영사콜센터 (서울, 24시간) : +82-2-3210-0404(유료)
- 업무시간 : 일요일 ~ 목요일 (08:00-16:00) (영사 민원업무는 08:00-15:00)

주 요르단 대한민국 대사관 (암만)

* 주소 : P.O Box 3060, Bahjat Al-Himsi St. No.7, Amman 11181, Jordan

- 대표전화 (근무시간) : +962-6-593-0745~6
- 영사콜센터 (24시간) : +82-2-3210-0404(유료)
- (무료) 스마트폰에 무료 전화 앱 설치/이용
- 긴급전화 (근무시간 외) : +962-79-750-0358
- 업무시간 : 08:00~12:30, 13:30~16:00 (일~목)

주 이라크 대한민국 대사관 (바그다드)

* 주소 : Villa W5, Dijla Diplomatic Compound Green Zone, Baghdad, Iraq

- 대표전화 (근무시간) : +964-770-725-2006, +964-770-040-5883
- 영사콜센터 (24시간) : +82-2-3210-0404(유료)
- (무료) 스마트폰에 무료 전화 앱 설치/이용
- 긴급전화 (사건, 사고 등 긴급상황 발생 시, 24시간 : 근무시간 외): +964-770-725-2006

주 이란 대한민국 대사관 (테헤란)

* 주소 : 2 번, West Daneshvar st. Sheikhbahai ave. Vanak sq. Tehran,이란 P.O.BOX 11155-3581

- 대표전화 (근무시간) : +98-21-8805-4900~4
- 영사콜센터 (24시간) : +82-2-3210-0404(유료)
- (무료) 스마트폰에 무료 전화 앱 설치/이용
- 긴급전화 (근무시간 외): +98-912-159-1158
- 업무시간 : 일~목, 08:00-12:00, 13:00-16:00 (영사 민원업무는 08:00-15:00)

주 이스라엘 대한민국 대사관 (텔아비브)

* 주소 : 6 Hasadnaot St., Herzliya Pituach 4672833

- 대표전화 (근무시간) : +972-9-959-6800, +972-9-959-6826
- 영사콜센터 (24시간) : +82-2-3210-0404(유료)
- (무료) 스마트폰에 무료 전화 앱 설치/이용
- 긴급전화 (사건, 사고 등 긴급상황 발생 시, 24시간 : 근무시간 외) : +972-50-528-8345
- 영사업무 시간 (월-목) : 09:00-12:00, 13:30-16:00 (금) : 09:00-12:00

주 카타르 대한민국 대사관 (도하)

* 주소 : P.O.BOX 3727, New Diplomatic Area, Al Shabab St., Onaiza-66, Doha, Qatar

- 대표전화 (근무시간) : +974) 4483-2238~9
- 영사콜센터 (24시간) : +82) 02-3210-0404(유료) - 스마트폰에 무료 전화 앱 설치/이용
- 긴급전화 (사건, 사고 등) : +974) 5001-1695 / Fax : +974-4417-6151(대표), 영사과 Fax : +974-4493-0809
- 업무시간: 일~목 7:30~12:00 13:00~15:30

주 쿠웨이트 대한민국 대사관 (쿠웨이트)

* 주소 : Kuwait, Mishref, Diplomatic Zone 2, Street 303, Block 7A, Plot 6

- 대표전화 (근무시간 중) : +965-2537-8621~3
- 영사콜센터 (24시간): +82-2-3210-0404(유료) - (무료) 스마트폰에 무료 전화 앱 설치/이용
- 긴급전화 (근무시간 외): +965-9919-3048

주 팔레스타인 대한민국 대표사무소 (라말라)

* 주소 : 5F Padico Building, 17 Al-Quds Street, Al masyoun, Ramallah

- 대표전화 (근무시간 내) : +972-2-240-2846/47
- 긴급 연락 전화 (사건, 사고 등 긴급상황 발생 시, 24시간) : +972-50-528-8345
- 영사콜센터 (서울, 24시간) : +822-3210-0404
- 민원실 운영시간 : 월 ~ 목 09:00-15:30 / 금 09:00 - 12:00 (점심시간 12:00-13:00)

러시아, 중앙 아시아 - Russia, Central Asia

주 러시아 대한민국 대사관 (모스크바)

* 주소 : St. Plyushchikha 56 bldg 1, Moscow

- 대표전화 (근무시간 중) : +7(495)783-2727 (대표: 24시간, 긴급)
- 긴급 연락 전화 (사건, 사고 등 긴급상황 발생 시, 24시간) : +7(495)783-2727
- 영사콜센터(서울, 24시간) : +822-3210-0404
- 업무시간 : 월-금 09:00-18:00, 점심시간 : 12:30-14:00

주 블라디보스톡 대한민국 총영사관

* 주소 : 19, Pologaya Ulitsa, Vladivostok, 690091, Russia

- 대표전화 (근무시간) : +7-423-240-2222
- 영사콜센터 (24시간) : +82-2-3210-0404(유료)
- (무료) 스마트폰에 무료 전화 앱 설치/이용
- 긴급전화 (근무시간 외) : +7-914-072-8347
- 운영 시간 : 월요일 ~ 금요일 - 09:00-12:30, 14:00-18:00

주 상트페테르부르크 대한민국 총영사관

* 주소 : 러시아, 191014, St. Petersburg, ul. Nekrasova, 32-A

- 대표전화 (근무시간): +7-812-448-1909 / +7-812-448-1500
- 영사콜센터 (24시간) : +82-2-3210-0404(유료)
- (무료) 스마트폰에 무료 전화 앱 설치/이용
- 긴급전화 (근무시간 외) : +7-905-255-5496
- 운영 시간 : 월요일- 금요일, 09:00-13:00, 14:00-18:00

주 블라디보스톡 대한민국 총영사관 유즈노사할린스크 출장소

* 주소 : St. Lenin 283, Yuzhno-sakhalinsk, Russia

- 대표전화 (근무시간) : +7-4242-46-24-30/ 32
- 영사콜센터 (24시간) : +82-2-3210-0404(유료)
- (무료) 스마트폰에 무료 전화 앱 설치/이용
- 긴급전화 (근무시간 외) : +7-984-132-8098
- 근무시간 : 평일 - 09:00-18:00, 점심시간 - 12:30-14:00

주 이르쿠츠크 대한민국 총영사관

* 주소 : 3F, Gagarin Blvd. 44, Irkutsk, Russia, 664025
(가가리나 대로 44번지, 이르쿠츠크호텔 3층)

- 대표전화 (근무시간) : +7(3952)250-301
- 영사콜센터 (24시간) : +822-3210-0404
- (무료) 스마트폰에 무료 전화 앱 설치/이용
- 긴급전화 (긴급 사건, 사고; 근무시간 외) : +7-964-650-9403
- 업무시간 : 월-금, 09:00-12:30, 14:00-18:00

주 우즈베키스탄 대한민국 대사관 (타슈켄트)

* 주소 : Afrosiab st. 7, Tashkent, 100029, Uzbekistan

- 대표전화 (근무시간) : +998-71-252-3151~3
- 영사콜센터 (24시간) : +82-2-3210-0404(유료) - (무료) 스마트폰에 무료 전화 앱 설치/이용
- 긴급전화(사건, 사고 긴급전화 : 근무시간 외) : +998-90-029-6963
- 이메일 : uzkoremb@mofa.go.kr
- 업무시간 : 13:00-22:00 (월-금/한국시간)

주 카자흐스탄 대한민국 대사관 (누르술탄)

* 주소 : Embassy of the Republic of Korea to the Republic of Kazakhstan Obagan 5, Nur-Sultan,010009 Kazakhstan

- 대표전화 (근무시간) 비자, 공증, 여권, 기타 영사업무 : +7-7172-572-100, +7 (7172) 572-200
- 긴급전화 (영사콜센터, 24시간): +82-2-3210-0404

사건, 사고 ; 누르술탄, 동카자흐스탄, 카라간다, 코스타나이, 악토베, 파블로다르, 아크몰라, 망기스타우, 서카자흐스탄, 아트라우, 북카자흐스탄 : +7-705-757-9922 / 사건, 사고 : 알마티, 잠블, 남카자흐스탄, 크즐오르다, 쉼켄트 : +7-777-705-6634

< 카자흐스탄 내에서 전화하는 경우에는 +7번(국가번호) 대신 8번을 누름 >

- 업무시간: 09:00~12:30, 14:00~18:00 (월-금)

주 알마티 대한민국 총영사관 (알마티)

* 주소 : Kaldayakov st.66, Almaty

- 대표전화 (근무시간) : +7-727-291-0490, 0449
- 근무시간 외 (사건, 사고) : +7-777-705-6634
- 긴급전화 (영사콜센터, 24시간) : +822-3210-0404
- 근무시간 : 09:00~12:30, 14:00~18:00 (월~금)

주 키르기즈공화국 대한민국 대사관 (비슈케크)

* 주소 : 35, Str. Akhunbaev, Bishkek, Kyrgyz Republic, 720064

- 대표전화 (근무시간) : +996-312-579-771
- 영사콜센터 (24시간) : +82-2-3210-0404(유료) - (무료) 스마트폰에 무료 전화 앱 설치/이용
- 긴급전화 (근무시간 외) : +996-500-579-773 - 긴급연락처 : +996-550-031-122

주 타지키스탄 대한민국 대사관 (두샨베)

* 주소 : Tolstoy 9, Dushanbe, Republic of Tajikistan

- 대표전화 (근무시간) : 한국에서 전화하실 경우
- 통신사별 식별번호(예 KT는 001), 국가번호(992), 지역번호(37), 전화번호(229-3001) 순으로 입력
- 영사콜센터(24시간) : +82-2-3210-0404(유료) - 영사콜센터 무료 전화 앱 사용 시 무료
- 긴급전화 (근무시간 외): +992-93-960-2114
- 업무시간 : 월~금 08:30~17:30 (점심시간 12:30~13:30) * 한국과의 시차 : -4시간
- 민원업무 시간 : 09:00~12:00, 14:00~17:00 / 비자 접수/ 발급 시간 : 매주 수요일 09:30~12:00 / 매주 금요일 15:00~17:00

주 투르크메니스탄 대한민국 대사관 (아시가바트)

* 주소 : 744005, Azadi str., 17a, Ashgabat, Turkmenistan

- 대표전화 (근무시간) : +993-12-94-72-86/ 87/ 88
- 영사콜센터 (24시간) : +82-2-3210-0404
- (무료) 스마트폰에 무료 전화 앱 설치/이용
- 긴급전화 (평일 근무시간 외 및 휴일 24시간 : 근무시간 외) : +993-65-85-71-73
- 근무시간 : 월요일~금요일 업무시간 : 09:00-12:30 / 13:30-18:00 점심시간 : 12:30~13:30

북 아프리카 - North Africa

주 리비아 대한민국 대사관 (트리폴리)

* 주소 : P. O. Box 4781/5160, Abounawas Area, Gargaresh St., Tripoli, Libya

- 대표전화 (근무시간): +216-7127-4759
- 영사콜센터 (24시간): +82-2-3210-0404(유료) - (무료) 스마트폰에 무료 전화 앱 설치/이용
- 긴급전화 (근무시간 외): +216-2257-5924

주 모로코 대한민국 대사관 (라바트)

* 주소 : 41, Av. Mehdi Ben Barka, 모로코 라바트 수이시

- 대표전화 (근무시간) : +212-5-3775-1767 / 6791 / 1966
- 긴급전화 (근무시간 외) : +212-6-6277-2408
- 영사콜센터 (24시간) : +82-2-3210-0404(유료) - (무료) 스마트폰에 무료 전화 앱 설치/이용
- 개관 시간 : (월~금) 8:30~12:30, 13:30~16:30 - 영사민원실 운영 시간 : (월~금) 9:00~12:00, 13:30~16:00

주 알제리 대한민국 대사관 (알제)

* 주소 : Ambassade de la République de Corée, 5 Chemin Macklay (El Bakri), Ben Aknoun, Alger

- 대표전화 (근무시간): +213 (0)23 18 77 19
- 영사콜센터 (24시간): +82 2 3210 0404 (유료) - (무료) 스마트폰에 무료 전화 앱 설치/이용
- 긴급전화 (근무시간 외) : +213 770 11 44 00

※ 긴급 사건사고 담당 영사: +213 770-705-612 / 긴급 사건사고 담당 행정원: +213 (0) 770-207-606

주 이집트 대한민국 대사관 (카이로)

* 주소 : 3 Boulos Hanna St., Dokki, Cairo, A.R.E

- 대표전화 (근무시간) : +20-2-3761-1234~7 - 긴급전화 (근무시간 외) : +20-12-8333-3236 (당직전화)
- 영사콜센터 (24시간): +82-2-3210-0404(유료) - (무료) 스마트폰에 무료 전화 앱 설치/이용
- 업무시간 : 09:00- 12:00 / 13:00- 15:00 (일-목)

주 튀니지 대한민국 대사관 (튀니스)

* 주소 : Immeuble BLUE SQUARE, Avenue de la Bourse, les Jardins du Lac 2, 1053 Tunis, Tunisia

- 대표전화 (근무시간) : +216-71-198-595 ~ 7
- 영사콜센터 (24시간) : +82-2-3210-0404(유료) - (무료) 스마트폰에 무료 전화 앱 설치/이용
- 긴급전화 (사건, 사고 등 24시간 긴급 당직 전화 : 근무시간 외) : +216-99-567-040
- 업무시간 : (공관 업무시간) 08:30-12:00, 13:00-17:30 / (민원접수 시간) 09:00-12:00, 13:30-17:00 / (라마단 및 하계) 08:00-12:00, 12:30-14:30 (월-금)

사하라 이남 아프리카 - Sub-Saharan Africa

주 가나 대한민국 대사관 (아크라)

* 주소 : No.10, Fifth Avenue Extension, Cantonments, P.O.Box GP 13700, Accra, Ghana

- 대표전화 (근무시간) : +233-(0)302-776-157
- 영사콜센터 (24시간) : +82-2-3210-0404(유료) - (무료) 스마트폰에 무료 전화 앱 설치/이용
- 긴급전화 (근무시간 외) : +233-(0)244-321-858 - 전화번호 추가 : +233-302-777-533, 771-757

주 가봉 대한민국 대사관 (리브르빌)

* 주소 : B.P.2620, Libreville, Gabon

- 대표전화 (근무시간) : +241 6530-1900　　- 긴급전화 (근무시간 외) : +241 6607-0640
- 영사콜센터 (24시간) : +82-2-3210-0404(유료)　　- (무료) 스마트폰에 무료 전화 앱 설치/이용
- 근무시간 : 월 ~ 금 08:00- 16:00 (점심시간 : 12:00- 13:00)

주 나이지리아 대한민국 대사관 (아부자)

* 주소 : No.9 Ovia Crescent Off Pope John Paul 2 Street, Maitama, Abuja, Nigeria

- 대표전화 (근무시간) : +234 81 0389 0991
- 영사콜센터 (24시간) : + 82 2 3210 0404　　- (무료) 스마트폰에 무료 전화 앱 설치 이용
- 대표 메일 : emb-ng@mofa.go.kr (비자 등 문의)
- 긴급전화 (사건, 사고, 24시간 근무시간 외): +234 80 9998 1726
- 운영 시간 : 월, 화, 수, 목, 금요일 : 08:00-12:00, 13:00-16:00

주 라고스 대한민국 분관

* 주소 : 26 Oyinkan Abayomi Dr, Ikoyi, Lagos, Nigeria

- 대표전화 (근무시간) : +234-1-271-6295 / (휴대전화) : +234-808-505-0501
- 영사콜센터 (24시간) :+82-2-3210-0404(유료)　　- (무료) 스마트폰에 무료 전화 앱 설치/이용
- 긴급전화 (24시간 사건, 사고 : 근무시간 외) : +234-906-877-4619

주 남아프리카공화국 대한민국 대사관 (프리토리아)

* 주소 : 265 Melk Street, Nieuw Muckleneuk, Pretoria 0181, South Africa

- 대표전화 (근무시간 중) : +27-12-460-2508
- 긴급 연락 전화 (사건, 사고 등 긴급상황 발생 시, 근무시간 외, 24시간) : +27-66-332-5897
- 영사콜센터 (서울, 24시간) : +82-2-3210-0404(유료)　　- (무료) 스마트폰에 무료 전화 앱 설치/이용
- 업무시간 : 오전 8시- 12시, 오후 1시- 4시 (월요일-금요일)

주 르완다 대한민국 대사관 (키갈리)

* 주소 : 34 KG 13 Ave(Golf Course Road), Nyarutarama, Kigali, Rwanda

- 대표전화 (근무시간): +250-252-577-577
- 영사콜센터 (서울, 24시간) : +82-2-3210-0404(유료)　　- (무료) 스마트폰에 무료 전화 앱 설치/이용
- 긴급전화 (사건, 사고 등 발생 시, 24시간 : 근무시간 외) : +250-788-380-806

주 마다가스카르 대한민국 대사관 (안타나나리보)

* 주소 : Villa Pervenche, Lotissement Bonnet, Ivandry, Antananarivo, Madagascar

- 대표전화 (근무시간) : +261-20-222-2933　　- 긴급전화 (근무시간 외) : +261-32-781-0874
- 영사콜센터 (24시간) : +82-2-3210-0404(유료)　　- (무료) 스마트폰에 무료 전화 앱 설치/이용
- 업무시간 : (월~목) 08:00 ~ 17:00 / (금) 08:00 ~ 12:00

주 모잠비크공화국 대한민국 대사관 (마푸투)

* 주소 : Av. Marginal 141, Torres Rani 7 Andar, Maputo, Mozambique

- 대표전화 (근무시간 중) : +258 21 495 625
- 긴급 연락 전화 (사건, 사고 등 긴급상황 발생 시, 24시간) : +258 84 518 1272
- 영사콜센터(서울, 24시간):+82 (0)2 3210 0404
- 업무시간 : 08:30-12:00 , 12:30-16:30 (월-금)

주 세네갈 대한민국 대사관 (다카르)

* 주소 : Villa Hamoudy, Rue Aimé Césaire Fann, Résidence, B.P. 5850 Dakar Fann, Dakar, Sénégal

- 대표전화 (근무시간): +221-33-824-06-72
- 영사콜센터 (24시간) : +82-2-3210-0404(유료)
- 영사콜센터 무료 전화 앱 사용 시 무료
- 긴급전화 (사건, 사고 등 긴급상황 발생 시, 24시간 : 근무시간 외): +221-77-639-51-09

주 수단 대한민국 대사관 (하르툼)

* 주소 : House No.55, Al-Jazira Street 56, Khartoum2, P.O.Box 2414 Khartoum, Sudan

- 대표전화 (8:00-16:00) : +249-1-8358-0031
- 긴급전화 (근무시간 외) : +249-9-1217-2813
- 영사콜센터 (24시간) : +82-2-3210-0404(유료)
- (무료) 스마트폰에 무료 전화 앱 설치/이용
- 업무시간 : 일-목요일, 08:00-12:00, 13:30-16:00 (비자 접수 : 08:30-11:00) (여권 교부 : 13:30-16:00)

주 앙골라 대한민국 대사관 (루안다)

* 주소 : Condominio Zenith, Torre 1, 3º Andar, Via AL 16, Luanda-sul Talatona, Angola

- 대표전화(근무시간) : +244-222-778-794 / 222-006-067
- 긴급전화 (24시간, 근무시간 외) : +244-938-880-573
- 영사콜센터 (서울, 24시간) : +82-2-3210-0404(유료)
- (무료) 스마트폰에 무료 전화 앱 설치/이용
- 업무시간 : 8:00 am- 12:00 pm, 1:30 pm- 4:00 pm (월-금)

주 에티오피아 대한민국 대사관 겸 주아프리카연합 대한민국 대표부 (아디스아바바)

* 주소 : P.O. BOX 2047, Addis Ababa Ethiopia

- 대표전화 (근무시간) : +251-(0)11 372 8111
- 긴급전화 (근무시간 외) : +251-(0)92 217 4741
- 영사콜센터 (서울, 24시간) : +82-2-3210-0404(유료)
- (무료) 스마트폰에 무료 전화 앱 설치/이용

주 우간다 대한민국 대사관 (캄팔라)

* 주소 : Embassy of the Republic of Korea Plot 14, Ternan Road, Nakasero, Kampala, Uganda

- 대표전화 (근무시간) : +256-414-500-197
- 긴급전화 (근무시간 외) : +256-774-478-376
- 영사콜센터 (24시간) : +82-2-3210-0404(유료)
- (무료) 스마트폰에 무료 전화 앱 설치/이용
- 업무시간 : 월요일- 목요일 : 08:00 ~ 16:00, 금요일 : 08:00~12:30 / (점심시간 12:30~13:30)

주 적도기니 대한민국 대사관 말라보 분관

* 주소 : Villa 14, Hotel 3 de Agosto, Avda. Hassan II, Malabo, Guinea Ecuatorial

- 대표전화 (근무시간): +240-333-090-775
- 영사콜센터 (24시간): +82-2-3210-0404
- (무료) 스마트폰에 무료 전화 앱 설치/이용
- 긴급연락처 : +240-222-932-793, +240-222-540-460
- 업무시간 : 월요일-금요일 08:00- 17:00

주 짐바브웨 대한민국 대사관 (하라레)

* 주소 : 1 Phillips Avenue, Belgravia, P.O.Box 4970, HARARE, ZIMBABWE

- 대표전화 (근무시간) : +263-242-756-542~4
- 영사콜센터 (24시간) : +82-2-3210-0404(유료)
- (무료) 스마트폰에 무료 전화 앱 설치/이용
- 긴급전화 (근무시간 외) : +263-782-840-787
- 업무시간 : 오전 08:00~12:30, 오후 13:30~16:30 (월-금)
- 영사 민원업무 접수 시간 : 오전 09:00~ 12:00, 오후 14:00~ 16:00 (월-금)

주 카메룬 대한민국 대사관 (야운데)

* 주소 : House No.85, Rosa Park Avenue, Ntougou-Golf, P.O Box 13286, Yaounde, Cameroon

- 대표전화 (근무시간): +237-222-203-891 / 222-203-756
- 영사콜센터 (24시간): +82-2-3210-0404(유료)
- (무료) 스마트폰에 무료 전화 앱 설치/이용
- 긴급전화 (사건, 사고 등 긴급상황 시, 24시간 : 근무시간 외): +237-694-873-695
- 근무시간 : 08:00-16:30 (월~금요일) 점심시간 : 12:00-1:30

주 케냐 대한민국 대사관 (나이로비)

* 주소 : 1st & 2nd Floor, Misha Tower, Westlands Road, P.O. Box 30455-00100, Nairobi, Kenya

- 근무시간 : +254-20-361-5000
- 영사콜센터 (24시간): +82-2-3210-0404(유료)
- (무료) 스마트폰에 무료 전화 앱 설치/이용
- 근무시간 외 및 긴급상황 시(사건, 사고) : +254 708 984 891
- 근무시간 : 월요일~금요일 : 08:00~16:00 (점심시간 12:00~13:00)

주 코트디부아르 대한민국 대사관 (야무수크로)

* 주소 : 01BP 3950 Abidjan 01, Rue Sainte Marie, Lot 18~19, Cocody Sud, Abidjan, Cote d'Ivoire

- 대표전화 (근무시간) : +225-27-2248-6701, 6703
- 영사콜센터 (24시간) : +82-2-3210-0404(유료)
- (무료) 스마트폰에 무료 전화 앱 설치/이용
- 긴급전화 (연중무휴 24시간 통화 가능, 근무시간 외) : +225-07-8827-3480
- 영사콜센터 (서울, 24시간) : (+82) 2-3210-0404
- 근무시간 : 월~ 목 오전 08:30-12:00 비자 업무시간 : 09:00-11:00, 금요일 오전 08:30-12:00
  오후 12:30-16:00, 오후 13:30-17:00 (한국시간 17:30-21:00) / (한국시간 22:30-02:00)

주 콩고 민주 공화국 대한민국 대사관 (킨샤사)

* 주소 : 63, Ave. de la Justice, Gombe, Kinshasa, Democratic Republic of Congo

- 대표전화 (근무시간) : +243 821 911 712, +243 818 428 981
- 긴급전화 (근무시간 외) : +243 851 107 971
- 영사콜센터 (24시간) : +82 2 3210 0404
- 근무시간 : 월-금요일 오전 8:00-12:00, 오후 1:30-4:00 (한국과의 시차 -8시간)

주 탄자니아 대한민국 대사관 (도도마)

* 주소 : 19th floor, Golden Jubilee Towers, Ohio Street, City Centre, P.O.Box 1154, Dar es Salaam

- 대표전화 (근무시간) : +255-22-211-6086~8
- 영사콜센터 (24시간) : +82-2-3210-0404(유료)
- (무료) 스마트폰에 무료 전화 앱 설치/이용
- 긴급전화 (근무시간 외) : +255-743-8282-04
- 근무시간: [월~목] 07:30-15:30 (점심시간 없음) [금] 07:30-11:30
  영사업무 민원시간(여권, 공증, 각종 증명서): [월~목] 08:00-15:00 (점심시간 없음) [금] 08:00-11:30
  비자 업무시간: [월~금] 08:30-11:30

유럽 - Europe

주 교황청 대한민국 대사관 (바티칸 시국)

* 주소 : VIA DELLA MENDOLA 109, 00135, ROME, ITALY

- 근무시간 : +39- 06-3314505, 3311695
- 긴급연락처 (근무시간 외) : +39-388-7212475, +39-389-1717972
- 업무시간 : 월~금 : 09:00-13:00, 14:30-17:00

주 그리스 대한민국 대사관 (아테네)

* 주소 : Athens Tower A' building ,19th Floor, 2-4 Messogion Avenue, 115 27, Athens, Greece

- 대표전화(근무시간 중): +30-210-698-4080
- 영사콜센터(24시간): +82-2-3210-0404(유료)
- (무료) 스마트폰에 무료 전화 앱 설치 이용
- 긴급 연락처 (근무시간 외): +30-694-611-7098
- 이메일 : gremb@mofa.go.kr

주 네덜란드 대한민국 대사관 (암스테르담)

* 주소 : Verlengde Tolweg 8, 2517 JV, The Hague, The Netherlands

- 대표전화(근무시간): +31-70-740-0200, 영사과: +31-70-740-0214/5
- 영사콜센터(24시간): +82-2-3210-0404 - 카카오톡 친구 및 무료 전화 앱도 이용 가능
- 긴급전화 (사건, 사고 : 근무시간 외, For Korean Nationals Only): +31-64-264-8412
- 현지 응급전화(경찰/사고/소방): 112 | 대사관 대표메일: koreanembassynl@mofa.go.kr
- 민원실 업무시간: 오전 09:00-12:00, 오후 14:00-16:00

주 노르웨이 대한민국 대사관 (오슬로)

* 주소 : Inkognitogaten 3, 0258 Oslo

- 대표전화(근무시간) : +47 2254 7090, 7091
- 영사콜센터(24시간) : +82 (0)2 3210 0404
- 대표 메일 : kornor@mofa.go.kr
- (무료) 스마트폰에 무료전화앱 설치/이용
- 긴급 전화(사건, 사고 등 긴급상황 발생 시, 24시간) : +47 9026 3544
- 업무시간 : 8:45 - 12:00, 13:00 - 16:15 (월~금)

주 덴마크 대한민국 대사관 (코펜하겐)

* 주소: Svanemøllevej 104, DK-2900 Hellerup

- 대표전화 (근무시간): +45-3946-0400
- 영사 민원 문의 (근무시간) : +45-3946-0409
- 영사콜센터 (24시간): +82-2-3210-0404
- (무료) 스마트폰에 무료 전화 앱 설치/이용
- 긴급전화 (사건, 사고 - 근무시간 외) : +45-2521-7461
- 이메일: korembdk@mofa.go.kr
- 근무시간 (영사 민원업무): 09:00 - 12:00 (월요일-금요일)

주 독일 대한민국 대사관 (베를린)

* 주소 : Botschaft der Republik Korea Stülerstr. 10, 10787 Berlin Bundesrepublik Deutschland

- 전화번호 : + 49 +(0)30-260-650(대표)
- 영사콜센터 : + 82-2-3210-0404 / + 800-2100-0404(무료)
- 공관 긴급 연락 전화 : +49-173-407-6943 (야간. 주말)
- 업무시간 : 09:00-12:00, 14:00 - 17:00 (월-금)

주 독일 연방공화국 대한민국 대사관 본분관

* 주소 : Godesberger Allee 142-148, 3. Obergeschoss, 53175 Bonn, Bundesrepublik Deutschland

- 대표전화 (근무시간): +49-228-943-790
- 영사콜센터 (24시간): +82-2-3210-0404(유료) (서울, 24시간) - 스마트폰에 무료 전화 앱 설치 이용(무료)
- 긴급전화 (사건, 사고 등 긴급상황 발생 시, 24시간 : 근무시간 외): +49-170-337-9105
- 대표전화: +49-228-943-790 (업무시간 중) | 업무시간 : 월~금 (09:00-12:30, 14:00-17:00)

주 프랑크푸르트 대한민국 총영사관

* 주소 : Generalkonsulat der Republik Korea, Lyoner Str. 34, 60528 Frankfurt am Main, Deutschland

- 대표전화 (근무시간): +49-69-9567520
- 긴급전화 (근무시간 외): +49-173-3634854
- 영사콜센터 (24시간): +82-2-3210-0404(유료)
- (무료) 스마트폰에 무료 전화 앱 설치/이용
- 공관 업무시간 : 08:30~12:30, 13:30~17:30 (월-금) / 민원접수 시간 09:00~12:00, 14:00~16:30(월-금)

주 함부르크 대한민국 총영사관

* 주소 : Kaiser-Wilhelm-Str.9(3.OG), 20355 Hamburg

- 대표전화 (근무시간): +49-40-650-677-600
- 영사콜센터 (서울, 24시간): +82-2-3210-0404(유료)
- 긴급전화 (근무시간 외): +49-170-3401-498
- 영사 민원접수 시간 : 월-금 09:00-12:00, 14:00-16:00
- 이메일: gkhamburg@mofa.go.kr
- (무료) 스마트폰에 무료 전화 앱 설치/이용
- 근무시간 : 월-금 08:30-12:30, 13:30-17:30
("영사 민원24" 홈페이지에서 온라인 방문 예약 필수)

주 라트비아 대한민국 대사관 (리가)

* 주소 : 2 Jura Alunana Street, Riga, LV-1010, Latvia

- 대표전화 (근무시간): +371-6732-4274 (대표번호), FAX: (+371) 6780-9190
- 영사콜센터 (24시간): +82-2-3210-0404(유료)
- (무료) 스마트폰에 무료 전화 앱 설치/이용
- 긴급전화 (근무시간 외): +371-2573-5627
- 대사관 대표메일 koremb.lv@mofa.go.kr | 영사 업무메일 consular.lv@mofa.go.kr
- 영사 업무시간 : 오전 09:00-12:00, 14:00-17:00

주 루마니아 대한민국 대사관 (부쿠레슈티)

* 주소 : Sky Tower Building S.R.L, Calea Floreasca, No.246C. Etaj 33, Sector 1, Bucharest, Romania

- 대표전화 (근무시간): +40-(0)21-230-7198
- 영사콜센터 (24시간): +82-2-3210-0404(유료)
- (무료) 스마트폰에 무료전화앱 설치/이용
- 긴급 연락 전화 (사건, 사고 등 긴급상황 발생 시, 24시간) : +40-(0)741-185-558
- 근무시간 : 08:30-12:30, 13:30-16:30

주 벨기에 유럽연합 대한민국 대사관 (브뤼셀)

* 주소 : Chaussee de la Hulpe 173-175, 1170 Brussels(Watermael-Boitsfort), Belgium

- 근무시간 내 : +32-2-675-5777 (대표) | +32 (0)2 661 0035 (영사과 민원실)
- 근무시간 외 : +32-476-45-7506 (일과후/공휴일/주말) - 영사콜센터(서울, 24시간) : +82-2-3210-040
- 업무시간(월-금) : 09:00-12:30, 13:30-17:30 | 영사과 민원실(월-금) : 09:00-12:00, 14:00-16:00

※ 벨기에 내 여권 분실 시 – 브뤼셀 소재 주벨기에대사관에서 임시여권 발급
(주소: Chaussee de la Hulpe 175, 1170 Brussels)
- 민원 접수시간 : 월 ~ 금 (공휴일 제외) - 오전 : 09:00 ~ 12:00 / 오후 : 14:00 ~ 16:00

① 별도 구비서류 없음 (신분증 제시 불요)
② 임시여권 발급 수수료, 사진 2매 (사진 미소지 경우 대사관 내 즉석사진촬용 가능-무료)

주 벨라루스 대한민국 대사관 (민스크)

* 주소 : 220002 Minsk, Storozhevskaya 10

- 대표전화 (근무시간): +375-17-215-0170~2
- 긴급전화 (근무시간 외): +375-29-369-1320
- 영사콜센터 (24시간): +82-2-3210-0404(유료)
- (무료) 스마트폰에 무료 전화 앱 설치/이용

주 불가리아 대한민국 대사관 (소피아)

* 주소 : Srebarna Street 2V, Mobi Art Building, Floor 4, Sofia, 1407, Bulgaria

- 대표전화 (근무시간 중) : +359-2-971-2181
- 영사콜센터 (서울, 24시간) : +82-2-3210-0404 (유료) - (무료) 스마트폰에 무료 전화 앱 설치/이용
- 긴급연락처(사건사고 등 긴급상황 발생 시, 24시간 ; 근무시간 외) : +359-887-503-270
- 업무시간 : 9:00 am - 12:30 pm, 13:30 pm - 17:30 pm (영사민원실 17:00)

주 세르비아 대한민국 대사관 (베오그라드)

* 주소 : Miloša Savčića 4, 11040 Belgrade, Serbia

- 대표전화 (근무시간): +381-11-3674-225
- 긴급전화 (근무시간 외): +381-63-108-1397
- 영사콜센터 (24시간): +82-2-3210-0404(유료)
- (무료) 스마트폰에 무료 전화 앱 설치/이용

주 스웨덴 대한민국 대사관 (스톡홀름)

* 주소 : Laboratoriegatan 10, 115 27 Stockholm, Sweden

- 대표전화 (9:00 - 17:00) : +46-8-5458-9400
- 긴급전화 (근무시간외) : +46-73-330-1616
- 영사콜센터 (서울, 24시간) : +82-2-3210-0404 (유료)
- (무료) 스마트폰에 무료 전화 앱 설치/이용
- 업무시간 : 월~금 09:00~12:00, 13:30~17:00

주 스위스 대한민국 대사관 (베른)

* 주소 : Embassy of the Republic of Korea, Kalcheggweg 38, P.O. Box 1220, 3000 Bern 16, Switzerland

- 대표전화 (근무시간) : +41-31-356-2444 / FAX : +41 (0)31 356 2450
- 영사콜센터 (24시간) : +82-2-3210-0404(유료) - (무료) 스마트폰에 무료 전화 앱 설치/이용
- 긴급 전화 (주말 및 공휴일, 근무시간 외) : +41-79-897-4086
- 업무시간 : 08:30-12:30, 14:00- 17:00 (월-금)

주 제네바 대한민국 대표부

* 주소 : Permanent Mission of the Republic of Korea 1 Avenue de l'Ariana, Case Postale 42, 1211 Genève 20, Switzerland

- 업무시간 : +41-22-748-0000
- 업무시간 외 : +41-22-748-0094
- 영사콜센터(서울 24시간) : +822 3210 0404
- 긴급연락처 : +41-79-446-1370

주 스페인 대한민국 대사관 (마드리드)

* 주소 : C/ González Amigó, 15, 28033 - Madrid, Spain

- 대표전화(근무시간) : +34-91-353-2000
- 영사콜센터(24시간) : +82-2-3210-0404(유료)
- 긴급전화 (야간·휴일 사건, 사고 발생 시) : +34-648-924-695
- (무료) 스마트폰에 무료 전화 앱 설치/이용 ☞ 클릭
- 일반 문의는 평일 근무시간 내 대표전화 이용

주 라스팔마스 대한민국 분관

* 주소 : Luis Doreste Silva 60. 1ª P, 35004 Las Palmas de Gran Canaria, SPAIN

- 대표전화 (근무시간 중): +34-928-230-499/699
- 영사콜센터 (24시간): +82-2-3210-0404(유료)
- 긴급전화 (근무시간 외): +34-672-386-284
- (무료) 스마트폰에 무료 전화 앱 설치/이용

주 바르셀로나 대한민국 총영사관

* 주소 : Passeig de Gracia 103 번지, 3층, 08008 Barcelona, Spain

- 대표전화 (근무시간) : +34-93-487-3153
- 영사콜센터 (24시간) : +82-2-3210-0404(유료)
- 긴급전화 (근무시간 외): +34-682-862-431
- (무료) 스마트폰에 무료 전화 앱 설치/이용

주 슬로바키아 대한민국 대사관 (브라티슬라바)

* 주소 : Štúrova 16, 811 02 Bratislava, Slovak Republic

- 대표전화 (근무시간): +421-2-3307-0711
- 영사콜센터 (24시간) : +82-2-3210-0404(유료)
- 긴급전화 (사건, 사고 등 긴급상황 시): +421-904-934-053
- 영사콜센터 무료 전화 앱 사용 시 무료
- 업무시간 : 월요일 ~ 금요일 09:00 - 12:00, 13:00 - 17:00
- 영사 민원 업무 시간 : 월요일 ~ 금요일 09:00 - 12:00, 14:00 - 16:00

주 아일랜드 대한민국 대사관 (더블린)

* 주소 : 15 Clyde Road, Ballsbridge, Dublin 4,D04 EN28, Ireland

- 대표전화 (근무시간): +353-1-660-8800
- 영사콜센터 (24시간): +82-2-3210-0404(유료)
- 긴급전화 (근무시간 외): +353-87-234-9226
- (무료) 스마트폰에 무료 전화 앱 설치/이용
- 업무시간 : 09:00 - 12:00 / 13:30 - 17:00 (월-금)

주 아제르바이잔공화국 대한민국 대사관 (바쿠)

* 주소 : H.Aliyev str., Cross 1, House 12, Baku, Republic of Azerbaijan

- 대표전화 (근무시간): +994-12-596-7901~3
- 영사콜센터 (24시간): +82-2-3210-0404(유료)
- 긴급전화 (근무시간 외): +994-51-877-9607
- (무료) 스마트폰에 무료 전화 앱 설치/ 이용
- 업무시간 : 09:00~18:00 (월~금) 중식시간 : 13:00~14:00 한국과의 시차 : -5시간

주 영국 대한민국 대사관 겸 주 국제해사기구 대한민국 대표부 (런던)

* 주소 : 60 Buckingham Gate, London SW1E 6AJ

- 대표전화 (근무시간 중) : +44-20-7227-5500
- 업무시간 외 긴급 연락 전화(사건, 사고 등 긴급상황 시) : +44-78-7650-6895
- 영사콜센터 (서울, 24시간) : +82-2-3210-0404
- 업무시간 : 09:00 - 12:00 / 14:00 - 16:00 (월-금) I 비자 업무 : 10:00-12:00 (방문 접수), 14:00 - 16:00 (전화 문의)

주 오스트리아 대한민국 대사관 겸 주빈 국제기구대표부 (비엔나)

* 주소 : Gregor Mendel Strasse 25, A-1180, Vienna, Austria

- 대표전화 (근무시간): +43-1-478-1991
- 영사콜센터 (24시간): 스마트폰에서 무료 전화 앱 설치
- 유료연결 +82-2-3210-0404)
- 긴급전화 (근무시간 외 일과 후/ 공휴일/ 주말): +43-664-527-0743, FAX : +43-1-478-1013
- 사건, 사고 핫라인(영사콜센터, 24시간) : +82-2-3210-0404 - 사건, 사고 핫라인 무료연결 : 0-800-200-219
- 업무시간 : 영사과 민원실 (월-금) 09:00-12:00, 14:00-16:00 | 대사관 (영사과 외) 09:00-12:30, 13:30-17:00

주 우크라이나 대한민국 대사관 (키이우)

* 주소 : Striletska st. 12, Kyiv, 01901, Ukraine

- 대표전화 (근무시간) : +380 44 246 3759-61 | FAX : +380 44 246 3757
- 영사콜센터 (24시간) : +82 2 3210 0404(유료) - (무료) 스마트폰에 무료 전화 앱 설치/이용
- 긴급전화 (사건, 사고 등 긴급상황 발생 시, 24시간 : 근무시간 외) : +380 95 119 0404

주 이탈리아 대한민국 대사관 (로마)

* 주소 : Via Barnaba Oriani, 30 - 00197 Roma, ITALY

- 근무시간 내 : +39-06-802461
- 근무시간 외 : +39-335-185-0499 (사건사고 등 긴급상황 발생 시, 24시간)
- 영사콜센터 : +82-2-3210-0404 (서울, 24시간)
- 업무시간 : 월-금 09:30-12:00, 14:00-16:30

주 밀라노 대한민국 총영사관

* 주소 : Piazza Cavour 3 (4층), 20121, Milano, ITALIA

- 대표전화(평일 09:00-12:00 / 14:00-18:00) : +39-02-2906-2641, +39-02-4537-3312
- 긴급전화(근무시간외 - 24시간) : +39-329-751-1936
- 영사콜센터(24시간): +82-2-3210-0404(유료) -'영사콜센터 무료 전화 앱'- 설치 시 무료

주 조지아 대한민국 대사관 트빌리시 분관 (트빌리시)

* 주소 : Nugzar Sajaia Str. 8, Vake, Tbilisi, Georgia 전화번호 : +995 32 297 03 18; 297 03 20

- 근무시간 : (+995) 322 970 320, FAX : +995 32 242 74 40
- 긴급 연락 전화 (사건, 사고 등 긴급상황 발생 시, 24시간) : (+995) 599 230 085, (+995) 599 483 577, +995-599-094-746 (영사·민원)

* 이메일 : georgia@mofa.go.kr

- 영사콜센터 (24시간) : +82-2-3210-0404
- 근무시간 : 월~금 09:00 ~ 17:30 (점심시간 12:00 – 13:00)

주 체코 대한민국 대사관 (프라하)

* 주소 : Slavickova 5, 160 00 Praha 6-Bubenec, Czech Republic

- 대표전화 (근무시간): +420-234-090-411
- 영사콜센터 (24시간): +82-2-3210-0404(유료)
- (무료) 스마트폰에 무료 전화 앱 설치/이용
- 긴급전화 (사건, 사고 등 긴급상황 발생 시, 24시간 : 근무시간 외): +420-725-352-420
- 근무시간 : 월-금 09:00-12:00, 13:00-17:00

주 크로아티아 대한민국 대사관 (자그레브)

* 주소 : Ksaverska cesta 111 a-b, 10000 Zagreb, Croatia

- 대표전화 (근무시간): +385-1-4821-282
- 영사콜센터 (24시간): +82-2-3210-0404(유료) - (무료) 스마트폰에 무료 전화 앱 설치 이용
- 긴급전화 (근무시간 외): +385-91-2200-325
- 근무시간 : 월-금 08:30-16:30 (점심시간 12:00-12:30)

※ 크로아티아 긴급 사항 (유럽 전 지역 참고)

- 긴급 연락 전 필독 : 여권 및 소지품 분실 시 대응 요령

가. 여권 분실 시

- 주 크로아티아대사관(자그레브 소재)에서 단수여권 발급
- 민원접수 시간 : 월~금 (공휴일 제외) 오전 08:30~12:00, 오후 12:30~16:30

① 사건 발생 지역 인근 경찰서 방문, 여권 분실 신고

② 구비서류 – 여권 사본 또는 신분증, 사진 1매(4.5cm × 3.5cm), 수수료 미화 53불 또는 371쿠나 (현금만 가능, 카드·유로 결제 불가)

③ 분실자가 직접 대사관 방문 신청

④ 두브로브니크에서 여권 분실 시 경찰 발급 여권 분실 신고서를 이용, 항공편으로만 이동 가능 (보스니아헤르체고비나 육로 국경 통과 불가)

나. 가방 및 소지품 분실 시

① 사건 발생 지역 인근 경찰서 방문, 분실 신고 (여행자 보험 보상 청구 희망시)

② 영어 통역 필요 시 영사콜센터 통역서비스 센터 이용 (영사콜센터 무료 전화 앱, 혹은 유료 전화(+82-2-3210-0404)) -- 끝

주 튀르키예공화국 대한민국 대사관 (앙카라)

* 주소 : Alaçam Sok. No:5, Cinnah Caddesi, Çankaya/Ankara 06690 Türkiye Cumhuriyeti

- 대표전화 (근무시간) : +90 312 468 4820, 23 - 영사 민원 직통전화 : +90 312 481 0404
- 영사콜센터 (24시간) : +82-2-3210-0404(유료) - (무료) 스마트폰에 무료 전화 앱 설치/이용
- 긴급전화 (근무시간 외) : +90 533 203 6535
- 영사 민원 시간 : 09:00-12:00, 13:30-17:00 (월-금)

주 이스탄불 대한민국 총영사관

* 주소 : Askerocağı Cad. Süzer Plaza, No:6, Kat:4, 34367, Elmadağ/Şişli, İstanbul

- 대표전화 및 민원 전화 (근무시간) : +90-212-368-8368, +90-539-383-3406
- 영사콜센터(24시간) : +82-2-3210-0404(유료) - (무료) 스마트폰에 무료전화앱 설치/이용
- 근무시간 외 긴급전화 (24시간) : +90-534-053-3849

주 포르투갈 대한민국 대사관 (리스본)

* 주소 : Av. Miguel Bombarda 36-7, 1050-165 Lisboa

- 대표전화 (근무시간): +351-21-793-7200
- 영사콜센터 (24시간): +82-2-3210-0404(유료) - (무료) 스마트폰에 무료 전화 앱 설치/이용
- 긴급연락처 (사건·사고 긴급전화 : 근무시간 외): +351-91-079-5055
- 업무시간 : 월-금 09:00-12:30, 14:00-17:00 - 영사 민원업무시간 : 월-금 09:00-12:00, 14:00-16:30

주 폴란드 대한민국 대사관 (바르샤바)

* 주소 : Szwoleżerów 6, 00-464 Warszawa

- 대표전화 (근무시간) : +48-22-559-2900~04
- 긴급 휴대전화 (사건, 사고 등 긴급상황 발생 시, 근무시간 외) : +48-887-46-0600 - (무료) 스마트폰에 무료 전화 앱 설치/이용
- 영사콜센터 (서울, 24시간) : +82-2-3210-0404(유료)

주 프랑스 대한민국 대사관 (파리)

* 주소 : 125 rue de Grenelle 75007 Paris, FRANCE(지하철 13번선 Varenne 역)

- 대표번호 (근무시간 내) : +33-1-4753-0101
- 근무시간 외 (사건, 사고 등 긴급상황 시, 24시간): 당직 전화 +33-6-8028-5396
- 사건, 사고 +33-6-8095-9347, 긴급여권 +33-6-2278-2656
- 긴급대응반 : (사무실) +33-1-4753-6995, (사무실) +33-1-4753-6682, (휴대폰) +33-6-8095-9347
- 영사콜센터 : +82-2-3210-0404 (24시간, 서울)   - 영사콜센터 무료 전화 앱' 설치 시 무료
- 근무시간 (09:30-18:00)

주 오이시디 대한민국 대표부

* 주소 : Délégation Permanente de la Corée auprès de l'OCDE - 4, place de la Porte de Passy 75016 Paris, France

- 근무시간: +33-1-4405-2050
- 근무시간 외 (휴일 또는 근무시간 이후) : +33-1-4405-2892
- 영사콜센터(서울 24시간) : +82-2-3210-0404
- 1996.12.12. (29번째 회원국 가입)
- 업무시간 : 월~금 (09:00~12:30, 14:30~18:00)

주 유네스코 대한민국 대표부 - 유네스코

* 주소 : La Délégation permanente de la République de Corée auprès de l'UNESCO 33, Avenue du Maine 75015 Paris France

- 연락처 : (근무시간) +33-1-4410-2400,
- 근무시간 외 : +33-6-6153-6713
- 근무시간 : 월~금 09:00~12:30, 14:30~18:00 (프랑스 현지 공휴일 휴무)

주 핀란드 대한민국 대사관 (헬싱키)

* 주소 : Erottajankatu 7 A, 4th 00130 Helsinki

- 대표전화 (근무시간): +358-9-251-5000
- 영사콜센터 (24시간): +82-2-3210-0404 (유료)   - (무료) 스마트폰에 무료 전화 앱 설치/이용
- 긴급전화 (사건, 사고 등 긴급상황 발생 시, 24시간 근무시간 외): +358-40-903-1021
 (일반 영사 민원 문의는 평일 업무시간 대표번호로 부탁드립니다)

주 헝가리 대한민국 대사관 (부다페스트)

* 주소 : 1062 Budapest, Andrássy út 109, Hungary

- 대표전화 (근무시간): +36-1-462-3080
- 영사콜센터 (24시간): +82-2-3210-0404(유료)   - (무료) 스마트폰에 무료 전화 앱 설치/이용
- 민원 전화 (근무시간): +36-1-462-3097
- 긴급전화 (사건, 사고 등 긴급상황 발생 시): +36-30-550-9922
- 근무 시간 : 월~목. 08:30 - 17:00 / 금. 08:30 ~ 16:30 (점심 시간 : 12:00 ~ 13:00)

북 미 - North America

주 미국 대한민국 대사관 (워싱턴 D.C)

* 주소 : 2450 Massachusetts Avenue N.W. Washington, D.C. 20008
  2320 Massachusetts Avenue N.W. Washington, D.C. 20008 (영사과)

- 공관 대표번호 : +1-202-939-5600 (대표)　- 영사콜센터(24시간) : +822-3210-0404
- 긴급연락처 (사건, 사고 등 긴급상황 발생 시) : +1-202-939-5653
- 업무시간 : 9:00 am - 12:00 pm, 1:00 pm - 6:00 pm (월 - 금) (민원업무는 09:00am-12:00pm, 01:00pm-05:00pm에 접수)

주 뉴욕 대한민국 총영사관

* 주소 : 460 Park Ave.(bet.57th & 58th St.) New York, NY 10022

- 공관 대표번호: +1-646-674-6000　※ 격리면제서 발급 안내 (바로 가기) : 외교부 재외공관 참고
- 영사콜센터(24시간): +822-3210-0404　- 영사콜센터(24시간) 스마트폰 무료 전화 앱 설치
- 긴급 연락 전화(사건, 사고 등 긴급상황 발생 시, 24시간) : +1-646-965-3639
- 업무시간 : 월~금 오전 9:00-12:00, 오후 1:00-4:30 (12:00-13:00 점심시간 중에도 민원서류는 접수)

주 뉴욕 대한민국 총영사관 필라델피아 출장소

* 주소 : 1500 JOHN F KENNEDY BLVD STE 1830 PHILADELPHIA PA 19102

- 공관 대표번호: +1-267-807-1830 (월~금 오전 9:00-12:00, 오후 1:00-5:00)
- 사건, 사고 신고: +1-267-670-2648　- 본부 영사콜센터(24시간): +822-3210-0404

주 휴스턴 대한민국 총영사관 댈러스 출장소

* 주소 : 14001 Dallas Parkway Ste.450 (4층), Dallas, TX 75240

- 대표전화(근무시간) : +1-972-701-0180　- 긴급 연락 전화(사건, 사고 등 긴급상황 발생 시, 24시간) : +1-214-796-3959
- 영사콜센터(24시간) : +82-2-3210-0404(유료)　- (무료) 스마트폰에 무료 전화 앱 설치/이용

주 로스앤젤레스 대한민국 총영사관

* 주소 : Korean Consulate General in Los Angeles 3243 Wilshire Blvd, Los Angeles, CA 90010

- 대표전화(업무시간 중): +1-213-385-9300　- 긴급전화 (사건, 사고 등 발생 시, 24시간): +1-213-700-1147
- 영사콜센터(서울, 24시간): +82-2-3210-0404　- 업무시간(월~금): 오전 9:00~오후 5:00(민원업무: 오전 9:00-오후4:00)

주 몬트리올 대한민국 총영사관 겸 주국제민간항공기구대표부

* 주소 : 1250 René-Lévesque Boulevard West, Suite 3600, Montreal ,Quebec, H3B 4W8

- 대표전화(근무시간): +1-514-845-2555
- 영사콜센터(24시간): +82-2-3210-0404(유료)　- (무료) 스마트폰에 무료 전화 앱 설치/이용
- 긴급 연락 전화(사건, 사고 등 긴급상황 시, 24시간) : +1-514-261-4677, FAX : +1-514-845-1119
- 업무시간 : 오전 9:00 ~ 오후 5:00 (월-금, 점심시간 12:00 ~ 1:30)

주 보스턴 대한민국 총영사관

* 주소 : Consulate General of the Republic of Korea (Boston).
300 Washington Street (One Gateway Center), Suite 251. Newton, MA 02458

- 대표전화(근무시간) : +1-617-641-2830　- 긴급전화(근무시간 외): +1-617-264-0404
- 영사콜센터(24시간) : +82-2-3210-0404(유료)　- (무료) 스마트폰에 무료 전화 앱 설치/이용

주 샌프란시스코 대한민국 총영사관

* 주소 : 3500 Clay Street, San Francisco, CA 94118

- 대표전화(근무시간 중) : +1-415-921-2251　- 업무시간 : 9:00-17:00 (월-금) , 민원실 업무시간 9:00~16:30
- 영사콜센터(서울, 24시간) : +82-2-3210-0404　- (무료) 스마트폰에 무료 전화 앱 설치/이용
- 긴급전화(근무시간 외 사건, 사고) : +1-415-265-4859, +1-415-265-4746, FAX : 415-921-5946

※ 민원실 방문 전 예약 필수입니다. (무예약자 입장 불가, 당일 예약 불가), 장례식 참석 격리면제서 안내 : 외교부 재외공관 참고

주 시애틀 대한민국 총영사관

* 주소 : Consulate General of the Republic of Korea 115 W Mercer St.Seattle, WA 98119

- 대표전화(근무시간) : +1-206-441-1011~4, Fax : +1-206-441-7912
- 영사콜센터(24시간) : +82-2-3210-0404(유료) - (무료) 스마트폰에 무료 전화 앱 설치/이용
- 긴급전화 (근무시간 외): +1-206-947-8293

주 시카고 대한민국 총영사관

* 주소 : Korean Consulate General NBC Tower 2700, 455 N. Cityfront Plaza Dr., Chicago, IL 60611

- 대표전화(근무시간) : +1-312-822-9485
- 긴급 연락처 (근무시간 외): +1-312-405-4425
- 영사콜센터(24시간) : +82-2-3210-0404(유료) - (무료) 스마트폰에 무료 전화 앱 설치/이용
- 민원실 방문 전 꼭 예약해주시기 바랍니다. : 외교부 재외공관 참고
- 업무시간(월-금): 9:00am-5:00pm, (민원업무: 9:30am-4:30pm)

주 애틀랜타 대한민국 총영사관

* 주소 : 229 PEACHTREE STREET NE, SUITE 2100, INTERNATIONAL TOWER, ATLANTA, GA 30303

- 대표전화(근무시간): +1-404-522-1611~3, +1-404-295-2807
- 영사콜센터(24시간): +82-2-3210-0404(유료)
- 긴급상황 발생 시 (긴급 사건, 사고, 24시간) : +1-404-295-2807
- 격리면제서 발급 종합 안내 (바로 가기) 민원실 방문 전 꼭 예약해주시기 바랍니다. : 외교부 재외공관 참고
- 업무시간(월~금): 오전 9:00~오후 5:00 (민원업무: 오전 9:30-오후 4:00)

주 앵커리지 대한민국 출장소

* 주소 : 800 E. Dimond Blvd., STE 3-695, ANCHORAGE, AK 99515, U.S.A

- 대표전화(근무시간) : +1-907-339-7955
- 긴급전화(근무시간 외): +1-907-331-7135
- 영사콜센터(24시간) : +822-3210-0404(유료) - (무료) 스마트폰에 무료 전화 앱 설치/이용
- 근무시간 : 월~금요일 09:00 - 17:00 - 민원접수 : 월~금요일 오전 09:00 - 11:30, 오후 1:30-4:30

주 하갓냐 대한민국 출장소

* 주소 : 153 Zoilo St., Tamuning, Guam 96913 U.S.A

- 대표전화 (근무시간) : +1-671-647-6488, 6489 - 대표 e-mail: kconsul_guam@mofa.go.kr
- 영사콜센터 (24시간) : +82-2-3210-0404(유료) - (무료) 스마트폰에 무료 전화 앱 설치/이용
- 긴급전화 (사건, 사고 발생 시) : +1-671-688-5886 - 민원 접수시간(월~금) : 9:00 am ~ 11:30 am, 1:30 pm ~ 5:00 pm

주 호놀룰루 대한민국 총영사관

* 주소 : 2756 Pali Highway, Honolulu, Hawaii 96817

- 대표전화(근무시간) : +1-808-595-6109
- 영사콜센터(24시간) : +82-2-3210-0404(유료) - (무료) 스마트폰에 무료 전화 앱 설치/이용
- 긴급전화(사건, 사고 발생 시) : +1-808-265-9349
- 민원실 운영 시간 : 08:30 - 16:00 (월요일~금요일)

주 휴스턴 대한민국 총영사관

* 주소 : 1990 Post Oak Blvd. #1250, Houston, TX 77056

- 대표전화(근무시간) : +1-713-961-0186
- 영사콜센터(24시간) : +82-2-3210-0404(유료) - (무료) 스마트폰에 무료 전화 앱 설치/이용
- 긴급전화 (근무시간 외): +1- 281-785-4231 (사건, 사고) +1-713-598-3677
- 업무시간: 월-금: 09:00-17:00 (민원실 운영시간: 09:00-12:00, 13:00-16:30)

주 유엔 대한민국 대표부

* 주소 : 335 E. 45th St., New York, NY 10017

- 근무시간: +1-212-439-4000
- 근무시간 외: +1-917-376-7399
- 업무시간 : 09:00-18:00

주 캐나다 대한민국 대사관 (오타와)

* 주소 : 150 Boteler Street, Ottawa, Ontario, Canada K1N 5A6

- 대표전화(근무시간) : +1-613-244-5010 (관할 지역 : 오타와, 누나부트주)
- 긴급전화 (사건, 사고 등 발생 시- 근무시간 외): +1-613-986-0482
- 영사콜센터 (서울, 24시간) : +82-2-3210-0404(유료) - (무료) 스마트폰에 무료 전화 앱 설치/이용
- 주밴쿠버총영사관 : +1-604-681-9581 (관할지역: BC주, 알버타주, 사스카추완주, 유콘주, 노스웨스트주)
  * 비상연락처 : +1-604-313-0911
- 주토론토총영사관 : +1-416-920-3809 (관할지역: 오타와 수도권을 제외한 온타리오주, 마니토바주)
  * 비상연락처 : +1-416-994-4490
- 주몬트리올총영사관 : +1-514-845-2555 (관할지역: 퀘벡주, 뉴브런즈윅주, 뉴펀들랜드주, 노바스코시아주)
  * 비상연락처 : +1-514-261-4677

주 밴쿠버 대한민국 총영사관

* 주소 : Suite 1600, 1090 West Georgia Street Vancouver, British Columbia, Canada V6E 3V7

- 대표전화(근무시간):+1-604-681-9581
- 영사콜센터(24시간): +82-2-3210-0404(유료) - (무료) 스마트폰에 무료 전화 앱 설치/이용
- 긴급전화(근무시간외): +1-604-313-0911
- 영사관 업무시간 : 평일 월요일-금요일: 오전 9:00 ~ 오후 5:00 (점심시간 12:00~1:00)
- 민원실 업무시간 : 평일 월요일-금요일: 오전 9:00 ~ 오후 4:30

주 토론토 대한민국 총영사관

* 주소 : 555 Avenue Road, Toronto, Ontario, Canada, M4V 2J7

- 대표전화: +1-416-920-3809 (근무시간 중)
- 긴급전화 (근무시간 외 사건·사고 긴급 / 휴대전화) : +1-416-994-4490
- 영사콜센터: +82-2-3210-0404(서울, 24시간)
- 민원실 업무시간 : 오전 9:00 - 오후 4:30 - 민원실 방문 전 예약 필수

중남 미 - Latin America

주 과테말라 대한민국 대사관 (과테말라 시티)

* 주소 : 5 Avenida 5-55 Zona 14, Edificio Europlaza, Torre 3, Nivel 7, Ciudad de Guatemala, Guatemala C.A.

- 대표전화(근무시간): +502-2382-4051~4
- 영사콜센터(24시간): +82-2-3210-0404(유료) - (무료) 스마트폰에 무료 전화 앱 설치/이용
- 긴급 연락 전화 (사건, 사고 등 긴급상황 발생 시, 24시간) : +502-3368-9333

주 니카라과 대한민국 대사관 (마나과)

* 주소 : De la rotonda universitaria 100mts al norte, 100mts al oeste, mano derecha, Managua, Nicaragua

- 대표전화(근무시간): +505-2267-6777 / 6688
- 영사콜센터(24시간): +82-2-3210-0404(유료)
- (무료) 스마트폰에 무료 전화 앱 설치/이용
- 긴급전화(근무시간 외): +505-8238-9371, +505-8855-0037, +505-5784-7090

주 도미니카공화국 대한민국 대사관 (산토도밍고)

* 주소 : Avenida Enriquillo No.75, Urbanización Real, Santo Domingo, República Dominicana

- 대표전화(근무시간): +1-809-482-6505
- 영사콜센터(24시간): +82-2-3210-0404(유료) - (무료) 스마트폰에 무료 전화 앱 설치/이용
- 긴급전화 (근무시간 외): +1-809-383-9091

주 멕시코 대한민국 대사관 (멕시코시티)

* 주소 : Lopez Diaz de Armendariz 110, Col. Lomas de Virreyes Deleg Miguel Hidalgo, Mexico D.F. CP11000

- 대표전화 (업무시간 중) : +52-55-5202-9866 - 영사 문의(비자, 여권 등) : +52-55-5540-7236
- 긴급전화(사건, 사고 발생 시, 24시간) : +52-55-8581-2808
- 영사콜센터(서울, 24시간) :+82-2-3210-0404
- 대표 메일 : embcoreamx@mofa.go.kr | 영사과 메일 : emcorea@mofa.go.kr

주 베네수엘라 대한민국 대사관 (카라카스)

* 주소 : Av. Francisco de Miranda, Centro Lido, Torre B, Piso 9, Ofic.91-92-B, El Rosal, Caracas, Venezuela

- 대표전화(근무시간) : +58-212-954-1270
- 영사콜센터(24시간) : +82-2-3210-0404(유료) - (무료) 스마트폰에 무료 전화 앱 설치/이용
- 긴급전화(근무시간 외) : +58-412-261-0754

주 볼리비아 대한민국 대사관 (라파스/수크레)

* 주소 : Av. Ballivian #555, Calle 11-12, Edificio El Dorial, Piso 3, Calacoto, La Paz, Bolivia

- 대표전화(근무시간): +591-2-211-0361~3 대표메일 : coreabolivia@mofa.go.kr
- 영사콜센터(24시간): +82-2-3210-0404(유료) - (무료) 스마트폰에 무료 전화 앱 설치/이용
- 사건, 사고 접수 긴급전화(근무시간 외): +591-7673-3334

주 브라질 대한민국 대사관 (브라질리아)

* 주소 : EMBAIXADA DA REPUBLICA DA COREIA / SEN Qd. 801 Lote 14, Asa Norte, 70800-915, Brasilia-DF, Brasil

- 대표전화(근무시간 중): +55-(0)61-3321-2500
- 긴급연락처 (사건, 사고 등 긴급상황 발생 시) : +55-(0)61-99658-2421
- 영사콜센터(24시간): +82 (0)2-3210-0404
- 민원 업무 시간 : 09:00-12:00, 14:00-17:00

주 상파울루 대한민국 총영사관

* 주소 : Av.Paulista, 37, 8°Andar, cj.81 - Bela Vista São Paulo/SP Brasil CEP 01311-902

- 대표전화 : +55-11-3141-1278, 대표 이메일: cscoreia@mofa.go.kr
- 긴급연락처 (긴급! 사건 사고) : +55-11-97188-5194 - 긴급여권 발급 (긴급! 여권) : +55-11-99676-9020
- 영사콜센터(24시간): +82-2-3210-0404
- 공관 업무시간 : 평일 08:30~17:30 (점심시간 12:30~13:30) - 민원 접수시간 : 평일 08:30~16:30 (점심시간에도 방문 가능)
- 방문 사전예약 : sglee16@mofa.go.kr 또는 +55-11-3141-1278

주 아르헨티나 대한민국 대사관 (부에노스아이레스)

* 주소 : Av. del Libertador 2395, Ciudad Autónoma de Buenos Aires (C1425AAJ) Argentina

- 대표전화(근무시간) :+54-11-4802-8865
- 영사콜센터(24시간) :+82-2-3210-0404(유료) - (무료) 스마트폰에 무료 전화 앱 설치 이용
- 긴급전화(근무시간 외): +54-911-4141-1450

주 에콰도르 대한민국 대사관 (키토)

* 주소 : Embajada de la República de Corea, Av. Amazonas y Union de Periodistas Edificio Eurocenter, Piso 4, Quito, Ecuador

- 대표전화 (근무시간): +593-2-352-0874~6/0866 / 0874~6
- 영사콜센터 (24시간) : +82-2-3210-0404 - (무료) 스마트폰에 무료전화앱 설치 이용
- 긴급 연락 전화(사건, 사고 등 긴급상황 발생 시, 24시간)(근무시간 외) : +593-981-122-191
- 업무시간 : (월-금) 07:30 - 12:00, 13:00 - 16:30

주 엘살바도르 대한민국 대사관 (산살바도르)

* 주소 : Calle El Mirador y 87 Av. Nte. Edificio Torre Futura, Nivel 14, Local 5, Col. Escalon, San Salvador, El Salvador

- 대표전화 (근무시간): +503-2263-9145, 대표 메일 : embcorea@mofa.go.kr
- 영사콜센터 (24시간) : +82-2-3210-0404(유료) - 영사콜센터 무료 전화 앱 사용 시 무료
- 긴급전화 (사건, 사고 등 긴급상황 발생 시): +503-7318-1449
- 대사관 근무시간 : 08:00 ~ 12:00, 13:00 ~ 16:00 (월~금) - 영사과 근무시간 : 08:00 ~ 12:00, 13:00 ~ 15:00 (월~금)

주 온두라스 대한민국 대사관 (테구시갈파)

* 주소 : Metrópolis Torre 2, piso 15, Blvd. Suyapa, frente a Televicentro, Tegucigalpa, Honduras

- 대표전화 (근무시간): +504 2235 5561~3
- 영사콜센터 (24시간): +82-2-3210-0404(유료) - (무료) 스마트폰에 무료 전화 앱 설치/이용
- 긴급 연락 전화 (사건, 사고 등 긴급상황 발생 시, 24시간) : +504 9442-4972
- 영사콜센터 (서울, 24시간) : +82 (0)2 3210 0404
- 업무시간 : 오전 08:00-12:00 / 오후 1:30-4:30 (월-금요일)

주 우루과이 대한민국 대사관 (몬테비데오)

* 주소 : Av. Luis Alberto de Herrera 1248, Torre II, Piso10 WTC, C.P. 11300, Montevideo

- 대표전화(근무시간) : +598-2628-9374~5
- 영사콜센터(24시간) : +82-2-3210-0404(유료) - (무료) 스마트폰에 무료 전화 앱 설치/이용
- 긴급전화 (근무시간 외): +598-94-111-593
- 근무시간 : 월-금 09:00-12:00, 13:30-17:30 (단, 동절기 5월 중순~ 8월 중순은 월-금 09:00-12:00, 13:30-17:00)

주 자메이카 대한민국 대사관 (주 킹스턴 분관)

* 주소 : 5 Oakridge Kingston 8 Jamaica W. I. Embassy of the Republic of Korea in Jamaica

- 대표전화 (근무시간 중) : +1-876-924-2731
- 긴급 연락 전화 (사건, 사고 등 긴급상황 발생 시, 24시간) : +1-876-478-1755, +1-876-287-3828
- 영사콜센터(서울, 24시간) : +82-2-3210-0404
- 근무시간: 오전: 08:30 -12:00, 오후: 13:00 -16:30

주 칠레 대한민국 대사관 (산티아고)

* 주소 : Embajada de la República de Corea : Alcántara 74, Las Condes, Santiago, Chile

- 대표전화 (근무시간): +56-2-2228-4214
- 영사콜센터 (24시간): +82-2-3210-0404 (유료) - (무료) 스마트폰에 무료 전화 앱 설치/이용
- 긴급전화 (근무시간 외): +56-9-7430-4546, +56-9-9222-3707

주 코스타리카공화국 대한민국 대사관 (산호세)

* 주소 : 400 metros norte y 200 metros oeste del Restaurante Rostipollos,Urbanización Trejos Montealegre, San Rafael de Escazú, San Jose, Costa Rica

- 대표전화(근무시간): +506-2588-0852, 0848, 0804, 0845
- 긴급 당직 전화 (사건, 사고 발생 시) : +506-8410-3145
- 영사콜센터 (24시간): +82-2-3210-0404(유료)   - (무료) 스마트폰에 무료 전화 앱 설치 / 이용
- 근무시간 : 08:30-12:30, 14:00-17:00 (월-금요일)

주 콜롬비아 대한민국 대사관 (보고타)

* 주소 : Embajada de la Republica de Corea Calle 94 No.9-39, Bogota, Colombia

- 대표전화 (근무시간): +57-1-616-7200 (내선 222), 8149, 8872(대표)
- 긴급연락처 (근무시간 외): +57-321-976-3511
- 영사콜센터 (서울 24시간) : +822 3210 0404   - (무료) 스마트폰에 무료 전화 앱 설치/이용

주 트리니다드토바고 대한민국 대사관 (포트오브스페인)

* 주소 : #36 Elizabeth Street, St. Clair, Port of Spain, Trinidad and Tobago, W.I.

- 대표전화 (근무시간 중) : +1-868-622-9081
- 영사콜센터 (24시간) : +82-2-3210-0404(유료)   - (무료) 스마트폰에 무료 전화 앱 설치/이용
- 긴급전화 (근무시간 외) : +1-868-381-8977 또는 +1-868-268-5022
- 근무시간 : 월 - 금 : 08:00-16:00 (점심시간 12:00-13:00) 영사과 근무시간 (대사관과 동일)

주 파나마 대한민국 대사관 (파나마 시티)

* 주소 : P.H. RBS Tower, Piso 14. Calle Ramon H. Jurado. Paitilla, Ciudad de Panama

- 대표전화 (근무시간): +507-264-8203 / +507-264-8360
- 영사콜센터 (24시간): +82-2-3210-0404(유료)   - (무료) 스마트폰에 무료 전화 앱 설치/이용
- 긴급전화 (근무시간 외): +507-6747-0173
- 근무시간 : 월~금 09:00-17:30(12:00-13:30 - 점심시간)

주 파라과이 대한민국 대사관 (아순시온)

* 주소 : Avda. República Argentina 678 esq. Pacheco, Asunción, Paraguay

- 대표전화 (근무시간) : +595-21-605-401
- 영사콜센터 (24시간) : +82-2-3210-0404(유료)   - (무료) 스마트폰에 무료 전화 앱 설치/이용
- 긴급전화 (사건, 사고 등 긴급상황 발생 시, 24시간 : 근무시간 외) : +595-981-593-448
- 근무시간 : 영사 민원 접수시간 월 ~ 금 08:00~15:00

주 페루 대한민국 대사관 (리마)

* 주소 : Calle Guillermo Marconi 165, San Isidro, Lima, Peru

- 대표번호 (근무시간 중) : +51-1-632-5000
- 일반 민원 (근무시간 중) : +51-995-448-565
- 영사콜센터(24시간) : +82-2-3210-0404(유료)   - (무료) 스마트폰에 무료 전화 앱 설치 이용
- 긴급전화 (근무시간 외): +51-998-787-454

관광청

동북 아시아 - Northeast Asia

*** 주한 몽골 울란바토르 문화진흥원 ***

* 주소 : 서울 광진구 광장로 1

- 대표번호 : 02-446-4199 / FAX : 02-446-4489
- 휴무일 :
- 홈페이지 : http://www.mongolcenter.org/

*** 일본 국제관광 진흥 기구 서울사무소 ***

* 주소 : 서울 중구 을지로 16 프레지던트호텔 2층

- 대표번호 : 02-777-8601
- 휴무일 : 매주 토, 일 / 공휴일 (월~금 : 09:30~17:30 – 운영 시간)
- 홈페이지 : https://www.japan.travel/ko/kr/

*** 중국 관광청 서울 사무소 ***

* 주소 : 서울 중구 퇴계로 97 대연각 빌딩 1501호

- 대표번호 : 02-773-0393
- 휴무일 : 매주 토, 일 / 공휴일 (월~금 : 09:30~17:30 - 운영 시간 / 점심시간 - 12:30~13:30)
- 홈페이지 : http://www.visitchina.or.kr/

*** 대만 관광청 서울사무소 ***

* 주소 : 서울 중구 남대문로10길 9 경기빌딩 9층 902호

- 대표번호 : 02-732-2358
- 휴무일 :
- 홈페이지 : https://www.taiwantour.or.kr/

*** 홍콩 관광진흥청 한국사무소 ***

* 주소 : 서울 중구 을지로 16 프레지던트호텔 1105호

- 대표번호 : 02-778-4403
- 휴무일 :
- 홈페이지 : https://www.discoverhongkong.com/kr/index.html

*** 마카오 정부관광청 한국사무소 ***

* 주소 : 서울 중구 을지로 16 프레지던트호텔 1105호

- 대표번호 : 02-778-4403
- 휴무일 : 매주 토, 일 / 공휴일 (월~금 : 09:00~18:00 - 운영 시간)
- 홈페이지 : https://www.macaotourism.gov.mo/ko/

동남 아시아 / 서남 아시아 - Southeast Asia / Southwest Asia

*** 네팔 관광청 한국사무소 ***

* 주소 : 서울 마포구 마포대로 73 SK 허브그린 202호

- 대표번호 : 02-730-4855
- 휴무일 : 무 / (매일 : 09:00 ~ 18:30 - 운영 시간)
- 홈페이지 : https://ntb.gov.np/

*** 동티모르 (수도 - 딜리)**

- 자료 사이트 : https://100.daum.net/encyclopedia/view/b05d1720a

*** 라오스 관광청 ***

- 홈페이지 : https://www.tourismlaos.org/

*** 말레이시아 관광청 ***

* 주소 : 서울 중구 서소문로 115 한산 빌딩 2층

- 대표번호 : 02-779-4422
- 휴무일 : 매주 토, 일 / 공휴일
- 홈페이지 : https://www.tourism.gov.my/

*** 미얀마 (수도 - 네피도)**

- 자료 사이트 : https://ko.wikipedia.org/wiki/미얀마

*** 방글라데시 (수도 - 다카)**

- 자료 사이트 : https://www.bdkorea.org/

*** 주한 베트남 관광청 ***

* 주소 ; 서울 강동구 성내로6길 11 5층

- 대표번호 : 02-470-7885
- 휴무일 : 토, 일요일 / 공휴일 (월~금 09:00~17:00 - 운영 시간 / 점심시간 12:00 ~13:00)
- 홈페이지 : http://vietnamtourism.or.kr/

*** 브루나이 관광청 ***

- 홈페이지 : https://www.bruneitourism.com/

* 캄보디아 관광청 *
- 홈페이지 : https://www.tourismcambodia.org/

* 스리랑카 관광청 *
- 홈페이지 : https://www.srilanka.travel/

* 싱가포르 관광청 *
* 주소 : 서울 중구 세종대로 136 서울파이낸스센터 3층
- 대표번호 : 02-734-5570 - 휴무일 : - 홈페이지 : https://www.visitsingapore.com/ko_kr/

* 아프가니스탄 (수도 - 카불) *
- 자료 사이트 : https://ko.wikipedia.org/wiki/아프가니스탄

* 주한 인도네시아 관광청 *
* 주소 : 부산 북구 금곡대로 357
- 대표번호 : 070-4203-0041 - 휴무일 : 매주 토, 일 / 공휴일 (월~금 : 11:00 ~ 16:00 – 운영 시간) - 홈페이지 : http://www.tourismindonesia.com/ https://www.facebook.com/wonderfulindonesia.korea

* 태국 정부관광청 서울사무소 *
주소 : 서울 중구 퇴계로 97 대연각센터빌딩
- 대표번호 : 02-779-5417 - 휴무일 : 매주 금, 토, 일요일 / 공휴일 (월~금 09:00~17:00 – 운영 시간) - 홈페이지 : http://www.visitthailand.or.kr/thai/ https://www.tourismthailand.org/home

* 주한 필리핀 관광청 *
* 주소 : 서울 중구 을지로 16 프레지던트호텔 102호
- 대표번호 : 02-598-2290 - 휴무일 : 매주 토, 일요일 / 공휴일 (월~금 09:00~18:00 – 운영 시간) - 홈페이지 : https://www.itsmorefuninthephilippines.co.kr/

* 파키스탄 관광청 *
- 홈페이지 : https://tourism.gov.pk/

태평양 - Pacific

* 주한 뉴질랜드 관광청 *

* 주소 : 서울 종로구 새문안로 92 오피시아빌딩 11층

- 대표번호 : 02-3210-1107
- 휴무일 :
- 홈페이지 : https://www.newzealand.com/kr/

파푸아뉴기니 (수도 : 포트모르즈비)

- 자료 사이트 : https://ko.wikipedia.org/wiki/파푸아뉴기니

* 주한 피지 관광청 *

* 주소 : 서울 강남구 테헤란로25길 20

- 대표번호 :
- 휴무일 :
- 홈페이지 : https://www.fiji.travel/

* 주한 호주 정부 관광청 *

* 주소 : 서울 종로구 청계천로 85

- 대표번호 : 02-752-6500
- 휴무일 : 매주 토, 일요일 / 공휴일 (월~금 10:00~17:00 – 운영 시간)
- 홈페이지 : https://www.australia.com/ko-kr

중동 - Middle East

* 레바논 (수도 : 베이루트) *

- 자료 사이트 : https://ko.wikipedia.org/wiki/레바논

* 사우디아라비아 문화부 (관광청) *

* 주소 : 서울 용산구 대사관로11길 37 펠리체

- 대표번호 : 02-744-6471
- 휴무일 :
- 홈페이지 : https://www.visitsaudi.com/en

* 아랍에미리트 관광청 *

- 홈페이지 : 두바이 관광청 – https://www.visitdubai.com/ko/
https://blog.naver.com/dubaitourism
아부다비 관광청 - https://visitabudhabi.ae/en

* 오만 (수도 - 무스카트) *
- 자료 사이트 : https://ko.wikipedia.org/wiki/오만

* 요르단 관광청 *
- 홈페이지 : https://mota.gov.jo/Default/Ar

* 이라크 (수도 - 바그다드) *
- 자료 사이트 : https://ko.wikipedia.org/wiki/이라크

* 이란 관광청 *
- 홈페이지 : https://www.itto.org/

* 주한 이스라엘 관광청 *
* 주소 : 서울 종로구 인사동5길 25 하나로빌딩 1011호
- 대표번호 : 02-738-0882 - 휴무일 : - 홈페이지 : https://israel.travel/

* 카타르 관광청 *
- 홈페이지 : https://www.visitqatar.qa/intl-en

* 쿠웨이트 (수도 - 쿠웨이트)
- 자료 사이트 : https://ko.wikipedia.org/wiki/쿠웨이트

러시아 / 중앙아시아 - Russia / Central Asia

* 러시아 관광청 *
- 홈페이지 : https://www.russia-travel.com/

* 우즈베키스탄 (수도 - 타슈켄트) *
- 자료 사이트 : https://ko.wikipedia.org/wiki/우즈베키스탄

*** 카자흐스탄 관광청 ***

- 홈페이지 : https://www.kazakhstan.com/

*** 키르기스스탄 관광청 ***

- 홈페이지 : https://tourism.gov.kg/

*** 투르크메니스탄 (수도 - 아시가바트) ***

- 자료 사이트 : https://ko.wikipedia.org/wiki/투르크메니스탄

*** 타지키스탄 (수도 - 두샨베) ***

- 자료 사이트 : https://ko.wikipedia.org/wiki/타지키스탄

북 아프리카 - North Africa

*** 모로코 (수도 - 라바트) ***

- 자료 사이트 : https://ko.wikipedia.org/wiki/모로코

*** 리비아 (수도 - 트리폴리) ***

- 자료 사이트 : https://ko.wikipedia.org/wiki/리비아

*** 알제리 (수도 - 알제) ***

- 자료 사이트 : https://ko.wikipedia.org/wiki/알제리

*** 주한 이집트 관광청 ***

* 주소 : 서울 중구 을지로 148 중앙빌딩 1층

- 대표번호 : 02-2263-2330
- 휴무일 :
- 홈페이지 : http://www.touregypt.net/
  https://blog.naver.com/allnewegypt

*** 튀니지 관광청 ***

- 홈페이지 : http://www.tourismtunisia.com/

사하라 이남 아프리카 - Sub - Saharan Africa

*** 가나 (수도 - 아크라) ***

- 자료 사이트 : https://ko.wikipedia.org/wiki/가나

*** 가봉 (수도 - 리브르빌) ***

- 자료 사이트 : https://ko.wikipedia.org/wiki/가봉

*** 나이지리아 (수도 - 아부자) ***

- 자료 사이트 : https://ko.wikipedia.org/wiki/나이지리아

*** 남아프리카공화국 관광청 ***

- 홈페이지 : http://www.southafrica.net/

*** 르완다 (수도 - 키갈리) ***

- 자료 사이트 : https://ko.wikipedia.org/wiki/르완다

*** 세네갈 (수도 - 다카르) ***

- 자료 사이트 : https://ko.wikipedia.org/wiki/세네갈

*** 수단 (수도 - 하르툼) ***

- 자료 사이트 : https://ko.wikipedia.org/wiki/수단

*** 앙골라 (수도 - 루안다) ***

- 자료 사이트 : https://ko.wikipedia.org/wiki/앙골라

*** 에티오피아 (수도 - 아디스아바바) ***

- 자료 사이트 : https://ko.wikipedia.org/wiki/에티오피아

*** 짐바브웨 관광청 ***

- 홈페이지 : https://www.zambiatourism.com/

*** 카메룬 관광청 ***

- 홈페이지 : http://www.kamerun-tourismus.de/index_e.html

*** 케냐 관광청 ***

- 홈페이지 : https://www.tourism.go.ke/

*** 코트디부아르 (수도 - 야무수크로) ***

- 자료 사이트 : https://ko.wikipedia.org/wiki/코트디부아르

*** 콩고민주공화국 (수도 - 킨샤사) ***

- 자료 사이트 : https://ko.wikipedia.org/wiki/콩고_민주_공화국

*** 탄자니아 관광청 ***

- 홈 페이지 : https://www.tanzaniaodyssey.com/
- 블로그 홈페이지 : https://blog.naver.com/tanzaniatourism

유럽 - Europe

*** 교황청 ***

- 홈페이지 : https://www.vatican.va/content/vatican/it.html

*** 그리스 관광청 ***

- 홈페이지 : https://www.visitgreece.gr/

*** 네덜란드 관광청 ***

- 홈페이지 : https://www.holland.com/global/tourism.htm

*** 노르웨이 관광청 ***

- 홈페이지 : https://www.visitnorway.com/

*** 덴마크 관광청 ***

- 홈페이지 : https://www.visitdenmark.com/

*** 주한 독일 관광청 ***

* 주소 : 서울 중구 을지로 16 프레지던트 902호

- 대표번호 : 02-773-6430
- 휴무일 :
- 홈페이지 : https://www.germany.travel/en/home.html
- 하이델베르크 관광청 : https://www.heidelberg-marketing.de/
- 로텐부르크 관광청 : https://www.rothenburg.de/portal-fuer-buergerinformation-tourismus-wirtschaft-und-handel/
- 드레스덴 관광청 : https://www.dresden.de/index_de.php
- 프랑크푸르트 관광청 : https://www.frankfurt-tourismus.de/
- 베를린 관광청 : https://www.visitberlin.de/de
- 하노버 관광청 : https://www.hannover.de/Tourismus
- 함부르크 관광청 : https://www.hamburg-tourism.de/

*** 라트비아 관광청 ***

- 홈페이지 : https://www.latvia.travel/lv

*** 루마니아 관광청 ***

- 홈페이지 : https://romaniatourism.com/

*** 벨기에 관광청 ***

- 홈페이지 : https://www.visitflanders.com/en/

*** 벨라루스 (수도 - 민스크) ***

- 자료 사이트 : http://www.shoestring.co.kr/destinations/europe/bel-text.htm

*** 불가리아 관광청 ***

- 홈페이지 : https://bulgariatravel.org/

*** 세르비아 관광청 ***

- 홈페이지 : https://www.serbia.travel/en

*** 스웨덴 관광청 ***

- 홈페이지 : https://visitsweden.com/
  스톡홀름 관광청 : https://www.visitstockholm.com/

*** 스위스 관광청 ***

- 홈페이지 : https://www.myswitzerland.com/ko/

*** 스페인 관광청 ***

- 홈페이지 : https://www.spain.info/es/

*** 슬로바키아 관광청 ***

- 홈페이지 : https://www.slovakia.travel/

*** 아일랜드 관광청 ***

- 홈페이지 : https://www.discoverireland.ie/

*** 아이슬란드 관광청 ***

- 홈페이지 : https://www.icelandtravel.is/

*** 아제르바이잔 (수도 - 바쿠) ***

- 자료 사이트 : https://ko.wikipedia.org/wiki/아제르바이잔

*** 영국 관광청 ***

- 홈페이지 : https://www.visitbritain.com/gb/

*** 오스트리아 관광청 ***

- 홈페이지 : https://www.austria.info/kr

*** 우크라이나 (수도 - 키이우) ***

- 자료 사이트 : https://ko.wikipedia.org/wiki/우크라이나

*** 이탈리아 관광청 ***

- 홈페이지 : http://www.italiantourism.com/ // https://www.italia.it/it

*** 조지아 관광청 ***

* 주소 : 서울 용산구 이태원로27길 30

- 대표번호 : 02-792-7118
- 휴무일 :
- 블로그 홈페이지 : https://blog.naver.com/ilovegeorgia

* 체코 공화국 관광청 *
* 주소 : 서울 강남구 테헤란로 151 역삼하이츠빌딩 1314호
- 대표번호 : 02-322-4210 - 휴무일 : - 블로그 홈페이지 : https://blog.naver.com/cztseoul

* 크로아티아 관광청 *
- 홈페이지 : https://www.htz.hr/hr-HR

* 튀르키예 (구 터키) 관광청 *
- 홈페이지 : https://www.ktb.gov.tr/

* 포르투갈 관광청 *
- 홈페이지 : https://www.visitportugal.com/en

* 폴란드 관광청 *
- 홈페이지 : https://www.poland.travel/en

* 주한 프랑스 관광청 *
* 주소 : 서울 중구 서소문로 117 대한항공빌딩 10층
- 대표번호 : - 휴무일 : - 홈페이지 : https://kr.france.fr/ko

* 핀란드 관광청 *
- 홈페이지 : https://www.visitfinland.com/en/

* 헝가리 관광청 *
- 홈페이지 : https://visithungary.com/ https://csodasmagyarorszag.hu

북 미 - North America

* 미국 관광청 (수도 - 워싱턴 D.C)
- 홈페이지 : https://www.gousa.or.kr/

- 하와이 관광청 한국사무소 -

* 주소 : 서울 중구 서소문로 106 동화빌딩 10층

- 대표번호 : 02-777-0033
- 휴무일 : 매주 토, 일요일 / 공휴일 (월~금 10:00~17:00 – 운영 시간)
- 홈페이지 : https://www.gohawaii.com/kr

- 네바다 관광청 한국사무소 -

* 주소 : 서울 중구 서소문로 106 동화빌딩 10층

- 대표번호 : 02-777-8178 FAX : 02-777-8179
- 휴무일 : 매주 토, 일요일 / 공휴일 (월~금 10:00~17:00 – 운영 시간)
- 홈페이지 : https://www.gohawaii.com/kr

- 괌 정부관광청 한국사무소 -

* 주소 : 서울 종로구 경희궁길 36 7층 505호

- 대표번호 : 02-735-2088 - 휴무일 :
- 페이스북 : https://www.welcometoguam.co.kr/

- 마리아나 관광청 한국사무소 – 사이판, 티니안, 로타

* 주소 : 서울 중구 을지로 50 을지 한국빌딩 18층

- 대표번호 : 02-775-8282
- 휴무일 : 매주 토, 일요일 / 공휴일 (월~금 09:00~18:00 – 운영 시간)
- 홈페이지 : https://www.mymarianas.co.kr/

 라스베이거스 관광청 인스타그램 : https://www.instagram.com/vegas.korea/

*** 캐나다 관광청 (수도 - 오타와)**

- 홈페이지 : https://kr-keepexploring.canada.travel/

 https://travel.destinationcanada.com/

* 온타리오 - https://www.destinationontario.com/en-ca
* 매니토바주 – https://www.travelmanitoba.com/
* 토론토 - https://www.destinationtoronto.com/
* 온타리오 - https://www.ontario.ca/page/ministry-tourism-culture-sport
* 리자니아 - https://tourismregina.com/
* 오타와 - https://kr-keepexploring.canada.travel/

중남 미 - Latin America

*** 과테말라 관광청 ***

- 홈페이지 : https://paseoguatemala.gt/

*** 니카라과 관광청 ***

- 홈페이지 : https://www.intur.gob.ni/

*** 도미니카공화국 관광청 ***

- 홈페이지 : https://www.godominicanrepublic.com/

* 멕시코 관광청 *
- 홈페이지 : https://www.visitmexico.com/en/

* 베네수엘라 관광청 *
- 홈페이지 : https://www.thecrazytourist.com/15-best-places-visit-venezuela/

* 볼리비아 관광청 *
- 홈페이지 : https://www.boliviaturismo.com.bo/

* 브라질 관광청 *
- 홈페이지 : https://www.visitbrasil.com/en/

* 아르헨티나 관광청 *
- 홈페이지 : https://www.argentina.gob.ar/turismoydeportes

* 에콰도르 관광청 *
- 홈페이지 : https://vivecuador.com/

엘살바도르 관광청 (수도 - 산살바도르)
- 홈페이지 : http://elsalvadorturismo.com.sv/

온두라스 관광청 (수도 - 테구시갈파)
- 홈페이지 : https://www.honduras.com/guias/

* 우루과이 관광청 *
- 홈페이지 : https://www.gub.uy/ministerio-turismo/

* 칠레 관광청 *
- 홈페이지 : https://www.sernatur.cl/

* 코스타리카 관광청 *
- 홈페이지 : https://www.costaricabureau.com/index.html

* 콜롬비아 관광청 *
- 홈페이지 : https://colombia.travel/en

* 파나마 관광청 *
- 홈페이지 : https://www.atp.gob.pa/

* 파라과이 관광청 *
- 홈페이지 : https://senatur.gov.py/

* 페루 관광청 *
- 홈페이지 : https://www.peru.travel/pe

사증(비자)
대한민국 국민

대한민국 국민이 해외여행 시 여권과 함께 사증(비자)이 필요합니다.
전 세계 여행 시 사증(비자) - 무 사증 입국 가능한 국가와 기간을 정리하였습니다.

지 역	국 가	대한민국 국민 / 무 사증 입국 가능 여부 및 기간			무 사증 입국 근거	비고
		일반 여권	관용 여권	외교관 여권		
아주 지역 (20개 국가 및 지역)	대 만	90일	90일	90일	상호주의	여권유효 기간 6개월 이상
	동티모르	X	무기한	무기한	일방적 면제	
	라오스	30일	90일	90일	일방적 면제 /협 정	
	마카오	90일	90일	90일	상호주의	단수여권/여행 증명서 제외
	말레이시아	3개월	3개월	3개월	협 정	
	몽골	X	90일	90일	협 정	
	미얀마	~20.09.30 한시적 / 30일	90일	90일	일방적 면제 /협 정	
	방글라데시	X	90일	90일	협 정	
	베트남	15일	90일	90일	일방적 면제 /협 정	
	브루나이	30일	30일	30일	상호주의	
	싱가포르	90일	90일	90일	협 정	
	인도	X	90일	90일	협 정	
	인도네시아	30일	30일	30일	일방적 면제 /협 정	
	일본	90일	90일	90일	상호주의	
	중국	X	30일	30일	협 정	
	캄보디아	X	60일	60일	협 정	
	태국	90일	90일	90일	협 정	
	파키스탄	X	3개월	3개월	협 정	
	필리핀	30일	무제한	무제한	일방적 면제 /협 정	
	홍콩	90일	90일	90일	상호주의	외교목적이 아닌 경우 30일

* 마카오 : 단수 여권 및 여행 증명서 소지자는 사증 필요 - 입국 허가(도착 사증) 신청 시 100 마카오 달러

지 역	국 가	대한민국 국민 / 무 사증 입국 가능 여부 및 기간			무 사증 입국 근거	비 고
		일반 여권	관용 여권	외교관 여권		
중동 지역 (8+4개국)	레바논					
	바레인	X	X	X		
	사우디아라비아					
	아랍에미리트	90일	90일	90일	협 정	
	예멘					
	오만	30일	90일(협정)	90일(협정)	상호주의 / 협 정	
	요르단	X	X	90일	협 정	
	이라크					
	이란	X	3개월	3개월	협 정	
	이스라엘	90일	90일	90일	협 정	
	카타르	30일	30일	30일	상호주의	
	쿠웨이트	X	180일 중 90일	180일 중 90일	협 정	

바레인 : 도착 비자 발급 가능 2주, 비자 2회 연장
쿠웨이트 : (일반여권) 도착 비자 발급 가능(관광) / 입국비자 수수료 면제

지 역	국 가	대한민국 국민 / 무 사증 입국 가능 여부 및 기간			무 사증 입국 근거	비 고
		일반 여권	관용 여권	외교관 여권		
대 양 주 (14개 국가 및 지역)	괌	45일 / VWP90일	X	X	상호주의	
	뉴질랜드	3개월	3개월	3개월	협 정	
	마셜제도	30일	30일	30일	상호주의	
	마이크로네시아	30일	30일	30일	상호주의	
	바누아투	30일	90일	90일	일방적 면제 / 협 정	
	북마리아나 제도 (사이판)	45일 / VWP 90일	X	X	상호주의	
	사모아	60일	60일	60일	상호주의	
	솔로몬 제도	45일	45일	45일	상호주의	

뉴질랜드 : 2019.10.1.부터 전자 여행 허가(ETA)와 IVL 반드시 신청 및 납부

지 역	국 가	대한민국 국민 / 무 사증 입국 가능 여부 및 기간			무 사증 입국 근거	비 고
		일반 여권	관용 여권	외교관 여권		
대 양 주 (14개 국가 및 지역)	키리바시	30일	30일	30일	상호주의	
	통가	30일	30일	30일	상호주의	
	투발루	30일	30일	30일	상호주의	
	팔라우	30일	30일	30일	상호주의	
	피지	4개월	4개월	4개월	협 정	
	호주 (오스트레일리아)	90일	90일	90일	협 정	

지 역	국 가	대한민국 국민 / 무사증 입국 가능 여부 및 기간			무 사증 입국 근거	비 고
		일반 여권	관용 여권	외교관 여권		
유럽 지역 (셍겐 가입국 26개국)	그리스	3개월	3개월	3개월	협 정	
	네덜란드	3개월	3개월	3개월	3개월	
	노르웨이	90일	90일	90일	협 정	
	덴마크	90일	90일	90일	협 정	
	독일	90일	90일	3개월	협 정	
	라트비아	90일	90일	90일	협 정	
	룩셈부르크	3개월	3개월	3개월	협 정	
	리투아니아	90일	90일	90일	협 정	
	리히텐슈타인	3개월	3개월	3개월	협 정	
	몰타	90일	90일	90일	협 정	
	벨기에	3개월	3개월	3개월	협 정	
	스웨덴	90일	90일	90일	협 정	
	스위스	3개월	3개월	3개월	협 정	
	스페인	90일	90일	90일	협 정	

지 역	국 가	대한민국 국민 / 무 사증 입국 가능 여부 및 기간			무 사증 입국 근거	비 고
		일반 여권	관용 여권	외교관 여권		
유럽 지역 (솅겐 가입 국 26개국)	슬로바키아	90일	90일	90일	협 정	
	슬로베니아	30일	90일	90일	상호주의	
	아이슬란드	90일	90일	90일	협 정	
	에스토니아	90일	90일	90일	협 정	
	오스트리아	90일	90일	180일	협 정	
	이탈리아	90일	90일	90일	상호주의 /협 정	
	체코	90일	90일	90일	협 정	
	포르투갈	180일 중 90일	180일 중 90일	180일 중 90일	상호주의 /협 정	
	폴란드	90일	90일	90일	협 정	
	프랑스	90일	90일	90일	협 정	
	핀란드	90일	90일	90일	협 정	
	헝가리	90일	90일	90일	협 정	

지 역	국 가	대한민국 국민 / 무 사증 입국 가능 여부 및 기간			무 사증 입국 근거	비 고
		일반 여권	관용 여권	외교관 여권		
유럽 지역 (비 솅겐 국가 및 지역 28개국)	러시아	1회 최대연속 체류 90일	90일	90일	협 정	180일 중 누적 90일
	루마니아	180일 중 90일	180일 중 90일	180일 중 90일	협 정	
	북마케도니아	180일 중 90일	180일 중 90일	180일 중 90일	일방적 면제	
	모나코	90일	90일	90일	상호주의	
	몬테네그로	90일	90일	90일	상호주의	
	몰도바	6개월 중 90일	6개월 중 90일	6개월 중 90일	일방적 면제 / 협 정	
	벨라루스	30일	90일	90일	일방적 면제 / 협 정	

북마케도니아 : 주 불가리아대사관에서 관할
벨라루스 : 러시아 경유 또는 육로를 통한 출입국 시 비자 필요

지 역	국 가	대한민국 국민 / 무 사증 입국 가능 여부 및 기간			무 사증 입국 근거	비 고
		일반 여권	관용 여권	외교관 여권		
유럽 지역 (비 솅겐 국가 및 지역 28개국)	보스니아 헤르체고비나	90일	90일	90일	상호주의	
	불가리아	180일 중 90일	180일 중 90일	180일 중 90일	협 정	
	사이프러스	90일	90일	90일	상호주의 /협 정	
	산마리노	90일	90일	90일	상호주의	
	세르비아	90일	90일	90일	상호주의	
	아르메니아	연 180일	연 180일	연 180일	일방적 면제	외교관/관용여 권 협정상 90일
	아일랜드	90일	90일	90일	협 정	
	아제르바이잔	X	30일	30일	협 정	
	안도라	90일	90일	90일	일방적 면제	
	알바니아	90일	90일	90일	상호주의	
	영국	6개월	6개월	6개월	일방적 면제 / 협 정	
	우즈베키스탄	30일	30일	30일	일방적 면제 / 협 정	
	우크라이나	90일	90일	90일	일방적 면제 / 협 정	
	조지아	360일	90일	90일	일방적 면제 / 협 정	
	카자흐스탄	1회 최대연속 체류30일	90일	90일	협 정	일반 : 180일 중 60일
	코소보	90일	90일	90일	일방적 면제	
	크로아티아	90일	90일	90일	상호주의 / 협 정	
	키르기즈 공화국	60일	30일	30일	일방적 면제 / 협 정	
	타지키스탄	X	90일	90일	협 정	
	튀르키예 (구 터키)	180일 중 90일	180일 중 90일	180일 중 90일	협 정	
	투르크 메니스탄	X	30일	30일	협 정	
우크라이나 : 일반여권은 출국일로부터 역산하여 180일 중 90일이내 북마케도니아 : 주 불가리아대사관에서 관할 // 벨라루스 : 러시아 경유 또는 육로를 통한 출입국 시 비자 필요						

지 역	국 가	대한민국 국민 / 무 사증 입국 가능 여부 및 기간			무 사증 입국 근거	비 고
		일반 여권	관용 여권	외교관 여권		
아프리카 (19개 개국)	가봉	X	90일	90일	협 정	
	남아프리카 공화국	30일	30일	30일	상호주의	
	라이베리아	X	90일	90일	협 정	
	레소토	60일	60일	96일	협 정	
	모로코	90일	90일	90일	협 정	
	모리셔스	90일	90일	90일	상호주의	
	모잠비크	X	90일	90일	협 정	
	베냉	X	90일	90일	협 정	
	보츠와나	90일	90일	90일	상호주의	
	상투 메프란시페	15일	15일	15일	일방적 면제	
	세네갈	90일	90일	90일	일방적 면제	
	세이쉘	30일	30일	30일	일방적 면제	
	에스와티니 (스와질 랜드)	60일	60일	60일	상호주의	
	알제리	X	90일	90일	협 정	
	앙골라	X	30일	30일	협 정	
	이집트	X	90일	90일	협 정	
	카보베르데	X	90일	90일	협 정	
	탄자니아	X	180일 중 90일	180일 중 90일	협 정	
	튀니지	90일(협정에는 30일)	90일(협정에는 30일)	90일(협정에는 30일)	일방적 면제 / 협 정	

지 역	국 가	대한민국 국민 / 무 사증 입국 가능 여부 및 기간			무 사증 입국 근거	비 고
		일반 여권	관용 여권	외교관 여권		
미주 지역 (34개 국가 및 지역)	가이아나	30일	30일	30일	상호주의	
	과테말라	90일	90일	90일	상호주의	
	그라나다	90일	90일	90일	협 정	
	니카라과	90일	90일	90일	협 정	
	도미니카(공)	90일	90일	90일	협 정	추가 60일은 체류 연장 승인
	도미니카(연)	90일	90일	90일	협 정	
	멕시코	3개월	90일	90일	협 정	협정상 무 사증 실제 6개월 허용
	미국	90일	X	X	협 정	전자 여행 허가 (ESTA)사전신청
	바베이도스	90일	90일	90일	협 정	
	바하마	30일	90일	90일	협 정	
	베네수엘라	90일	30일	30일	협 정	
	벨리즈	90일	90일	90일	일방적 면제 / 협 정	
	볼리비아	X	90일	90일	협 정	
	브라질	90일	90일	90일	협 정	
	세인트루시아	90일	90일	90일	협 정	
	세인트빈센트 르레나딘	90일	90일	90일	협 정	
	세인트키츠 네비스	90일	90일	90일	협 정	
	수리남	90일	90일	90일	협 정	
	아르헨티나	30일	90일	90일	일방적 면제 / 협 정	
	아이티	90일	90일	90일	상호주의	

도미니카(공) : 최초 입국 시 30일 무 사증 체류기간 부여, 추가 60일은 도미니카공화국 이민청에서 체류 연장 승인

지 역	국 가	대한민국 국민 / 무 사증 입국 가능 여부 및 기간			무 사증 입국 근거	비 고
		일반 여권	관용 여권	외교관 여권		
미주 지역 (34개 국가 및 지역)	안티 구아바부다	90일	90일	90일	협 정	
	에콰도르	90일	3개월	90일	상호주의 / 협 정	
	엘살바도르	90일	90일	90일	협 정	
	온두라스	90일	90일	90일	상호주의	
	우루과이	90일	90일	90일	협 정	
	자메이카	90일	90일	90일	협 정	
	칠레	90일	3개월	3개월	협 정	
	캐나다	6개월	6개월	6개월	상호주의	Eta(전자여권 허가제)사전등록
	코스타리카	90일	90일	90일	협 정	
	콜롬비아	90일	90일	30일	협 정	
	트리니다드 토바고	90일	90일	90일	협 정	
	파나마	90일	90일	90일		
	파라과이	30일	90일	90일	상호주의 / 협 정	
	페루	90일	90일	90일	협 정	

****** 알아야 할 내용 ******

- 미국 : 출국 전 전자여행허가(ESTA) 신청 필요
- 캐나다 : 출국 전 전자여행허가(eTA) 신청 필요, 생체인식정보 수집 확대 시행(2018.12.31.~) ☞ 자세히 보기
- 호주 : 출국 전 전자여행허가(ETA) 신청 필요
- 괌, 북마리아나 연방(수도 : 사이판) : 45일간 무사증입국이 가능하며, 전자 여행허가(ESTA) 신청 시 90일 체류 가능
- 영국 : 협정상의 체류기간은 90일이나 영국은 우리 국민에게 최대 6개월 무사증입국 허용
 (무 사증 입국 시 신분증명서, 재정증명서, 귀국항공권, 숙소정보, 여행계획 등 제시필요
 (주 영국대사관 홈페이지 참조))

사증(비자) 외국인

외국인이 대한민국 입국 시 여권과 함께 사증(비자) 이 필요합니다.
외국인 대한민국 입국 사증(비자) – 무 사증 입국 가능한 국가와 기간을 정리하였습니다.

지 역	국 가	외국인 - 대한민국 : 무 사증 입국 가능 여부 및 기간			무 사증 입국 근거	비 고
		일반 여권	관용 여권	외교관 여권		
아주 지역 (8개 개국 + 11개국)	대 만	90일	90일	90일	상호주의	
	동티모르					
	라오스	X	90일	90일	협 정	
	마카오	90일	90일	90일	상호주의	
	말레이시아	3개월	3개월	3개월	협 정	
	몽골	X	90일	90일	협 정	
	미얀마	X	90일	90일	협 정	
	방글라데시	X	90일	90일	협 정	
	베트남	X	90일	90일	협 정	
	브루나이	30일	30일	30일	상호주의	
	싱가포르	90일	90일	90일	협 정	
	인도	X	90일	90일	협 정	
	인도네시아	X	30일	30일	상호주의	
	일본	90일	90일	90일	상호주의 / 협 정	
	중국	X	30일	30일	협 정	
	캄보디아	X	60일	60일	협 정	
	태국	90일	90일	90일	협 정	
	파키스탄	X	3개월	3개월	협 정	
	필리핀	30일	무제한	무제한	무 제 한 / 협 정	
	홍콩	90일	90일	90일	상호주의	

* 마카오 : 단수 여권 및 여행 증명서 소지자는 사증 필요 – 입국 허가 (도착 사증) 신청 시 100 마카오 달러

지 역	국 가	외국인 - 대한민국 : 무 사증 입국 가능 여부 및 기간			무 사증 입국 근거	비 고
		일반 여권	관용 여권	외교관 여권		
중동 지역 (7 + 3개국)	레바논	X	30일	30일	상호주의	
	바레인	30일	X	X	일방적 면제	
	사우디아라비아	30일			일방적 면제	
	아랍에미리트	90일	90일	90일	협 정	
	예멘					
	오만	30일	90일(협정)	90일(협정)	일방적 면제 / 협 정	
	요르단	X	X	90일	협 정	
	이라크					
	이란	X	3개월	3개월	협 정	
	이스라엘	90일	90일	90일	협 정	
	카타르	30일	30일	30일	상호주의	
	쿠웨이트	90일	180일 중 90일	180일 중 90일	일방적 면제 / 협 정	

지 역	국 가	외국인 - 대한민국 : 무 사증 입국 가능 여부 및 기간			무 사증 입국 근거	비 고
		일반 여권	관용 여권	외교관 여권		
대 양 주 (13개 국가 및 지역 + 1개 국가 및 지역)	괌	90일	90일	90일	상호주의	
	뉴질랜드	3개월	3개월	3개월	협 정	
	나우루	30일			일방적 면제	
	마셜군도	30일	30일	30일	상호주의	
	마이크로네시아	30일	30일	30일	상호주의	
	바누아투	X	90일	90일	협 정	
	북마리아나 제도 (사이판)					
	사모아	30일	60일	60일	상호주의	

지 역	국 가	외국인 - 대한민국 : 무 사증 입국 가능 여부 및 기간			무 사증 입국 근거	비 고
		일반 여권	관용 여권	외교관 여권		
대 양 주 (13개 국가 및 지역 + 1개 국가 및 지역)	솔로몬 군도	30일	45일	45일	상호주의	
	키리바시	30일	30일	30일	상호주의	
	통가	30일	30일	30일	상호주의	
	투발루	30일	30일	30일	상호주의	
	팔라우	30일	30일	30일	상호주의	
	피지	30일	30일	30일	상호주의	
	호주 (오스트레일리아)	90일	90일	90일	일방적 면제	

지 역	국 가	외국인 - 대한민국 : 무 사증 입국 가능 여부 및 기간			무 사증 입국 근거	비 고
		일반 여권	관용 여권	외교관 여권		
유럽 지역 (43개국+ 10개국)	교황청	30일			일방적인 면제	
	그리스	3개월	3개월	3개월	협 정	
	네덜란드	3개월	3개월	3개월	협 정	
	노르웨이	180일 중 90일	90일	90일	협 정	
	덴마크	180일 중 90일	90일	90일	협 정	
	독일	90일	90일	3개월	협 정	
	라트비아	90일	90일	90일	협 정	
	룩셈부르크	3개월	3개월	3개월	협 정	
	리투아니아	90일	90일	90일	협 정	
	리히텐슈타인	3개월	3개월	3개월	협 정	
	몰타	90일	90일	90일	협 정	
	벨기에	3개월	3개월	3개월	협 정	

지 역	국 가	외국인 - 대한민국 : 무 사증 입국 가능 여부 및 기간			무 사증 입국 근거	비 고
		일반 여권	관용 여권	외교관 여권		
유럽 지역 (43개국+ 10개국)	스웨덴	180일 중 90일	90일	90일	협 정	
	스위스	3개월	3개월	3개월	상호주의	
	스페인	90일	90일	90일	협 정	
	슬로바키아	90일	90일	90일	협 정	
	슬로베니아	30일	90일	90일	상호주의	
	아이슬란드	180일 중 90일	90일	90일	협 정	
	에스토니아	180일 중 90일	90일	90일	협 정	
	오스트리아	90일	90일	180일	협 정	
	이탈리아	90일	90일	90일	상호주의 / 협 정	
	체코	90일	90일	90일	협 정	
	포르투갈	180일 중 90일	180일 중 90일	180일 중 90일	상호주의	
	폴란드	90일	90일	90일	협 정	
	프랑스	90일	90일	90일	협 정	
	핀란드	180일 중 90일	90일	90일	협 정	
	헝가리	90일	90일	90일	협 정	
	러시아	60일 180일 중 90일	90일	90일	협 정	180일 기간 중 누적 90일 협상
	루마니아	90일	180일 중 90일	180일 중 90일	협 정	
	북마케도니아					
	모나코	30일	90일	90일	상호주의	
	몬테네그로	30일	90일	90일	상호주의	
	몰도바	X	6개월 중 90일	6개월 중 90일	협 정	
	벨라루스	X	90일	90일	협 정	

지 역	국 가	외국인 - 대한민국 : 무 사증 입국 가능 여부 및 기간			무 사증 입국 근거	비 고
		일반 여권	관용 여권	외교관 여권		
유럽 지역 (43개국+ 10개국)	보스니아 헤르체고비나	30일	90일	90일	상호주의	
	불가리아	90일	180일 중 90일	180일 중 90일	협 정	
	사이프러스	30일	90일	90일	상호주의 / 협 정	
	산마리노	30일	90일	90일	상호주의	
	세르비아	90일	90일	90일	상호주의	
	아르메니아	X	90일	90일	협 정	외교관/관용여권 협정상90일
	아일랜드	90일	90일	90일	협 정	
	아제르바이잔	X	30일	30일	협 정	
	안도라	90일	90일	90일	상호주의	
	알바니아	90일	90일	90일	상호주의	
	영국	90일	6개월	6개월	협 정	
	우즈베키스탄	X	X	60일	협 정	
	우크라이나	X	90일	90일	협 정	
	조지아	X	90일	90일	협 정	
	카자흐스탄	30일	90일	90일	협 정	
	코소보					
	크로아티아	90일	90일	90일	상호주의 / 협 정	
	키르기즈 공화국	X	30일	30일	일방적 면제 / 협 정	
	타지키스탄	X	90일	90일	협 정	
	튀르키예 (구 터키)	90일	180일 중 90일	180일 중 90일	협 정	
	투르크 메니스탄	X	X	30일	협 정	

지 역	국 가	외국인 - 대한민국 : 무 사증 입국 가능 여부 및 기간			무 사증 입국 근거	비 고
		일반 여권	관용 여권	외교관 여권		
아프리카 (9개국 + 7개국)	가봉	X	90일	90일	협 정	
	남아프리카 공화국	30일	30일	30일	상호주의	
	라이베리아	90일	90일	90일	협 정	
	레소토	60일	60일	60일	협 정	
	모로코	90일	90일	90일	협 정	
	모리셔스	30일	30일	30일	상호주의	
	모잠비크	X	90일	90일	협 정	
	베냉	X	90일	90일	협 정	
	보츠와나	90일	90일	90일	상호주의	
	상투 메프란시페					
	세네갈					
	세이쉘	30일	30일	30일	상호주의	
	에스와티니 (스와질 랜드)	30일	60일	60일	상호주의	
	알제리	X	90일	90일	협 정	
	앙골라	X	30일	30일	협 정	
	이집트	X	90일	90일	협 정	
	카보베르데	X	90일	90일	협 정	
	탄자니아					
	튀니지	30일	90일 (협정 에는 30일)	90일 (협정 에는 30일)	협 정	
라이베리아 : 2019.07.18 ~ 사증 면제 협정 일시중지						

지 역	국 가	외국인 - 대한민국 : 무 사증 입국 가능 여부 및 기간			무 사증 입국 근거	비 고
		일반 여권	관용 여권	외교관 여권		
미주 지역 (32개 국가 및 지역 + 2개국)	가이아나	30일	30일	30일	상호주의	
	과테말라	90일	90일	90일	상호주의	
	그라나다	90일	90일	90일	협 정	
	니카라과	90일	90일	90일	협 정	
	도미니카 (공)	90일	90일	90일	협 정	
	도미니카 (연)	90일	90일	90일	협 정	
	멕시코	3개월	90일	90일	협 정	
	미국	90일	X	X	상호주의	
	바베이도스	90일	90일	90일	협 정	
	바하마	30일	90일	90일	협 정	
	베네수엘라	90일	30일	30일	협 정	
	벨리즈	90일	90일	90일	협 정	
	볼리비아	X	90일	90일	협 정	
	브라질	90일	90일	90일	협 정	
	세인트루시아	90일	90일	90일	협 정	
	세인트빈센트 르레나딘	90일	90일	90일	협 정	
	세인트키츠 네비스	90일	90일	90일	협 정	
	수리남	90일	90일	90일	협 정	
	아르헨티나	30일	90일	90일	일방적 면제 / 협 정	
	아이티	90일	90일	90일	상호주의	
	안티 구아바부다	90일	90일	90일	협 정	
	에콰도르	90일	3개월	3개월	상호주의 / 협 정	

지 역	국 가	외국인 - 대한민국 : 무 사증 입국 가능 여부 및 기간			무 사증 입국 근거	비 고
		일반 여권	관용 여권	외교관 여권		
미주 지역 (32개 국가 및 지역 + 2개국)	엘살바도르	90일	90일	90일	협 정	
	온두라스	90일	90일	90일	상호주의	
	우루과이	90일	90일	90일	협 정	
	자메이카	90일	90일	90일	협 정	
	칠레	90일	3개월	3개월	협 정	
	캐나다	6개월	6개월	6개월	상호주의	
	코스타리카	90일	90일	90일	협 정	
	콜롬비아	90일	90일	30일	협 정	
	트리니다드 토바고	90일	90일	90일	협 정	
	파나마	90일	90일	90일	협 정	
	파라과이	30일	90일	90일	상호주의 / 협 정	
	페루	90일	90일	90일	협 정	

기타 사증 관련 협정 체결현황	
적용대상	**대상 국가 / 지역**
복수 사증 (14개) (협정 및 상호주의에 의거)	독일(주재, 투자 등), 러시아(단기 복수), 몽골, 미국(단기 종합), 브라질(상용, 투자, 취재), 사우디아라비아, 아르헨티나(상용), 우즈베키스탄(상용 등), 우크라이나(상용, 주재 등), 인도(상용·고용·관광), 일본, 중국, 캐나다(상용), 호주(상용)
취업 관광 사증 (24개)	네덜란드, 뉴질랜드, 대만, 덴마크, 독일, 벨기에, 스웨덴, 스페인, 아르헨티나, 아일랜드, 영국, 오스트리아, 이스라엘, 이탈리아, 일본, 체코, 칠레, 캐나다, 포르투갈, 폴란드, 프랑스, 헝가리, 호주, 홍콩
항공기승무원 양해각서	중국, 러시아

***** 사증 면제 국가 여행 시 주의할 점 *****

*** 사증 면제 제도는 대체로 관광, 상용, 경유일 때 적용이 됩니다. 사증 면제 기간 이내에 체류할 계획이라 하더라도 국가에 따라서는 방문 목적에 따른 별도의 사증을 요구하는 경우가 많으니 입국 전에 꼭 방문할 국가의 주한공관 홈페이지 등을 통해 확인 바랍니다.(특히, 취재기자의 경우 무사증입국 허용이라 하더라도 사증취득 필요)**

*** 특히, 미국 입국/경유 시에는 ESTA라는 전자여행허가를, 캐나다와 호주, 뉴질랜드는 eTA/ETA 라는 전자여행허가를 꼭 받으셔야 하고, 영국 입국 시에는 신분증명서, 재직증명서, 귀국항공권, 숙소정보, 여행계획을 반드시 지참하셔야 합니다.**

스마트폰과 함께 떠나는 해외 여행 교과서에서 소개하는 앱

외교부	해외안전여행·국민외교 : 외교부는 2019년 6월부터 신규 해외안전여행·국민외교 모바일 애플리케이션 서비스를 제공하고 있습니다. 안전한 해외 여행을 위한 각종 정보를 제공받으실 수 있습니다.
	항공 보안 365 : 해외 여행의 첫 여행은 항공 여행입니다. 안전한 해외 여행을 위하여, 즐거운 해외 여행이 되시기 위해, 기내 반입 금지 물품을 미리 알고 준비를 하세요.
정부24	정부24 : 대한민국의 서비스, 정책정보, 기관정보를 안내받고 각 기관의 주요 서비스를 정부24 한 곳에서 여권 등을 신청· 발급할 수 있습니다.
보다 편리해진 영사민원24	영사민원 24 : 외교부 재외국민 민원 포털. 재외국민등록 신청, 재외국민등록부등본, 해외이주신고확인서 발급, 다국어 서식 번역본 제공합니다. (영사콜센터 무료 전화)
	구글 번역 : 100가지 이상의 다른 언어로 단어, 구문, 웹페이지를 즉시 번역합니다. 텍스트 번역, 탭하여 번역, 즉석 카메라 번역, 사진을 찍거나, 가져와 번역, 2가지 언어로 된 대화를 실시간으로 번역 등을 할 수 있습니다.
	파파고(Papago) : 한국어 표현이 상대적으로 자연스러운 장점이 있습니다. 한국어, 영어, 일본어, 중국어, 스페인어, 프랑스어, 베트남어, 태국어, 인도네시아어, 러시아어, 독일어, 이탈리아어 총 13개 국어 번역을 지원합니다.
	구글 어시스턴트(Assistant) : 전화를 걸고, 검색하고, 탐색하는 등 모든 작업을 할 수 있습니다. Google 인공지능 비서 플랫폼. 앱 소개, 개인 간 송금, 금융, 알림, 작업, 일정 관리, 엔터테인먼트, 사용 가이드 제공을 합니다.
	Google 렌즈(Lens) : 눈에 보이는 사물을 검색하고, 이미지 검색, 텍스트 복사, 번역, 단계별 과제 수행 도우미, 식물, 동물 찾기 등을 더욱 빠르게 작업을 처리하며, 카메라와 사진만으로 주변 세상을 이해할 수 있습니다.
	구글 지도(Google Maps) : 위성 사진, 스트리트 뷰, 360° 거리 파노라마 뷰, 실시간 교통 상황 (구글 트래픽), 그리고 도보, 자동차, 자전거(베타), 대중교통의 경로를 제공합니다.
N	네이버 지도 : 대한민국과 북한의 모습만 볼 수 있습니다. 위성사진도 지원합니다. 데스크탑 홈페이지, 모바일 홈페이지, 안드로이드, iOS 등의 다양한 플랫폼으로 서비스되고 있습니다.

	교통 앱 : - 지하철 종결자(지하철 노선 등) - 티머니 GO(버스 노선 등) - 코레일 톡(열차 예약 등)
	인천공항 : 인천공항 앱은 인천공항까지 교통편과 소요 시간 등 체크가 가능하시며, 인천공항 제1, 2청사 항공편과 인천공항 전반적인 서비스를 제공받을 수 있습니다.
	스마트공항 가이드 : 인천공항을 제외한 대한민국에 국제, 국내선 취항 공항을 통합 예약 서비스 앱입니다. 항공권 예약, 주차, 렌터카, 호텔, 여행상품, 시티투어 등 예약 서비스를 제공합니다.
	카카오톡(KakaoTalk) : 실시간 1:1 채팅, 그룹채팅 서비스와 연락처를 기반으로 자동으로 채팅친구를 등록, 친구 추천을 통한 네트워크 확장, 사진, 동영상, 연락처 공유 등의 서비스를 제공합니다.
	카메라(Camera) : 상황에 맞는 다양한 모드를 적용하여 사진 및 동영상을 촬영할 수 있습니다.
	갤러리(Gallery) : 스마트폰에 설치된 기본 기능으로 스마트폰에서 촬영, 캡처한 모든 자료 및 사진, 동영상을 갤러리 앱에서 볼 수 있습니다. 앨범별로 관리하거나 스토리를 만들 수도 있습니다.
	포토퍼니아(PhotoFunia) : 이미지를 합성하여 멋진 사진 콜라주를 만드는 앱입니다. 패러디 이미지, 사진 자동 합성 프로그램, 어플 등을 제공합니다.
	글그램 : 나만의 멋진 카드뉴스 만들기를 할 수 있는 앱(App) - 글그램은 사진에 글쓰기 어플로서 감성 글, 사랑 글, 안부인사, 응원 글, 썸네일 등 다양한 사진 글귀를 만드는 최적화된 어플입니다.
	감성공장 : 캘리그라피(Calligraphy) 합성을 쉽고 간편하게 하여 주는 앱(App) - 감성이 넘치는 사진 편집, 사진 필터 적용, 캘리 색상 변경, SNS 공유 기능을 쉽고 편안하게 할 수 있는 어플입니다.
	키네마스터(KINEMASTER) - 동영상 편집기 : 다양한 종류의 비즈니스 유형에 최적화된 템플릿 라이브러리를 통해 몇 분 만에 프로페셔널 영상을 손쉽게 제작할 수 있습니다.